MES VOYAGES
AVEC HÉRODOTE

Du même auteur

Le Négus, Flammarion, 1994 et 10-18, 1994.
Le Shah ou la Démesure du pouvoir, Flammarion, 1986 et 10-18, 1994.
D'une guerre l'autre, Flammarion, 1988.
Imperium, Plon/Feux Croisés, 1994 et 10-18, 2000.
Ebène, Plon/Feux Croisés, 2000 et Pocket, 2002.
La Guerre du foot et autres guerres et aventures, Plon/Feux Croisés, 2003 et Pocket, 2004.

RYSZARD KAPUŚCIŃSKI

MES VOYAGES
AVEC HÉRODOTE

*Traduit du polonais
par Véronique Patte*

FEUX CROISÉS
PLON

Titre original
Podróże z Herodotem

Collection Feux Croisés

Ce livre est publié
sous la direction éditoriale
d'Ivan Nabokov

Les citations extraites de l'œuvre d'Hérodote traduite en français ont été reproduites avec l'aimable autorisation des ayants droit.
Hérodote, *L'Enquête*, © Gallimard, collection « La Pléiade », 1973, dans la traduction d'Andrée Barguet ; passages signalés par la mention (B).
Lacarrière, Jacques, *En cheminant avec Hérodote*, © Editions Nil, 2003 ; passages signalés par la mention (L).
Les autres brefs passages ont été traduits en français par Véronique Patte à partir de la traduction polonaise de Seweryn Hammer utilisée par l'auteur.

ISBN édition originale, Wydawnictwo Znak, Cracovie : 83-240-0482-3
ISBN Plon : 2-259-20252-7

« Je suis semblable à ces vieux livres qui finissent par moisir faute d'avoir été lus. Il ne reste plus qu'à dérouler le fil de la mémoire et à secouer de temps à autre la poussière qui s'y trouve déposée. »

SÉNÈQUE.

« Tout souvenir est actualité. »

NOVALIS.

« Nous sommes l'un pour l'autre des pèlerins qui, le long de chemins divers, peinons vers le même rendez-vous. »

Antoine de SAINT-EXUPÉRY.

Le monde d'Hérodote

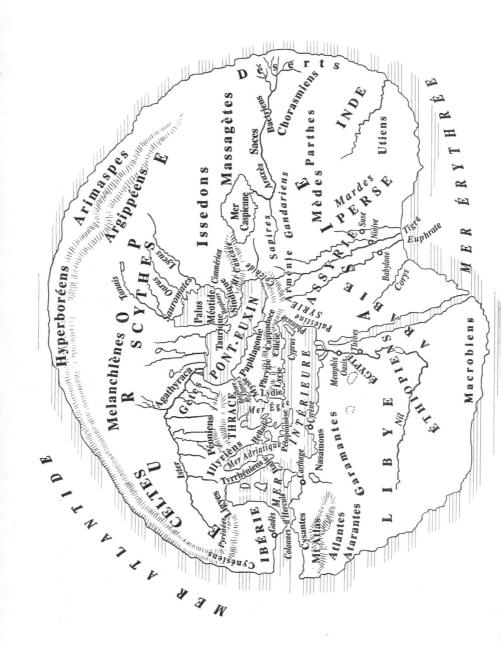

Franchir la frontière

Avant de poursuivre son escalade de sentiers escarpés, sa traversée de mers houleuses, sa chevauchée à travers d'infranchissables steppes, avant d'atteindre l'ombrageuse Scythie, de découvrir les merveilles de Babylone, de contempler les mystères du Nil et de percer mille autres secrets du monde, Hérodote fait une brève incursion au cours d'histoire sur la Grèce antique que Mme Bieżuńska-Małowist nous donne deux fois par semaine à l'université de Varsovie.

Son apparition est si fugace et instantanée que, bien des années plus tard, tandis que je feuillette mes notes de première année, je ne retrouve aucune trace de son nom. En revanche, j'y retrouve ceux d'Eschyle et de Périclès, de Sapho et de Socrate, d'Héraclite et de Platon, mais Hérodote, lui, brille par son absence. J'ai pourtant pris mes cours avec soin, car ils constituent notre unique source de savoir. La guerre s'est achevée cinq années plus tôt, la ville est en ruine, les bibliothèques ont été ravagées par le feu. Nous manquons cruellement de manuels, de livres.

Notre professeur a une voix calme, douce, monotone. L'air intrigué, elle nous scrute de ses grands yeux sombres et attentifs derrière les verres épais de ses lunettes. Perchée sur une estrade, elle domine une centaine de jeunes gens dont la majorité ignore tout de la grandeur de Solon, du désespoir d'Antigone et de la manière dont Thémistocle attira les Perses dans le piège de Salamine.

A vrai dire, nous sommes incapables de situer la Grèce avec précision sur une carte, de même que nous ignorons tout de son passé exceptionnel et de l'importance de son histoire. Enfants de la guerre, nous avons été privés d'école malgré les universités clandestines qui ont pris le relais dans les grandes villes. Notre amphithéâtre est surtout occupé par des filles et des garçons de la Pologne profonde, des étudiants sans bases ni culture. Nous sommes en 1951, les admissions à l'université se pratiquent sans examen préalable puisque la sélection repose alors avant tout sur l'origine sociale des candidats : les enfants d'ouvriers et de paysans ont plus de chances d'obtenir une carte d'étudiant que les autres.

Nous nous entassons sur des bancs trop courts pour accueillir tout le monde. Mon voisin de gauche s'appelle Z., un gaillard taciturne, natif d'un village des environs de Radom où les gens soignent les bébés en leur donnant à sucer une tranche de saucisson sec. « Tu crois que c'est efficace ? », lui demandé-je incrédule. « Evidemment », me répond-il avec conviction pour replonger aussitôt dans son mutisme. A ma droite est assis W., un étudiant maigre au visage souffreteux et grêlé. Quand le temps change, il pousse de petits gémissements. Un jour il me confie que son genou le lancine depuis qu'il a reçu une balle au maquis. Qui se battait contre qui ? Qui lui a tiré dessus ? Il refuse d'en parler. Parmi nous se trouvent quelques enfants de bonne famille, des jeunes gens impeccables, tirés à quatre épingles, des jeunes filles avec des escarpins à hauts talons. Mais ce sont des exceptions, des cas uniques qui sautent aux yeux. Ce qui domine, c'est la pauvreté, la province déguenillée : manteaux fripés, pulls raccommodés, robes en coton léger.

Notre professeur d'histoire nous montre des photographies de sculptures antiques, de silhouettes de citoyens grecs peintes sur des vases, de corps nobles et magnifiques, de visages ovales aux traits doux. Pour nous, c'est un monde inconnu et mythique, fait de soleil et d'argent, de chaleur et de lumière, de héros sveltes et de nymphes dansantes. Z. regarde ces clichés d'un air morne, W. masse son genou endolori en grimaçant. Les autres étudiants les contemplent d'un air sérieux mais indifférent, incapables de s'imaginer cet univers lointain et irréel. Pour ma part, j'ai été confronté à la notion de choc des civilisations très tôt, il y a fort longtemps, dans cet amphithéâtre où j'ai appris que jadis sur Terre vécut un Grec du nom d'Hérodote.

A ce moment-là, j'ignore pratiquement tout de son existence et de ses *Histoires*, l'illustre livre qu'il nous a légué et que de toute façon nous n'aurions pas pu lire puisque sa traduction polonaise se trouve alors sous clé. Les *Histoires* ont été traduites au milieu des années quarante par le professeur Seweryn Hammer qui remit le manuscrit de sa traduction à l'éditeur Czytelnik. Je n'ai pas réussi à obtenir de plus amples informations sur les mésaventures de cette traduction, car toute la documentation sur le sujet a disparu. Je sais néanmoins que, à l'automne 1951, l'éditeur envoya le texte de la traduction à la composition et à l'impression. Le livre aurait dû être publié et mis à la disposition des étudiants en 1952, année où l'Antiquité était encore inscrite à notre programme. Mais l'impression du livre fut soudain suspendue. Impossible, aujourd'hui, de connaître la personne responsable de cette décision. Un censeur ? C'est probable, mais j'ignore l'exacte vérité. Toujours est-il que le livre ne fut imprimé que trois ans plus tard, à la fin de l'année 1954, et qu'il sortit en librairie en 1955.

On peut toutefois deviner les raisons de cette phase de flottement entre l'envoi du manuscrit à l'imprimerie et la parution des *Histoires* en librairie. Ce laps de temps correspond de fait à la période précédant et suivant directement la mort de Staline. Le manuscrit d'Hérodote se retrouva dans une imprimerie au moment où les stations de radio occidentales commencèrent à évoquer la grave maladie du Secrétaire général. Sans rien savoir de précis, les gens redoutaient une nouvelle vague de terreur et préféraient rester aux aguets, ne pas prendre de risques, ne pas s'exposer, laisser passer la tempête. L'atmosphère était tendue. Les censeurs redoublaient de vigilance.

Mais quel rapport avec Hérodote dont le livre avait été écrit deux mille cinq cents ans plus tôt ? Il faut croire que ce rapport existait, puisque, en ce temps-là, toute notre pensée, toute notre manière de regarder et de lire le monde se trouvaient dominées par la hantise de l'allusion. Le moindre mot était équivoque, avait un double sens, cachait un sous-entendu, une acception mystérieuse, la moindre expression contenait un code secret habilement dissimulé. Rien n'était comme dans la réalité, clair et univoque, chaque objet, chaque geste et chaque mot renvoyaient à un signe allusif, à un clin d'œil de connivence. Celui qui écrivait avait du mal à atteindre le lecteur non seulement parce que en chemin son texte risquait d'être confisqué par la censure, mais aussi parce que, dans le cas où il arrivait à bon port, il faisait l'objet d'une interprétation totalement différente de celle que son auteur lui avait donnée. En le lisant, le lecteur se posait constamment la question : « Mais qu'a réellement voulu dire l'écrivain ? »

Or, voilà qu'un individu obsédé par la manie de l'allusion s'empare du livre d'Hérodote. Que d'associations n'y trouve-t-il pas ! Les *Histoires* sont composées de neuf livres dont chacun regorge de sous-entendus. Il suffit par exemple d'ouvrir le livre V au hasard pour apprendre qu'à Corinthe, à l'issue de trente ans de règne sanglant, meurt un tyran nommé Cypsélos, cédant la place à son fils Périandre, lequel se montre par la suite encore plus assoiffé de sang que son père. Désireux de connaître le meilleur moyen de garder le pouvoir, le dictateur en herbe envoie un messager au vieux Thrasybule, le tyran de Milet, afin de l'interroger sur sa manière de maintenir les hommes dans la terreur et la servilité.

> Thrasybule, écrit Hérodote, emmena l'envoyé de Périandre hors de la ville et alla se promener en sa compagnie au milieu des blés ; là, il questionna le héraut sur le motif de son voyage et, tout en le pressant de questions, il tranchait les épis qu'il voyait s'élever au-dessus des autres et en jetait la tête au loin – ceci jusqu'au moment où il eut de cette façon détruit toutes les plus belles tiges et les plus chargées de grains. Il traversa le champ tout entier, puis congédia le héraut sans lui donner un mot de réponse. Sitôt le héraut de retour à Corinthe, Périandre s'empressa de lui demander le conseil qu'il avait reçu. L'homme lui répondit qu'il n'en avait reçu aucun ; d'ailleurs, dit-il, il s'étonnait d'avoir été envoyé auprès d'un pareil personnage, un fou qui détruisait ses propres récoltes – et il raconta ce dont il avait été le témoin. Périandre comprit le geste de Thrasybule et vit bien qu'il lui conseillait de mettre à mort les premiers des citoyens ; dès lors, sa cruauté ne connut plus de bornes : tout ce que les rigueurs de Cypsélos avaient épargné, Périandre le frappa (B).

Et que dire de Cambyse, personnage lugubre et maladivement suspicieux ! Que d'allusions, d'analogies, de parallèles cette figure ne contient-elle pas ! Cambyse était le roi d'une grande puissance de l'époque, la Perse. Il régna de 529 à 522 avant Jésus-Christ.

> [...] Cambyse devint complètement fou. [...] Son premier acte de folie fut de faire exécuter son frère Smerdis (un vrai frère, né du même père et de la même mère). [...] Cette première folie ouvrit la série des autres. Il s'attaqua ensuite à sa sœur, qui l'avait suivi en Egypte, et avec

laquelle il couchait, bien qu'ils fussent frère et sœur de sang. [...] Une autre fois, il fit enterrer vivants, la tête en bas, sans motif valable, douze Perses appartenant à l'élite du pays. Au cours de son séjour à Memphis, Cambyse commit quantité d'autres folies contre les Perses et leurs alliés. Il fit ouvrir d'antiques tombeaux et contempla les morts.

[...] Le roi, furieux, décida de partir sur-le-champ contre les Ethiopiens, sans même prendre le temps de prévoir les approvisionnements nécessaires et sans réaliser le moins du monde qu'il se lançait vers les extrémités de la terre. Il fallait être fou et avoir perdu tout son bon sens pour se lancer dans une pareille entreprise. A peine eut-il fini d'écouter les Ichthyophages qu'il ordonna aux troupes auxiliaires grecques de rester où elles se trouvaient et emmena avec lui son armée de terre. Il arriva à Thèbes, prit cinquante mille hommes qu'il envoya chez les Amoniens pour les réduire en esclavage et brûler leur oracle de Jupiter, puis continua sa route vers l'Ethiopie avec le reste de l'armée. Ils n'avaient pas achevé la cinquième partie du trajet que tous les vivres étaient épuisés. Ils furent contraints de manger les bêtes de somme, si bien qu'il n'en resta plus une seule ! Si Cambyse, à ce moment, était revenu sur son erreur et avait fait marche arrière, on aurait pu, en dépit de sa folie initiale, le considérer comme un homme sensé. Mais il n'en fit rien et continua sa route. Tant que les soldats purent tirer quelque subsistance de la terre, ils survécurent en se nourrissant d'herbes, mais, arrivés dans le désert, certains – ô horreur ! – tirèrent au sort un sur dix d'entre eux et le mangèrent ! Cambyse, craignant que toute son armée ne s'entre-dévorât, finit par revenir sur ses pas et rentra à Thèbes après avoir subi des pertes considérables. De Thèbes, il descendit sur Memphis et congédia les Grecs qui se rembarquèrent pour leur pays. Ainsi se termina l'expédition d'Ethiopie.

A en juger par tous ces actes, il est clair que Cambyse avait complètement perdu la raison... (L).

Comme je l'ai indiqué, les *Histoires* d'Hérodote sortirent en libraire en 1955. Deux années s'étaient écoulées depuis la mort de Staline. L'atmosphère s'était radoucie, les gens respiraient plus librement. C'est à cette époque que parut le roman d'Ehrenbourg dont le titre, *Le Dégel*, servit à désigner cette période. La littérature représentait tout : on y puisait des forces pour vivre, on y cherchait des indications, des révélations.

Après mes études, je fus embauché au journal *Sztandar Młodych*. Reporter débutant, j'étais chargé de suivre le courrier des lecteurs victimes de divers préjudices et misères : le gouvernement avait confisqué leur dernière vache, le village où ils vivaient avait été privé d'électricité. La censure s'étant adoucie, on pouvait par exemple écrire sans problème qu'il n'y avait rien à acheter au magasin de Chodow. Le progrès consistait à pouvoir mettre noir sur blanc que les étalages d'une boutique étaient vides alors qu'officiellement tous les commerces étaient magnifiquement achalandés. Un camion à ridelles ou un autocar déglingué me trimballait de village en village, de bourg en bourg, car, à l'époque, les voitures privées restaient un luxe, on avait même du mal à trouver un vélo.

Mon itinéraire me conduisait parfois dans des villages frontaliers, mais c'était exceptionnel. En effet, plus on approchait la frontière, plus les terres devenaient vides et moins on croisait de monde. L'aspect désertique de ces contrées accentuait leur mystère tout en captant mon attention sur le silence qui règne toujours en ces lieux. Ce mystère et ce silence m'envoûtaient. Je voulais voir ce qui se trouvait plus loin, de l'autre côté. Je m'imprégnais de sensations que l'on doit éprouver en franchissant une frontière. Que ressent-on ? Que pense-t-on ? Cela doit être un instant émouvant, troublant, excitant. De quoi a l'air l'autre côté ? Tout y est sûrement différent. Mais en quoi consiste cette différence ? A quoi ressemble-t-elle ? Peut-être n'est-elle en rien pareille à tout ce que je connais ? Peut-être est-elle inconcevable, inimaginable ? Ce désir obsessionnel, cette fascination demeuraient néanmoins modestes car je n'aspirais qu'à vivre le moment où je franchirais la frontière, la franchir pour revenir aussitôt. Je croyais que, à lui seul, l'acte suffirait à assouvir ma faim psychologique que je ne parvenais pas à m'expliquer, mais qui me hantait constamment.

Comment m'y prendre ? Parmi mes camarades d'école et de faculté, personne n'avait jamais quitté la Pologne. Quand on connaissait quelqu'un à l'étranger, on préférait ne pas l'afficher. Personnellement, mon attirance extravagante mais obsédante me culpabilisait.

Un beau jour, je croisai dans un couloir du journal ma rédactrice en chef. C'était une blonde plantureuse à la chevelure opulente balayée sur le côté. Elle s'appelait Irena Tarłowska. Elle me toucha deux mots sur mes derniers papiers, puis m'interrogea sur mes projets à court terme. J'énumérai la liste des villages où j'envisageais de me rendre ainsi que les affaires qui m'y attendaient, puis je me risquai à lui glisser : « Un jour, j'aimerais bien aller à l'étranger. » « A l'étranger ? », rétorqua-t-elle, étonnée et un peu effrayée, car, à l'époque, cela sortait de l'ordinaire. « Où ? Pourquoi ? », demanda-t-elle. « Je pensais à la Tchécoslovaquie », répliquai-je. En effet, je n'avais à l'esprit ni Paris ni Londres. Loin de moi cette pensée ! Jamais je n'aurais osé imaginer des destinations aussi audacieuses. Je voulais seulement franchir une frontière, n'importe laquelle, car le but, l'objectif, la cible m'importaient moins que la signification mystique et transcendantale de l'acte lui-même.

Une année s'écoula après cette conversation. Un beau jour, le téléphone retentit dans le bureau des journalistes. Notre directrice me convoquait : « Figure-toi que nous allons t'envoyer en Inde », me déclara-t-elle alors que je me tenais devant son bureau.

Ma première réaction fut l'éblouissement, puis, juste après, la panique : je ne connaissais rien sur l'Inde. Je cherchai fiévreusement dans ma tête des associations, des images, des noms. En vain : j'ignorais tout de ce pays. Ce projet était sans doute lié à la récente visite du Premier ministre indien, Jawaharlal Nehru, le premier chef de gouvernement d'un pays ne faisant pas partie du bloc soviétique à venir en Pologne. Le contact était noué. Mes reportages étaient censés rapprocher ce lointain pays du mien.

A l'issue de cet entretien m'annonçant ma sortie dans le monde, Tarłowska tendit la main vers une armoire d'où elle sortit un volume qu'elle me remit avec ces mots : « Tenez, pour le voyage. » C'était un énorme bouquin à la jaquette rigide tendue de toile jaune. Sur la première de couverture, je lus le nom de l'auteur et le titre de l'ouvrage imprimés en lettres dorées : Hérodote. HISTOIRES.

Il s'agissait d'un DC3 ayant usé ses moteurs sur les lignes aériennes du front, un vieux biréacteur aux ailes noircies par les gaz d'échappement et au fuselage rapiécé, qui volait presque à vide en direction de Rome. Assis près d'un hublot, ému, captivé, je contemplais le monde à vol d'oiseau pour la première fois de mon existence, en proie à une sensation de vertige d'autant plus extraordinaire que je n'avais jamais foulé le sol d'une montagne. En dessous de nous défilaient lentement des échiquiers colorés, des patchworks bigarrés, des tapis gris-vert étendus par terre comme du linge au soleil. Le crépuscule ne tarda pas à tomber, aussitôt suivi de la nuit.

« Il fait nuit », dit mon voisin en polonais, mais avec un accent étranger. C'était un journaliste italien qui rentrait au pays, je me souviens seulement qu'il se prénommait Mario. Lorsque je lui confiai mon lieu de destination, les motifs de mon voyage et mon appréhension puisque c'était la première fois de ma vie que je me rendais à l'étranger, il éclata de rire et me répondit quelque chose dans le genre : « Ne t'en fais pas ! », et il promit de m'aider. Ses encouragements me réconfortèrent et me donnèrent un brin d'assurance. J'en avais besoin, car je me rendais à l'Ouest, bloc que mon éducation m'avait appris à redouter comme le feu.

Nous volions dans les ténèbres, même le cockpit était faiblement éclairé, quand soudain la tension qui fige toutes les particules d'un avion au moment où les rotations des moteurs deviennent plus grandes se relâcha, le vrombissement s'apaisa et faiblit, nous approchions du terme de notre voyage. Mario m'attrapa par le bras et, me montrant le hublot, chuchota : « Regarde ! »

Je jetai un coup d'œil et j'eus le souffle coupé.

Sous moi, la toile de fond noire sur laquelle nous volions était envahie en long et en large par une lumière intense, éblouissante, vibrante, clignotante. On avait l'impression d'assister à l'embrasement d'une matière fluide dont l'enveloppe scintillante palpite, monte et descend, s'étend et se contracte, image brillante, pleine de vie, de mouvement, de vibration, d'énergie.

Pour la première fois de ma vie je contemplais une cité illuminée. Les quelques villes et bourgs que je connaissais jusqu'alors étaient désespérément sombres, sans vitrines étincelantes, sans publicités bariolées ; quant aux réverbères, quand ils y existaient, ils émettaient un éclairage blafard. D'ailleurs, qui avait besoin de lumière ? Le soir, les rues étaient désertes et la circulation inexistante.

Nous descendions vers un paysage de lumières qui grossissaient à vue d'œil. L'avion heurta sans ménagement la piste de béton dans un crissement tonitruant.

Nous étions arrivés. L'aéroport de Rome est immense, c'est un énorme bloc de verre grouillant de monde. Nous avons rejoint la ville en empruntant des ruelles bondées. La soirée était chaude. Le tumulte, la circulation, la lumière et le son agissaient sur moi comme une drogue. Parfois j'en perdais le sens de l'orientation. Je devais ressembler à un animal des forêts : étourdi, effarouché, les yeux écarquillés et sans cesse aux aguets.

Au petit matin, j'entendis une conversation dans la chambre voisine. Je reconnus la voix de Mario. J'appris par la suite que la discussion portait sur le moyen de me trouver des vêtements normaux. Il faut dire que j'avais débarqué dans un costume du style « pacte de Varsovie cuvée 56 » : cheviotte à rayures gris et bleu vif, veste croisée aux manches saillantes et anguleuses, pantalon ample et trop long avec de larges revers. Je portais une chemise jaune clair en nylon avec une cravate verte à carreaux. Pour compléter le tableau, j'étais chaussé de gros mocassins aux bords grossiers et rigides.

En ce temps-là, la confrontation Est-Ouest traversait autant la vie politique que la vie quotidienne. Si l'Ouest s'habillait légèrement, l'Est se faisait un devoir de s'habiller lourdement ; si l'Ouest portait des vêtements seyants, l'Est portait des habits rudimentaires. Tout devait être évident à un kilomètre à la ronde. On n'avait pas besoin de montrer son passeport pour dire de quel côté du rideau de fer on venait.

Avec la femme de Mario, nous avons commencé à courir les boutiques de la ville. J'avais l'impression de débarquer sur la Lune. Trois aspects m'éblouissaient particulièrement : tout d'abord les magasins regorgeaient de marchandises, ils croulaient sous les produits débordant des rayonnages et des étalages, foisonnant sur les trottoirs, les rues et les places. Ensuite, les vendeuses, au lieu d'être assises derrière un comptoir, guettaient le chaland debout à l'entrée de la boutique. Curieusement elles gardaient le silence au lieu de papoter entre elles, confortablement calées sur leur chaise. Les femmes ont tant de choses à se raconter : soucis conjugaux, problèmes avec les enfants, mode, santé des uns et des autres, plats brûlés. Là, elles donnaient l'impression de ne pas se connaître et de n'éprouver aucune

envie de discuter. Troisième motif de mon étonnement :
vendeuses et vendeurs répondaient aux questions. Ils
répondaient par des phrases complètes en ajoutant
même à la fin : « *Grazie* ! » Quand l'épouse de Mario
demandait quelque chose, ils écoutaient avec bienveillance et attention, et, d'après leurs traits concentrés et
leur dos courbé, ils donnaient l'impression d'être prêts
à démarrer au quart de tour. Et tous concluaient par la
sacro-sainte formule : « *Grazie* ! »

Un soir, je me risquai à me rendre seul en ville. Je
devais habiter au centre car la Stazione Termini se trouvait à proximité. Je partis de la gare en empruntant la
via Cavour jusqu'à la piazza Venezia, puis, par un
enchevêtrement de rues et de ruelles, je regagnai la Stazione Termini. L'architecture, les statues, les monuments me passaient par-dessus la tête, seuls les cafés
et les bars me fascinaient. Partout les trottoirs étaient
encombrés de chaises où étaient installés des clients qui
buvaient, discutaient ou tout simplement regardaient la
rue et les passants. Derrière des comptoirs hauts et
étroits, des barmans versaient des boissons, mélan-
geaient des cocktails, préparaient du café. Partout des
garçons tournoyaient en servant des verres, grands et
petits, des tasses, avec une dextérité et une bravoure de
prestidigitateur que je n'avais eu l'occasion d'admirer
qu'une fois dans ma vie, à une séance de cirque soviétique, quand l'illusionniste avait fait surgir du néant une
assiette en bois, une coupe en verre et un vieux coq
maigre hurlant et coqueriquant.
   Ayant aperçu une table vide à une terrasse, je m'ins-
tallai et commandai un café. Au bout d'un certain temps
je constatai que les gens me regardaient malgré mon
costume neuf, ma chemise italienne blanche comme
neige et ma cravate à pois dernier cri. Manifestement
mon aspect et mes gestes, mon maintien et mon
comportement trahissaient mes origines, un détail montrait que je venais d'un autre univers. Je sentis qu'ils me

considéraient comme un corps étranger, et en dépit de toute ma joie de me trouver sous le merveilleux ciel de Rome, j'éprouvai une sensation désagréable et inconfortable. Mon costume neuf était incapable de dissimuler tout ce qui m'avait formé et orienté. Je me trouvais dans un monde merveilleux qui ne cessait pourtant de me rappeler que je n'étais pour lui qu'une pièce rapportée.

Condamné à l'Inde

En haut de la passerelle d'embarcation du gigantesque Air India International, une hôtesse vêtue d'un sari jaune pastel accueillait les passagers. La douce teinte de son habit laissait présager un voyage agréable et serein. Elle tenait ses mains croisées comme pour la prière, geste de bienvenue chez les Indiens. Son front, à hauteur des sourcils, était marqué par un point rouge et brillant comme un rubis. En entrant dans le compartiment, je sentis un parfum entêtant et mystérieux, sans doute l'odeur d'encens orientaux, d'herbes, de résines.

Nous volions de nuit et, par les hublots, nous n'apercevions que les clignotements des lumières vertes au bout de l'aile de l'avion. A l'époque (c'était bien avant l'explosion démographique), les conditions de voyage étaient confortables, très souvent les avions transportaient peu de passagers. C'était le cas ce jour-là. Les gens dormaient allongés sur les sièges.

Sentant que je ne fermerais pas l'œil de la nuit, je sortis de mon sac le livre que Tarłowska m'avait offert pour le voyage. Les *Histoires* d'Hérodote composent un énorme volume de plusieurs centaines de pages. Conviant le lecteur à un copieux banquet, ce genre de bouquin attise la curiosité. Je commençai par la préface dans laquelle le traducteur, Seweryn Hammer, décrit la vie d'Hérodote et nous guide à travers son œuvre. Hérodote, écrit Hammer, naquit vers 485 avant Jésus-Christ à Halicarnasse, ville portuaire située en Asie Mineure.

Vers 450, il déménagea à Athènes et, de là, quelques années plus tard, il gagna la colonie grecque de Thourioi en Italie du Sud. Il mourut aux environs de 425. Durant son existence, il voyagea beaucoup. Il nous légua un livre (probablement le seul qu'il écrivit), intitulé *Histoires*.

Hammer tente de nous familiariser avec un personnage ayant vécu deux mille cinq cents ans plus tôt, au sujet duquel nous ne savons pas grand-chose et que nous avons de la peine à nous représenter. L'œuvre qu'il nous a transmise était dans sa version originale accessible à une poignée de spécialistes qui, outre la connaissance du grec ancien, étaient capables de déchiffrer ce type de manuscrit. En effet, le texte se présentait sous la forme d'un mot interminable et ininterrompu parcourant des dizaines de rouleaux de papyrus : « Ni les mots ni les phrases n'étaient séparés, écrit Hammer, car à l'époque on ignorait les chapitres et les livres ; le texte était aussi impénétrable qu'une étoffe épaisse. » Hérodote se cache derrière ce voile opaque que ni ses contemporains ni nous-mêmes *a fortiori* ne sommes en mesure de soulever complètement.

La nuit s'écoula, le jour se leva. Pour la première fois, j'aperçus par le hublot l'immensité de notre planète, spectacle évoquant l'infini. L'univers que je connaissais mesurait environ cinq cents kilomètres sur quatre cents. Nous volions sans escale et, tout en bas, la terre ne cessait de changer de couleur, passant du brun de la terre brûlée au vert pour se teindre langoureusement de bleu sombre.

Nous atterrîmes à New Delhi tard dans la soirée. Une chaude humidité me colla immédiatement à la peau. Désemparé au cœur de cette cité insolite et étrangère, je me couvris de sueur. Mes compagnons de voyage avaient soudainement disparu, enlevés par la foule bigarrée et animée venue les accueillir.

Je suis resté seul sans savoir quoi faire. Le bâtiment de l'aéroport était petit, sombre et désert. Solitaire, il se dressait au cœur de la nuit au-delà de laquelle tout n'était que mystère pour moi. Un vieil homme vêtu d'une ample tunique blanche lui descendant jusqu'aux genoux a surgi des ténèbres. Il portait une barbe grise clairsemée et était coiffé d'un turban orange. Il m'a dit quelques mots que je n'ai pas compris. Je suppose qu'il m'a demandé pourquoi je restais planté là, au milieu de l'aéroport vide. N'ayant aucune idée de la réponse à lui donner, je regardais autour de moi, réfléchissant à la suite à donner aux opérations. Je n'étais absolument pas préparé à ce voyage. Je n'avais noté ni noms ni adresses dans mon agenda. Je connaissais mal l'anglais. Moi dont le seul et unique rêve consistait à atteindre l'inaccessible, autrement dit à franchir une frontière, moi qui n'aspirais à rien d'autre, je me retrouvais soudain à l'autre bout du monde.

Le vieil homme a réfléchi un instant, puis il m'a fait signe de le suivre. Devant l'entrée de l'aérogare, sur le côté, était garé un autobus tout décrépit et déglingué. Nous y sommes montés, le vieux a allumé le moteur et nous avons démarré. Au bout de quelques centaines de mètres, il a ralenti et s'est mis à faire hurler son klaxon. Devant nous, là où se trouvait la chaussée, j'ai aperçu un large fleuve blanc dont l'extrémité se perdait au loin dans les profondeurs de la nuit lourde et étouffante. Cette rivière était formée par des hommes dormant à la belle étoile, dont une partie était étendue sur des grabats de bois, des nattes ou des plaids, mais dont la majorité était allongée à même l'asphalte ou sur ses bords sablonneux.

Je pensais que, réveillés par le rugissement de l'avertisseur juste au-dessus de leurs têtes, ils se rebifferaient avec rage, nous agresseraient, voire nous lyncheraient. Il n'en a rien été. Au fur et à mesure que nous avancions, ils se levaient les uns après les autres et se retiraient en entraînant avec eux les enfants et en poussant les vieilles femmes presque immobiles. Leur complaisance zélée, leur soumission extrême exprimaient un mélange de timidité et de culpabilité, comme si, en dormant sur le bitume, ils avaient commis un crime dont ils s'efforçaient d'effacer au plus vite la trace. Nous progressions ainsi en direction de la ville sous les hurlements ininterrompus du klaxon, les gens se levaient et nous cédaient le passage, cela n'en finissait pas. Arrivés au centre de la ville, nous avons trouvé des rues tout aussi impraticables, car la cité entière ressemblait à un immense bivouac de fantômes nocturnes, endormis, somnambuliques, tout de blanc vêtus.

Finalement, le chauffeur a arrêté son véhicule devant un endroit éclairé par une ampoule rouge : HOTEL. Il m'a laissé à l'entrée et a disparu sans dire un mot. Un employé de la réception coiffé d'un turban bleu cette fois m'a accompagné à l'étage, dans une chambrette encombrée par un lit, une petite table et un lavabo. En silence il a tiré le drap sur lequel un ver gigotait nerveusement, d'une secousse a fait tomber la vermine sur le plancher, a grommelé quelques mots pour me souhaiter bonne nuit, puis s'en est allé.

Resté seul, je me suis assis sur le lit pour réfléchir Point négatif : j'ignorais où j'étais. Point positif : j'avais un toit au-dessus de la tête, une institution (un hôtel) m'offrait un abri. Me sentais-je en sécurité ? Oui. Etranger ? Non. Bizarre ? Oui, mais j'aurais été incapable de définir cette sensation qui pourtant ne tarda pas à se préciser lorsqu'un homme aux pieds nus est entré dans ma chambre avec une théière et quelques biscuits. C'était la première fois de ma vie qu'il m'arrivait une chose pareille. Sans un mot il déposa le plateau sur la petite table, fit une révérence et sortit sans bruit. Son comportement traduisait une amabilité naturelle, un tact profond, une délicatesse et une dignité si étonnantes que, d'emblée, j'éprouvai à son égard admiration et respect.

Toutefois, le véritable choc culturel se produisit une heure plus tard lorsque je sortis de l'hôtel. De l'autre côté de la rue, sur une petite place exiguë, des pousse-pousse tirés par des hommes décharnés et voûtés, aux jambes tout en nerfs et en muscles, commencèrent à se rassembler. Ils avaient dû apprendre qu'un sahib était descendu au petit hôtel (par définition, un sahib doit avoir de l'argent), et ils attendaient donc patiemment, prêts à offrir leurs services. L'idée d'être conforta-blement installé dans une voiture attelée à un être famé-lique, affamé, faible et respirant à peine m'inspirait un dégoût, une indignation et une horreur sans bornes. Moi, un exploiteur ? Un buveur de sang ? Un oppres-seur ? J'avais été éduqué dans un esprit complètement opposé ! On m'avait notamment inculqué que ces sque-lettes vivants étaient mes frères, mes camarades, mes proches, la chair de ma chair. Aussi, lorsque ces hommes se ruèrent sur moi avec des gestes engageants et implo-rants tout en se bousculant et en se chamaillant, je me mis à les repousser, à les chasser et à protester avec détermination. Stupéfaits, ils ne pouvaient comprendre mon message, ils ne pouvaient me comprendre, car ils comptaient sur moi, j'étais leur seule chance, leur seul espoir de gagner un minuscule bol de riz. Je partis sans me retourner, insensible, inflexible, fier d'avoir refusé de jouer le rôle de sangsue se repaissant de la sueur humaine.

La vieille ville de Delhi ! Etroites ruelles poussié-reuses, caniculaires, imprégnées d'une senteur étouf-fante de fermentation. Foule d'hommes se déplaçant en silence, apparaissant et disparaissant. Visages sombres, humides, anonymes, fermés. Enfants calmes et muets. Un homme scrutant d'un air hébété les restes de son vélo tombé en morceaux au milieu de la chaussée. Une femme vendant un produit enveloppé dans de grandes feuilles vertes. Qu'y a-t-il à l'intérieur ? D'où viennent ces feuilles ? Un mendiant exhibant la peau de son ventre collée à sa colonne vertébrale. Est-ce possible, vraisemblable, imaginable ? Il faut marcher avec précaution, car les vendeurs étalent souvent leur marchandise à même le sol, sur les trottoirs, sur le bord de la rue. Un homme expose deux rangées de dents humaines sur un journal ainsi que de vieilles pinces de dentiste et propose ses services en stomatologie. Son voisin, un petit homme sec et rabougri, vend des livres. Je fouille dans les piles poussiéreuses et désordonnées et j'en achète deux : *Pour qui sonne le glas* de Hemingway (afin d'apprendre la langue) et *Hindu Manners, Customs and Ceremonies* de l'abbé J. A. Dubois. Le missionnaire a débarqué en Inde en 1792 et a passé dans ce pays trente et un ans. Le livre que je viens d'acheter est justement le fruit de ses recherches sur les coutumes des Indiens. Il a été publié pour la première fois en Angleterre en 1816 avec l'aide de la Compagnie britannique des Indes orientales.

De retour à l'hôtel, j'ai ouvert Hemingway et j'ai lu la première phrase : « He lay flat on the brown, pine-needled floor of the forest, his chin on his folded arms, and high over-head the wind blew in the tops of the pine trees. » Je n'ai pas compris un traître mot. Armé d'un minuscule dictionnaire anglais-polonais, le seul que j'ai pu me procurer à Varsovie, je n'y trouve que le mot *brown* qui signifie « marron ». J'ai donc lu la phrase suivante : « The mountainside sloped gently... » Encore une fois, mon dictionnaire ne me fournit aucune aide. « There was stream alongside... » Plus j'essayais de comprendre, plus j'étais découragé et désespéré. Je me sentais soudain pris au piège, bloqué. Bloqué par la langue qui m'apparaissait comme une barrière matérielle, physique, une muraille entravant toute progression, m'isolant du monde, m'empêchant d'y accéder. Désagréable et humiliant, ce sentiment explique peut-être la peur et l'incertitude qu'éprouve l'homme dès lors qu'il est confronté pour la première fois à une personne ou à une chose étrangères, ainsi que son attitude défensive, sa vigilance, sa défiance. Que va apporter cette rencontre ? Comment va-t-elle se terminer ? Mieux vaut ne pas prendre de risques et rester dans son cocon intime et douillet ! Mieux vaut ne pas mettre le nez dehors !

Mon premier réflexe aurait sans doute été de fuir l'Inde et de rentrer au pays, mais le paquebot *Batory* qui assurait la liaison entre Gdańsk et Bombay et devait me ramener en Pologne était immobilisé ; le président égyptien Gamal Nasser venait de nationaliser le canal de Suez, décision qui avait provoqué l'intervention armée de la France et de la Grande-Bretagne. Une guerre avait éclaté, le canal était fermé, le *Batory* était immobilisé quelque part en Méditerranée. Coupé du pays, j'étais condamné à l'Inde.

Jeté dans le grand bain, je ne voulais pas pour autant me noyer. Seule la langue était en mesure de me sauver, j'en étais bien conscient. Je me demandais bien comment Hérodote se débrouillait avec les langues quand il voyageait. Hammer écrit qu'il ne connaissait aucune langue hormis le grec, mais, comme à cette époque les Grecs étaient éparpillés dans le monde entier, qu'ils possédaient partout des colonies, des ports et des comptoirs, l'auteur des *Histoires* pouvait compter sur l'aide de ses compatriotes pour lui servir d'interprètes ou de guides. Par ailleurs, le grec était une sorte de *lingua franca*, la plupart des gens en Europe, en Asie et en Afrique parlaient cette langue, par la suite remplacée par le latin, le français puis l'anglais.

Mon retour compromis, il ne me restait plus qu'à retrousser mes manches. Je me mis à bûcher mon vocabulaire jour et nuit. J'appliquais une serviette froide sur mes tempes, car ma tête éclatait littéralement. Je ne me séparais pas un instant de Hemingway, mais désormais je sautais les descriptions incompréhensibles et ne lisais que les dialogues plus accessibles.

« How many are you ? Robert asked.

« — We are seven and there are two women.

« — Two ?

« — Yes. »

Là, j'avais tout compris ! Ou encore :

« Augustin is a very good man, Anselmo said.

« — You know him well ?

« — Yes. For a long time. »

Là aussi, j'avais tout compris. Je repris courage. Je me promenais dans la ville en notant les inscriptions sur les enseignes, les noms des marchandises dans les magasins, les mots entendus aux arrêts des autobus. Dans les cinémas, j'inscrivais à l'aveuglette les génériques de l'écran, dans la rue, je notais les slogans sur les banderoles brandies par des manifestants. Je pénétrais l'Inde non pas par l'intermédiaire des images, des sons ou des parfums, mais par celui des mots, des mots d'une langue qui de surcroît n'était pas la langue maternelle des Indiens, mais une langue étrangère, imposée, à ce point assimilée toutefois qu'elle faisait partie de leur identité et constituait pour moi une clé indispensable. Mon premier contact avec ce pays fut un combat avec la langue. Je compris que tout univers a son propre mystère auquel il n'est possible d'accéder que grâce à la connaissance de la langue. Sans elle, le monde reste impénétrable et incompréhensible, quel que soit le nombre d'années qu'on y passe. De plus, j'avais découvert le lien entre le signifiant et le signifié. De retour à l'hôtel, j'étais conscient de n'avoir vu en ville que ce que j'étais capable de nommer. Je me souvenais par exemple parfaitement d'un acacia rencontré sur mon chemin, mais pas de l'arbre qui se dressait à ses côtés et dont j'ignorais le nom. En un sens, j'avais compris que plus je connaîtrais de mots, plus ce qui m'entourait deviendrait riche et varié.

Au début de mon séjour à Delhi, j'étais tourmenté par l'idée de ne pas accomplir ma tâche de reporter, de ne

pas rassembler de matériau pour les articles que j'étais
censé écrire. Je n'étais tout de même pas venu en Inde
pour faire du tourisme ! J'étais un envoyé spécial chargé
de rendre compte, de communiquer, de raconter. Or
j'avais les mains vides, je me sentais incapable de faire
quoi que ce soit, je ne savais pas par où commencer. Je
n'avais d'ailleurs pas demandé à être envoyé dans ce
pays dont j'ignorais tout. Je rêvais seulement de franchir
une frontière, n'importe laquelle, c'était mon idée fixe.
Mais, maintenant que la guerre de Suez compromettait
mon retour, il ne me restait qu'à aller de l'avant. Je déci-
dai donc de me lancer.

Les réceptionnistes de mon hôtel me conseillaient
d'aller à Bénarès : « C'est une ville sacrée ! », m'expli-
quèrent-ils. J'avais déjà remarqué qu'en Inde beaucoup
de choses pouvaient être sacrées : une ville, une rivière,
des millions de vaches. La vie y était imprégnée de mys-
ticisme, cela crevait les yeux, il n'y avait qu'à voir la multitude de temples, de chapelles et d'autels divers érigés
à tous les coins de rue, de feux et d'encens se consumant
de toutes parts, d'hommes marqués au front de signes
rituels ou assis immobiles, le regard rivé sur un point
mystique.

Suivant les conseils des réceptionnistes, je partis à
Bénarès en autocar. On s'y rend par la vallée du Gange
et de son affluent, Yamuna, en traversant une vallée
plate et verte, des paysages peuplés de silhouettes
blanches qui vaquent dans les champs de riz, sarclent la
terre de leurs binettes ou portent sur leur tête des
gerbes, des paniers ou des sacs. Le spectacle derrière la
vitre de l'autocar changeait souvent car les champs
étaient régulièrement inondés. C'était le déluge printa-
nier, période où les cours d'eau se transforment en lacs et
en mers immenses. Les sinistrés campaient à leurs bords,
pieds nus. Ils fuyaient devant les eaux qui montaient tout
en restant en contact avec elles, se repliant dans l'attente
de la décrue. Dans la touffeur de la journée, les eaux
s'évaporaient dans un brouillard laiteux et immobile.

Nous sommes arrivés à Bénarès tard dans la soirée, juste à la tombée de la nuit. La ville semblait dépourvue de banlieues qui, en général, préparent progressivement à la rencontre avec le centre ; des ténèbres profondes et vides, on plonge directement dans le cœur de la cité illuminée, bondée et bruyante. Pourquoi ces gens s'entassent-ils ainsi, se pressent-ils les uns contre les autres, s'entrechoquent-ils alors qu'autour s'étendent des espaces immenses ? A la sortie de l'autocar, je suis allé me promener. J'ai marché jusqu'aux portes de Bénarès. D'un côté, des champs morts et déserts se déployaient dans l'obscurité, de l'autre surgissaient sans transition les constructions de la ville populeuse, grouillante, pleine de lumière crue et de musiques tapageuses. Ce besoin de vivre dans la promiscuité, la bousculade permanente, alors qu'alentour règnent l'espace et la liberté, reste pour moi une énigme.

Des gens du cru m'ont conseillé de ne pas dormir pendant la nuit afin de gagner à temps les rives du Gange et de guetter le lever du jour sur les marches de pierre qui s'étendent le long du fleuve : « The sunrise is very important ! », ont-ils insisté d'une voix où vibrait une promesse immense.

Effectivement, il faisait encore noir quand les gens se sont mis à marcher en direction du fleuve. Individuellement, en groupes, par clans entiers. Des colonnes de pèlerins. Des estropiés avec leurs béquilles. Des squelettes de vieillards portés sur les épaules de jeunes gens. Des êtres tordus et mutilés rampant avec peine sur l'asphalte éventré et défoncé. Des vaches, des chèvres ainsi que des hordes de chiens faméliques escortant les hommes. J'ai fini par me joindre à cette étonnante procession.

Il n'est pas facile d'accéder aux marches du fleuve car, pour les atteindre, il faut franchir un dédale de ruelles crasseuses et étouffantes, fourmillant de mendiants qui

assaillent les pèlerins avec des gémissements à vous gla-
cer le dos. Après avoir franchi divers passages et
arcades, on atteint le sommet de ces marches qui
dévoilent le fleuve en contrebas. Bien que l'aube soit à
peine perceptible, les escaliers sont déjà envahis par des
milliers de fidèles. Certains s'agitent et jouent des
coudes dans une direction inconnue et pour Dieu sait
quelle raison. D'autres sont assis dans la position du
lotus, les mains tendues vers le ciel. Le niveau inférieur
est occupé par des pratiquants exécutant un rituel de
purification : ils vont et viennent dans le fleuve, et de
temps en temps disparaissent sous les flots. J'observe
une famille en train de soumettre aux ablutions une
grand-mère dodue. L'aïeule ne sait pas nager et coule à
pic dès qu'elle est livrée à elle-même. La famille se jette à
son secours pour la faire remonter à la surface. La vieille
s'empresse de reprendre sa respiration, mais coule de
nouveau dès qu'elle est relâchée. Je vois ses yeux écarquillés, son visage épouvanté. Elle se noie encore, une
fois de plus elle est repêchée et sauvée de justesse. Le
rituel tout entier ressemble à une torture, mais la grand-
mère le supporte sans objection, dans une sorte d'extase.

Sur la rive opposée du Gange qui, à cet endroit, est
large, généreux et paresseux, s'étendent des aligne-
ments de bûchers sur lesquels se consument des
dizaines, des centaines de dépouilles. Pour quelques
roupies, les curieux peuvent s'approcher en barque de
ce gigantesque crématorium à ciel ouvert. Des hommes
à moitié nus et couverts de suie ainsi que de tout jeunes
garçons s'affairent autour des braises, attisant à l'aide de
longues perches les amas de corps afin d'améliorer le
tirage et d'accélérer la crémation, car la rangée de
cadavres est interminable, l'attente est longue. Régulièrement, les préposés rassemblent les cendres incandes-
centes et les poussent dans le fleuve. La poussière grise
s'élève un instant au-dessus des flots, puis, happée par
les eaux, coule et disparaît.

La gare et le palais

Autant Bénarès invite à l'optimisme (chance d'être purifié dans les eaux sacrées et de régénérer son âme, avec l'espoir de se rapprocher de l'univers des dieux), autant Sealdah Station à Calcutta plonge dans une détresse profonde : en y arrivant, j'ai compris que je passais d'un relatif paradis à un enfer absolu.

A la gare de Bénarès, le contrôleur m'a regardé puis il m'a demandé : « Where is your bed ? »

J'ai compris le sens de ses paroles, mais je n'ai pas dû le montrer car il a répété sa question avec une insistance plus marquée : « Where is your bed ? »

Ici, même les personnes moyennement aisées, *a fortiori* la race élue des Européens, voyagent en train avec leur propre lit. Le passager se présente à la gare avec un serviteur qui porte sur sa tête un matelas roulé, une couverture, un drap, un oreiller et les bagages. Dans le wagon (dépourvu de banquettes), le serviteur prépare la couche de son seigneur, puis disparaît en silence comme s'il s'était évaporé dans les airs. Pour moi qui ai été éduqué à l'école de l'égalité et de la fraternité, cette situation de maître à esclave, où l'un va les mains vides tandis que l'autre le suit en portant son ordinaire, me semblait tout bonnement scandaleuse, révoltante et indigne. Mes états d'âme furent toutefois rapidement balayés par les clameurs étonnées qui retentirent dès que je pénétrai dans le wagon : « Where is your bed ? »

Je me sentais vraiment stupide avec mon petit sac de

voyage. Comment aurais-je pu savoir que, outre le billet, j'aurais dû me pourvoir d'un matelas ? Et quand bien même je l'aurais su et m'en serais acheté un, je n'aurais jamais pu le porter tout seul, j'aurais dû me munir d'un serviteur. Qu'en aurais-je fait après ? Et qu'aurais-je fait du matelas ?

J'avais déjà eu le temps de remarquer que, ici, à chaque objet et à chaque acte est affecté un homme qui respecte scrupuleusement le rôle et la place qui lui sont assignés. Tout l'équilibre de cette société repose sur ce jeu subtil. L'un est chargé d'apporter le thé le matin, un deuxième nettoie les chaussures, un troisième lessive les chemises, un quatrième balaie le plancher, et ainsi de suite à l'infini. A Dieu ne plaise de prier un responsable du repassage de coudre un bouton ! Pour moi qui ai été éduqué, etc., le plus simple serait de coudre moi-même le bouton de ma chemise, mais en même temps je commettrais un impair impardonnable, car je priverais celui qui vit de la couture des boutons et qui a la charge d'une famille nombreuse d'une occasion de gagner sa vie. Enchevêtrement méticuleux et délicat de rôles, de divisions, de rangements et d'affectations, la pratique de la société indienne exige une grande expérience, une intuition rapide et de sérieuses connaissances pour que la fine texture de sa structure puisse être pénétrée.

J'ai passé une nuit blanche dans le train, car les vieux wagons datant de l'époque coloniale secouaient énergiquement leurs passagers, les bousculaient, les cognaient, la pluie dégoulinait des fenêtres de guingois. Lorsque nous sommes arrivés à Sealdah Station, la journée était grise et nuageuse. L'immense surface de la gare, tous les recoins de ses quais sans fin, toutes les voies de délestage ainsi que les marécages environnants étaient envahis par des dizaines de milliers de miséreux, debout ou assis dans les ruisseaux de pluie et jusque dans la boue, car, saison des pluies oblige, l'averse tropicale tombait sans interruption. Ce qui frappait de prime abord, c'était la misère, l'immensité et plus encore l'immobilité de cette foule de squelettes trempés. Ils semblaient faire partie de ce paysage lugubre et déprimant dont les trombes d'eau se déversant du ciel constituaient l'unique élément vivant. La passivité totale de ces malheureux traduisait pourtant une certaine logique, une certaine rationalité, si désespérées fussent-elles, car où auraient-ils pu s'abriter de l'averse au terme de leur voyage ? Pourquoi se seraient-ils protégés puisqu'ils ne possédaient plus rien ?

C'étaient des réfugiés de la guerre civile qui venait tout juste de s'achever entre les partisans de l'hindouisme et ceux de l'islam, conflit qui se trouvait à l'origine de la création du Pakistan. Il avait causé la mort de milliers, voire d'un million de victimes ainsi que l'exode de plusieurs millions de réfugiés qui erraient, depuis, abandonnés à leur sort, poursuivant leur existence végétative dans des lieux tels que Sealdah Station où ils finissaient par mourir de faim ou de maladie. Ces hommes n'étaient pourtant que l'arbre cachant la forêt, car ces colonnes de réfugiés de guerre divaguant dans le pays croisaient sur leur route d'autres foules humaines : des masses de sinistrés que les puissantes et indomptables inondations des fleuves indiens avaient chassés de leurs villages et de leurs bourgs. Des millions de sans-abri, d'êtres apathiques déambulaient ainsi sur les routes, s'effondraient d'épuisement souvent pour ne plus se relever. D'autres tentaient d'atteindre des villes dans l'espoir d'y gagner un peu d'eau et, qui sait..., une poignée de riz.

Le simple fait de sortir du wagon me posa un problème ; je ne savais pas où poser le pied sur le quai. En général, une couleur de peau différente attire l'attention, mais ici rien ne pouvait intriguer ces gens qui semblaient déjà vivre dans l'au-delà. J'observai une petite vieille en train de fouiller les replis de son sari d'où elle tira quelques grains de riz. Elle les versa dans une minuscule écuelle. Puis elle se mit à regarder autour d'elle, sans doute à la recherche d'un peu d'eau ou de feu pour faire cuire sa pitance. Debout à ses côtés, des enfants gardaient les yeux rivés sur sa gamelle. Ils la fixaient sans broncher, en silence, intensément. Les enfants ne se ruaient pas sur le riz, le riz appartenait à la petite vieille. Apparemment cet interdit, plus fort que leur faim, était ancré dans leur conscience.

Mais un homme se frayant un passage dans la foule de vagabonds heurta la petite vieille qui lâcha l'écuelle. Le riz se répandit sur le quai, dans la boue, parmi les détritus. Aussitôt les gosses se jetèrent au sol, plongèrent entre les jambes de la foule, fouillèrent la boue à la recherche des grains de riz. La petite vieille se retrouva les mains vides, un autre homme la bouscula. La vieille femme, les enfants, cette gare, les torrents, l'averse tropicale. Et moi planté là, trempé. De toute façon je ne savais pas où aller.

De Calcutta je me suis rendu à Hyderabad. L'expérience du Sud a été pour moi beaucoup moins douloureuse que celle du Nord. Tout y paraissait serein, tranquille, endormi, un peu provincial. Les serviteurs du rajah local ont dû se méprendre sur mon compte, car ils m'ont accueilli solennellement à la gare et m'ont directement conduit dans un palais. Un aimable monsieur d'un âge respectable m'a salué, installé dans un large fauteuil en cuir, manifestement dans l'intention de mener avec moi une conversation longue et approfondie, or mon anglais plus que ténu ne m'y autorisait guère. Cramoisi, couvert de sueur, je bredouillais. Le gentil sourire de mon aimable hôte renforçait mon audace. Tout se passait comme dans un rêve. Ambiance surréaliste. Le serviteur m'a accompagné à ma chambre dans une aile du palais. Invité du rajah, je devais loger chez lui. Or je ne pensais qu'à m'esquiver, mais comment m'y prendre ? Je ne disposais pas des mots pour dissiper le malentendu. Peut-être la présence d'un Européen chez le rajah conférait-elle au palais un certain prestige ? C'était tout à fait possible. Je n'en savais rien.

Je bûchais chaque jour mon anglais avec acharnement et opiniâtreté (qu'est-ce qui brille dans le ciel ? *The Sun* ; qu'est-ce qui tombe sur la terre ? *The Rain* ; qu'est-ce qui agite les arbres ? *The Wind*, etc., de vingt à quarante mots par jour), je poursuivais ma lecture d'Hemingway, et dans le livre de l'abbé Dubois je tâchais de comprendre le système des castes. Les premières pages étaient accessibles. Il existe en Inde quatre castes ; la première, la plus élevée, celle des brahmanes, des prêtres, des hommes de l'esprit, des penseurs, de ceux qui indiquent la route à suivre ; la deuxième, inférieure, celle des kshatriya, des guerriers et des maîtres, des hommes d'épée et de la politique ; la troisième, plus basse encore, celle des vaïshya, des marchands, des artisans et des paysans ; et enfin la quatrième caste, celle des sudra, des hommes du labeur, des serviteurs, des journaliers. Les choses se compliquent après, car ces castes se subdivisent en centaines de sous-castes, celles-ci se démultipliant elles-mêmes en dizaines, en douzaines, en cinquantaines de catégories, et ainsi de suite jusqu'à l'infini. Dans chaque secteur, l'Inde représente l'infini : divinités et mythes, croyances et langues, races et cultures. Le moindre objet et le moindre lieu, tout ce que l'on regarde et ce à quoi l'on pense se situe à la croisée d'une vertigineuse infinité.

Par ailleurs, je sentais instinctivement que ce que je voyais autour de moi n'était que le reflet de signes, d'images, de symboles extérieurs, derrière lesquels se cachait un univers de croyances, de conceptions et de représentations, un monde immense, varié et inépuisable dont j'ignorais tout. Pourquoi ce monde m'était-il inaccessible ? Etait-ce parce que je ne disposais pas de la connaissance théorique nécessaire à sa compréhension ? Etait-ce par manque d'érudition ? Ou parce que ma culture imprégnée de rationalisme et de matérialisme m'empêchait de sonder et de comprendre l'hindouisme qui, lui, baignait dans la spiritualité et la métaphysique ? Question insoluble.

En proie à ces interrogations, accablé de surcroît par la richesse des détails décrits dans l'ouvrage du missionnaire français, je repoussai son livre et sortis dans la ville.

Composé d'une centaine de vérandas vitrées, traversées par un léger courant d'air vivifiant dès qu'on y ouvre une fenêtre, le palais du rajah baigne dans des jardins luxuriants et soignés où s'affairent des jardiniers constamment occupés à tailler, faucher, ratisser. Plus loin, derrière une haute muraille, commence la ville. On s'y rend par d'étroites ruelles toujours bondées. En chemin, on longe une suite ininterrompue de boutiques bigarrées, de stands et de baraques croulant sous les victuailles, les vêtements, les chaussures et les produits d'entretien. Même par temps sec, les rues sont boueuses, car, ici, tout est déversé au milieu de la chaussée qui appartient à tout le monde.

De tous les coins de la ville, des haut-parleurs émettent des airs aigus, sonores, langoureux qui proviennent d'innombrables temples locaux, petites constructions à peine plus élevées que les maisons à un ou deux niveaux qui les entourent. Ils se ressemblent tous, badigeonnés de blanc, ornés de guirlandes de fleurs et de décorations scintillantes, élégants et lumineux, semblables à de jeunes mariées se rendant à l'autel. L'atmosphère qui y règne est sereine, nuptiale. Ils sont bondés, les gens murmurent, brûlent de l'encens, roulent des yeux, tendent les bras. Des hommes (sacristains ? enfants de chœur ?) distribuent aux croyants de la nourriture : un morceau de gâteau, du massepain, des bonbons. Si l'on garde les mains tendues un peu plus longtemps, on a la chance de recevoir deux, voire trois portions. Il faut soit les manger soit les déposer sur l'autel. Dans tous les temples l'entrée est libre, personne ne demande qui vous êtes et quelle est votre confession. Chacun rend hommage individuellement, de sa propre initiative, sans rituel collectif, d'où cette sensation de détente, de liberté et de légère pagaille.

La multitude de ces lieux de culte s'explique par la foule de divinités que compte l'hindouisme, personne n'a d'ailleurs jamais été capable de dresser leur inventaire complet. Les dieux ne se font pas concurrence, mais coexistent dans l'harmonie et la bonne entente. On peut croire en un ou plusieurs dieux à la fois, on peut même en changer en fonction du lieu, du temps, de l'humeur ou des besoins. L'ambition des adeptes d'une divinité consiste à lui ériger un sanctuaire, à lui élever un temple. Quand on sait que ce polythéisme libéral dure depuis des milliers d'années, on s'imagine aisément les conséquences de ces pratiques religieuses. Que de temples, de chapelles, d'autels, de statues ont pu être dressés ! Et, en même temps, que de lieux sacrés ont été dévastés par les inondations, les incendies, les typhons, les guerres contre les musulmans ! Réunis, ces monuments pourraient servir à bâtir la moitié du monde !

Au cours de mes pérégrinations, je suis tombé sur un temple dédié à Kali. Déesse de la destruction, Kali représente l'action dévastatrice du temps. J'ignore s'il est possible de la fléchir puisque, par définition, le temps ne peut être arrêté. Kali est grande, noire, elle tire la langue, elle porte autour du cou un collier de crânes et se tient debout, les bras croisés. Bien que ce soit une femme, mieux vaut ne pas tomber dans ses bras.

Pour accéder à son temple, on passe par deux rangées d'étalages. On peut y acquérir des parfums entêtants, des poudres colorées, des petites images, des pendentifs et toutes sortes de bricoles plus kitsch les unes que les autres. Devant la statue de la déesse serpente lentement une file compacte d'adeptes émus et couverts de sueur. Odeur enivrante d'encens, chaleur étouffante, obscurité. Aux pieds de l'idole se déroule un échange symbolique : chacun offre un caillou préalablement acheté au prêtre qui, à son tour, en donne un autre. Sans doute troque-t-on un caillou non béni contre un caillou béni. Mais ai-je bien compris ?

Le palais du rajah regorge de serviteurs, à vrai dire on ne voit guère qu'eux, à croire qu'ils sont les maîtres de céans. Une foule de majordomes, de laquais, de serveurs, de domestiques, de préposés au vestiaire, à l'infusion du thé, au glaçage des gâteaux, au repassage, de garçons de course, d'exterminateurs de moustiques et d'araignées, sans compter la valetaille dont il est impossible de déterminer l'occupation et la fonction, s'affaire constamment dans les chambres et les salons, parcourt les couloirs et les escaliers, époussette les meubles et les tapis, secoue les oreillers, déplace les fauteuils, taille et arrose les fleurs.

Tous s'agitent en silence, avec tant de prudence et d'harmonie qu'ils donnent l'impression d'être constamment effarouchés. Pourtant ils s'activent sans nervosité, sans précipitation ni gesticulation, à croire qu'un tigre du Bengale rôde dans les parages et que le seul moyen d'être épargné par le fauve consiste à éviter tout mouvement intempestif. Même en plein jour, sous l'ardeur des rayons du soleil, ils rappellent des ombres impersonnelles qui se déplacent sans mot dire, de manière à passer inaperçus, à ne gêner personne, en évitant soigneusement de se trouver dans le champ de vision d'un observateur extérieur.

Leurs vêtements varient en fonction de leur rôle et de leur rang, allant des turbans dorés agrafés avec des pierres précieuses aux dhotis les plus vulgaires, sortes de pagnes portés par les serviteurs se trouvant au bas de la hiérarchie. Les uns ont des ceintures brodées en soie et des épaulettes étincelantes, les autres des chemises ordinaires et des tuniques blanches. Un seul point les rassemble : ils marchent tous pieds nus. Qu'ils arborent des broderies, des aiguillettes, des brocarts ou des cachemires, ils ne sont jamais chaussés.

Ce détail a tout de suite attiré mon attention, car je fais une petite fixation sur les souliers. Elle remonte à l'époque de la guerre et de l'Occupation. Je me souviens que, à l'approche de l'hiver 1942, je n'avais rien à me mettre aux pieds. Mes anciennes chaussures étaient parties en lambeaux, maman n'avait pas d'argent pour m'en acheter des neuves. A l'époque, la paire qu'un Polonais pouvait se payer coûtait quatre cents zlotys. Elles étaient en toile grossière enduite d'un mastic noir étanche avec des semelles en bois de tilleul clair. Mais où pouvais-je me procurer quatre cents zlotys ?

Nous habitions à Varsovie, rue Krochmalna, aux portes du ghetto, chez les Skupiewski. M. Skupiewski fabriquait à domicile des savons de toilette, tous de la même couleur verte. « Je vais te donner des savons en commission, me proposa-t-il un jour. Si tu réussis à en vendre quatre cents, tu pourras te payer tes chaussures, et tu me rembourseras ta dette après la guerre. » Il croyait encore, comme nous tous, que la guerre ne durerait pas longtemps. Il me conseilla de m'installer sur la ligne de banlieue Varsovie-Otwock fréquentée par des vacanciers susceptibles de vouloir se laver et donc de m'acheter du savon. J'ai suivi ses conseils. J'ai pleuré toutes les larmes de mon corps ou presque car personne ne voulait acheter des savonnettes à un gamin de dix ans. A l'issue d'une journée de démarchage, je n'en avais vendu qu'une. Je me souviens que, un jour, j'ai réussi à en vendre trois et je suis rentré à la maison rouge de bonheur.

Après avoir appuyé sur la sonnette, je me mettais à prier avec ferveur : « Seigneur, faites qu'ils me prennent ma marchandise, qu'ils m'en achètent au moins un ! » Au fond, je pratiquais une sorte de mendicité puisque j'essayais de susciter la pitié. J'entrais dans l'appartement et suppliais : « Madame, achetez-moi une savonnette. Elle ne coûte qu'un petit zloty, l'hiver va arriver, et je n'ai pas de chaussures. » Parfois ma stratégie portait ses fruits, mais parfois non, car la concurrence était rude entre les gosses qui tournaient dans le coin pour tenter de faire leur beurre en chapardant, escroquant ou vendant trois bricoles.

Avec l'automne, le froid est arrivé, j'avais les pieds gelés et j'ai dû interrompre mon commerce. J'avais récolté trois cents zlotys auxquels M. Skupiewski ajouta généreusement les cent manquants. Avec maman, nous sommes allés acheter des chaussures neuves. En enroulant ses pieds dans des chaussettes russes en flanelle et en enveloppant le tout de papier journal, il était possible de résister aux grands froids.

La vue de ces millions d'Indiens sans chaussures suscitait donc en moi un sentiment de solidarité et de fraternité, parfois j'éprouvais même la sensation de revenir dans la maison de mon enfance.

Je regagnai Delhi où mon billet de retour au pays devait arriver d'un jour à l'autre. Je retrouvai mon vieil hôtel et ma chambre. Je fis connaissance de la ville, visitai les musées, essayai de lire *Times of India*, étudiai Hérodote. J'ignore si Hérodote alla jusqu'en Inde ; compte tenu des problèmes de communication de l'époque, cela me paraît peu vraisemblable, mais cette probabilité n'est pas à exclure, car il a visité des contrées fort éloignées de la Grèce. Il a tout de même décrit les vingt provinces, appelées satrapies, qui formaient la plus grande puissance mondiale de l'époque, la Perse, parmi lesquelles l'Inde était la plus peuplée : [...] *les*

Indiens sont de beaucoup le peuple le plus nombreux que nous connaissions (B), déclare-t-il, puis il évoque l'Inde, sa situation, sa société et ses coutumes :

L'Inde, en direction du Levant, n'est plus que sable. De tous les peuples vivant du côté de l'Orient et du soleil, les Indiens sont les premiers et les seuls sur lesquels nous sachions quelque chose de certain. Plus à l'est, le pays n'est plus qu'un désert inhabitable. Les Indiens se partagent du reste en races très nombreuses, qui ne parlent pas la même langue, dont les unes sont nomades, les autres sédentaires. Certaines peuplades vivent dans les régions marécageuses du fleuve, se nourrissant de poissons crus qu'ils pêchent dans des barques faites de roseaux. Ils portent des vêtements en jonc. Ils ramassent ce jonc le long du fleuve, le découpent et tressent ses fibres comme des nattes pour s'en faire des cuirasses.

D'autres Indiens, les Padéens, habitent plus à l'est. Ils sont nomades et se nourrissent de viande crue. Chez ces Padéens, quand quelqu'un tombe malade, ses concitoyens le tuent. Si le malade est un homme, ce sont des hommes, ses meilleurs amis, qui s'en chargent. Ils lui expliquent que sa maladie lui fait perdre ses forces et le rend moins appétissant. L'autre a beau nier énergiquement, affirmer qu'il se porte bien, on ne l'écoute pas, on le tue et on s'en régale. S'il s'agit d'une femme, ce sont des femmes, ses meilleures amies, qui « s'occupent » de la malade, le reste se passant comme pour les hommes. De même, quiconque parvient à la vieillesse est solennellement immolé et servi dans un festin. Mais rares sont ceux qui parviennent à ce stade, car la plupart tombent malades avant et sont mangés.

D'autres Indiens ont des mœurs fort différentes : ils ne tuent aucune créature vivante, ne sèment rien, ne connaissent pas l'usage des maisons et se nourrissent d'herbes... Si l'un d'eux tombe malade, il se retire dans un lieu désert, s'étend sur le sol et nul, désormais, ne se soucie de sa maladie ni de sa mort.

La plupart des Indiens s'accouplent en public comme

les bêtes. Ils ont tous la même couleur de peau, assez proche de celle des Ethiopiens. Leur sperme, au lieu d'être blanc comme c'est le cas partout, est aussi noir que leur peau (exactement comme celui des Ethiopiens) (L).

Je me suis ensuite rendu à Madras et à Bangalore, à Bombay et à Chandernagor. Plus je voyageais, plus j'étais convaincu du caractère désespéré et déprimant de mon entreprise, de l'impossibilité de connaître et de comprendre le pays dans lequel je me trouvais. L'Inde est tellement immense ! Comment décrire ce qui n'a pas de frontières, ce qui n'a pas de fin ?

J'ai reçu mon billet de retour Delhi-Varsovie, *via* Kaboul et Moscou. L'avion est arrivé à Kaboul au coucher du soleil. Un ciel d'un rose soutenu tirant sur le violet caressait de ses derniers rayons les montagnes bleu sombre encerclant la vallée. Le jour s'éteignait, plongeant le site dans un silence total et profond que ni le son de la clochette accrochée au cou d'un âne ni le menu trot du troupeau de brebis longeant le baraquement de l'aéroport n'auraient pu troubler.

Comme je n'avais pas de visa, les policiers m'ont arrêté. Ils ne pouvaient pas me faire revenir en arrière, car l'avion qui m'avait débarqué était aussitôt reparti. Aucun appareil ne s'apprêtait à décoller. Ils se sont consultés et, finalement, se sont rendus en ville. Nous n'étions plus que deux, moi et le gardien de l'aéroport, un immense paysan baraqué à la barbe noir corbeau, aux yeux doux et au sourire incertain et timide. Il portait une longue gabardine militaire et un mauser sans doute achetés dans un surplus américain.

La nuit est tombée d'un coup, immédiatement suivie d'un froid glacial. Je grelottais, car, arrivant des tropiques, je ne portais sur moi qu'une chemise. Le gardien a apporté des bûches, du petit bois, de l'herbe sèche, puis il a allumé un feu sur une plaque. Il m'a donné son manteau et s'est lui-même enroulé jusqu'aux yeux dans une couverture en poil de chameau sombre. Nous étions assis face à face, silencieux ; autour de nous rien ne se passait, des grillons stridulaient au loin et, plus loin encore, un moteur automobile s'est mis à vrombir.

Au petit matin, les policiers sont revenus en compagnie d'un homme d'un certain âge, un commerçant qui achetait du coton à Kaboul pour des fabriques de Łódź. M. Bielas a promis de s'occuper de mon visa. Vivant ici depuis un certain temps, il avait des relations. En effet, non seulement il a réglé toutes les formalités consulaires mais en plus il m'a invité dans sa villa, fort heureux d'avoir trouvé de la compagnie.

Kaboul est une cité noyée dans la poussière. La vallée dans laquelle est située la ville est balayée par des vents qui ramènent des déserts environnants des nuages de sable, poudre grisâtre en suspension qui recouvre tout et s'infiltre dans les moindres recoins, ne retombant qu'à l'heure où les vents s'apaisent pour céder la place à un air transparent et cristallin.

Chaque soir, les rues se transforment en une scène de théâtre où se joue un mystère spontané et improvisé. Les ténèbres qui y règnent ne sont percées que par les flammes des veilleuses qui brûlent sur les étals, par les flambeaux et les torches de résine dont la lueur vacillante et fugace éclaire la camelote exposée par les vendeurs à même le sol, sur le bord de la chaussée, sur le seuil des maisons. Des figures voilées, chassées par le froid et le vent, glissent en silence entre les rangées de lumières.

Quand l'avion en provenance de Moscou a amorcé sa descente sur Varsovie, mon voisin a tressailli, il s'est agrippé aux accoudoirs de son siège et a fermé les yeux. Il avait un visage gris, ravagé, labouré de rides. Son corps maigre et osseux flottait dans un costume râpé et bon marché. Du coin de l'œil, je l'ai observé. Des larmes ont inondé ses joues. Un instant après, j'ai entendu un sanglot étouffé mais distinct : « Excusez-moi, me dit-il. Excusez-moi. Mais je ne croyais pas que je reviendrais. »

Nous étions en décembre 1956. Les rescapés du goulag rentraient par vagues successives.

Rabi chante les *Upanishad*

L'Inde a été ma première rencontre avec l'altérité. Cette découverte exceptionnelle et fascinante a par ailleurs été pour moi une immense leçon d'humilité. Je suis revenu de ce voyage honteux de mon ignorance, de mon manque de culture et de savoir. Cette expérience m'a fait prendre conscience qu'une autre culture ne dévoile pas ses mystères d'un simple coup de baguette et que la connaissance d'autrui nécessite une longue et solide initiation.

Ma première réaction à cette leçon qui exigeait un immense travail sur moi-même, fut de me réfugier dans mon pays, de revenir à des lieux que je connaissais, qui m'étaient habituels et familiers, à une langue qui était la mienne, à un univers de signes et de symboles immédiatement accessibles, sans travail préalable. Je tentai d'oublier l'Inde, car elle signifiait pour moi un échec : son immensité et sa diversité, sa misère et sa richesse, son caractère énigmatique et incompréhensible m'opprimaient, m'étourdissaient, m'écrasaient. C'est donc de bon gré que je me remis à sillonner la Pologne afin d'en décrire les hommes, de discuter avec eux, d'écouter leur histoire. Unis par des liens issus de la même expérience, nous nous comprenions à demi-mot.

Mais l'Inde restait évidemment présente dans ma mémoire. Plus il gelait, plus je pensais au torride Kerala ; plus la nuit tombait vite, plus je revoyais les éblouissants levers de soleil du Cachemire. Naguère uniformément glacé et enneigé, le monde s'était dédoublé, différencié : gelé mais en même temps brûlant, immaculé mais vert et fleuri.

Quand je disposais d'un peu de temps (nous étions débordés au journal) et de quelques sous (cela arrivait rarement, hélas !), je cherchais des livres sur l'Inde. Malheureusement, mes expéditions chez les libraires et les bouquinistes n'étaient presque jamais couronnées de succès, car le choix était plus que maigre. Une fois, j'ai déniché un livre de Paul Deussen intitulé *Essai sur la philosophie indienne*. Pour ce grand spécialiste de l'Inde et de sa philosophie, ami de Nietzsche par ailleurs, « l'univers est *maya*, autrement dit illusion. Tout est illusoire, à une exception près, son propre moi, son *ātman*... En vivant, l'homme se sent tout, il ne peut donc rien désirer, car il a tout ce que l'on peut avoir, et comme il se sent tout, il ne peut faire de tort à rien ni à personne puisque personne ne se ferait de tort à soi-même ».

Deussen reproche aux Européens de « se détourner de l'étude de la pensée hindoue par paresse », peut-être parce que les quatre millénaires de son existence et de son développement ininterrompus l'ont transformée en un univers si gigantesque et infini qu'elle intimide et paralyse le moindre candidat enthousiaste ou audacieux qui se risquerait à l'embrasser ou à l'approfondir. Dans l'hindouisme, la sphère de l'inconcevable est par ailleurs infinie, et les composantes de sa diversité reposent sur les contrastes les plus étourdissants, les plus contradictoires, les plus violents. Tout s'y transforme de manière naturelle en son contraire, les frontières des phénomènes temporels et mystiques sont fluides et indéfinies, une chose en devient une autre ou elle est carrément autre chose depuis la nuit des temps, l'existence se transforme en néant, se disloque et se métamorphose en cosmos, en omniprésence céleste, en voie divine disparaissant dans les abîmes du non-être.

L'hindouisme offre une quantité infinie de dieux, de mythes, de croyances ainsi que des myriades d'écoles aux orientations et aux tendances les plus diverses, de multiples voies du salut, pistes de vertu, pratiques de pureté et règles d'ascèse. L'univers de l'hindouisme est si immense qu'il est ouvert à l'univers tout entier, à la compréhension, la tolérance, l'entente et l'unité. Les livres saints de l'hindouisme sont innombrables : parmi eux, le *Mahābhārata* à lui seul compte près de deux cent vingt mille stances de seize syllabes, autrement dit dix-huit fois l'*Iliade et l'Odyssée* réunies !

Un jour, j'ai déniché chez un bouquiniste un livre tout désagrégé et grignoté par les souris. Il s'intitulait *Hatha-Yoga, science des yogi sur la santé physique et l'art de la respiration avec de nombreux exercices.* Selon son auteur, le yogi Ramachakra, la respiration est la principale activité de l'homme, car elle lui permet de communiquer avec le monde. S'il cesse de respirer, il cesse de vivre. Aussi la qualité de sa vie, autrement dit sa santé, sa force et sa sagesse, dépend-elle de la qualité de sa respiration. Malheureusement, la plupart des gens, surtout en Occident, respirent extrêmement mal, affirme Ramachakra, d'où la quantité de maladies, d'infirmités, de cas d'asthénie et de dépressions.

Les exercices qui m'intéressaient le plus étaient ceux qui développaient les forces créatrices, domaine dans lequel j'éprouvais les plus grandes difficultés. « Allongé sur un plancher plat ou sur un lit, conseillait le yogi, sans tendre vos muscles, librement, posez légèrement vos mains sur votre plexus solaire et respirez en rythme. Quand la cadence devient régulière, souhaitez (mentalement) que chaque inspiration augmente la quantité de *prāna*, c'est-à-dire de force vitale en provenance de la source cosmique et qu'elle la transmette à votre système nerveux en concentrant la *prāna* au niveau du plexus solaire. A chaque inspiration, souhaitez que la *prāna*, autrement dit la force vitale, se répande dans tout votre corps... »

J'avais à peine terminé la lecture du *Hatha-Yoga* que je tombai sur une édition de 1923 des *Souvenirs d'enfance* de Rabindranāth Tagore. Tagore était écrivain, poète, compositeur et peintre. On le compare à Goethe et à Jean-Jacques Rousseau. Il reçut le prix Nobel en 1913. Dans son enfance, le petit Rabi (puisque tel était son surnom à la maison), qui descendait d'une famille princière de brahmanes du Bengale, se distinguait par l'obéissance à ses parents, de bonnes notes à l'école et une piété exemplaire, comme il l'écrit à son propre sujet. Il se souvient que, tôt le matin, alors qu'il faisait encore sombre, son père le réveillait afin qu'« il apprenne par cœur les déclinaisons du sanscrit », puis « au lever du soleil mon père récitait les prières, finissait avec moi le lait matinal et, tout en me gardant à ses côtés, il s'adressait de nouveau à Dieu en chantant les *Upanishad* ».

J'essayais de me représenter cette scène : à l'aube, le père et son petit Rabi ensommeillé, tournés vers le soleil levant et chantant les *Upanishad*.

Les *Upanishad* sont des chants philosophiques créés il y a trois mille ans, mais toujours vivants, toujours présents dans la vie spirituelle de l'Inde. Quand j'ai pris conscience de cette scène, quand je me suis imaginé un petit garçon accueillant l'aube avec des strophes des *Upanishad*, je me suis mis à douter de ma capacité de comprendre un jour un pays où les enfants commencent la journée en chantant des versets philosophiques.

Rabi Tagore est né à Calcutta, ville monstrueuse, interminable, dans laquelle j'ai été témoin d'un incident curieux : assis dans ma chambre d'hôtel, je lisais Hérodote quand j'ai entendu par la fenêtre un hurlement de sirènes. Je me suis précipité dans la rue. Des ambulances passaient à toute allure, les gens se réfugiaient sous les porches ; surgi du coin d'une rue, un groupe de policiers matraquait les passants en fuite. J'ai senti une odeur de gaz brûlé et de feu. J'ai essayé de m'informer. Un homme qui courait en brandissant une pierre a hurlé : « Language war ! », et il a poursuivi sa route. La guerre des langues ! J'ignorais les détails de ces conflits, mais je savais déjà que, dans ce pays, ils pouvaient prendre des formes violentes et sanglantes : manifestations, combats de rue, meurtres, immolations par le feu.

Il a fallu que je sois en Inde pour me rendre compte (je n'en étais guère conscient avant) que mon ignorance de l'anglais était secondaire dans la mesure où seule l'élite indienne maîtrisait cette langue, c'est-à-dire moins de deux pour cent de la société ! Tout le reste de la population ne parlait que l'une des dizaines de langues vernaculaires du pays. Dans un certain sens, mon ignorance de l'anglais créait entre moi et les hommes que je croisais dans les villes et les villages un lien de proximité, de fraternité même. Nous voguions dans la même galère, moi et le demi-milliard d'Indiens qui ne connaissaient pas un mot d'anglais !

Par moments, cette pensée me redonnait du courage (ce n'est pas si mal qu'un demi-milliard d'hommes soient dans la même situation que moi), mais, en même temps, elle m'inquiétait : pourquoi aurais-je honte de ne pas connaître l'anglais alors que je n'éprouve aucune gêne à ne pas parler un mot d'hindi, de bengali, de gujarati, de telugu, d'ourdou, de tamil, de penjabi ou de l'une des innombrables langues pratiquées dans ce pays ? L'argument de l'accessibilité n'entrait pas en ligne de compte puisque l'apprentissage de l'anglais était finalement à l'époque aussi problématique que celui de l'hindi ou du bengali. Etais-je victime de l'eurocentrisme, de la conviction qu'une langue européenne est plus importante que les langues du pays où je séjournais ? Par ailleurs, la reconnaissance de la supériorité de l'anglais portait atteinte à la dignité des Indiens pour lesquels le rapport à la langue natale était une affaire délicate et importante. Pour la défense de leur langue, ils étaient prêts à donner leur vie, à brûler sur un bûcher. Cette détermination et cette ferveur s'expliquaient par le fait que, chez eux, l'identité passe par la langue que l'on parle. Par exemple, un Bengali est un individu dont la langue maternelle est le bengali. La langue est même plus qu'une carte d'identité, c'est un visage, une âme. Les conflits sociaux, religieux, nationaux peuvent aussi dégénérer en guerres linguistiques.

En cherchant des livres sur l'Inde, j'en profitais pour m'informer sur Hérodote. L'auteur grec commençait en effet à m'intriguer, il suscitait ma sympathie. Je lui étais reconnaissant de m'accompagner et de m'aider dans mes moments d'incertitude et de désarroi. Sa manière d'écrire donnait l'impression d'un être bienveillant et curieux du monde, d'un homme se posant d'innombrables questions et prêt à parcourir des milliers de kilomètres pour y trouver une réponse.

Quand j'ai tenté de remonter à la source, je me suis rendu compte que nous savions peu de choses sur la vie d'Hérodote, et le peu d'informations dont nous disposions était moins que sûr. En effet, contrairement à Rabindranāth Tagore ou à son contemporain Marcel Proust qui ont étudié à la loupe le moindre détail de leur enfance, Hérodote ne nous raconte rien sur ses premières années, à l'instar de bien d'autres grands de son temps comme Socrate, Périclès ou Sophocle. Parler de son enfance n'était peut-être pas dans les mœurs. Ou alors ils considéraient que ce n'était pas essentiel. Hérodote nous livre seulement qu'il est originaire d'Halicarnasse. Halicarnasse est situé dans un golfe harmonieux en forme d'amphithéâtre, un site merveilleux, là où la côte occidentale de l'Asie rencontre la Méditerranée. C'est le pays du soleil, de la chaleur et de la lumière, des oliviers et des vignes. On ne peut s'empêcher de penser qu'un être né dans ce décor doit être naturellement doté d'un cœur bon, d'un esprit ouvert, d'un corps sain et d'un tempérament serein.

En général, les biographes s'accordent sur la date de naissance d'Hérodote, entre 490 et 480 avant Jésus-Christ, peut-être en l'an 485. Dans l'histoire de la culture mondiale, il s'agit d'une période capitale : Bouddha disparaît autour de 480, un an plus tard, Confucius meurt dans la principauté de Lu, cinquante ans plus tard, Platon voit le jour. L'Asie est le centre du monde. Même la partie la plus créative de la communauté grecque, les Ioniens, vit sur le territoire asiatique. L'Europe n'existe pas encore, ou du moins elle n'existe que sous forme de mythe, sous le nom d'une belle demoiselle, fille d'Agénor, roi de Phénicie, que Zeus, transformé en taureau d'or, enlève et transporte en Crète.

Les parents d'Hérodote ? Ses frères, ses sœurs ? Sa maison ? Nous errons dans les ténèbres de l'incertitude. Halicarnasse était une colonie grecque située sur le territoire des Cariens, population autochtone non-grecque soumise à la Perse. Son père, qui portait un prénom non-grec, Lyxès, était peut-être carien. En revanche sa mère était très probablement grecque. Hérodote était donc un habitant des confins de la Grèce, métis de surcroît. Les hommes grandissant au sein de cultures différentes sont le creuset de sangs divers. Leur vision du monde s'articule autour de concepts tels que la frontière, la distance, la différence, la diversité. Parmi eux se trouve une hallucinante variété de types sociaux, du sectaire fanatique et acharné à la tête brûlée la plus effrénée en passant par le provincial le plus passif et apathique. Leur personnalité est subordonnée à la manière dont le sang s'est mêlé en eux, aux traces laissées par certains esprits.

À quoi ressemble Hérodote dans son enfance ?

Sourit-il à tout le monde et donne-t-il volontiers la main ? A-t-il un caractère boudeur et se cache-t-il dans les jupes de sa maman ? Est-il pleurnichard et grognon au point que sa mère n'en peut plus et soupire de temps à autre : « Qu'ai-je fait au bon Dieu pour avoir un enfant pareil ? » Ou alors est-il serein et apporte-t-il la joie partout où il va ? Est-il obéissant et gentil ou a-t-il plutôt

tendance à harceler son entourage de mille questions :
« D'où vient le soleil ? Pourquoi est-il si haut et inaccessible ? Pourquoi se cache-t-il dans la mer ? Ne risque-t-il pas de se noyer ? »

Et à l'école ? Qui est assis sur le même banc que lui ? Le maître ne l'a-t-il pas placé à côté d'un vilain pour le punir ? A-t-il vite appris à écrire sur la tablette d'argile ? Arrive-t-il souvent en retard ? Tient-il en place pendant les cours ? Souffle-t-il les bonnes réponses ? Est-il turbulent ?

Et les jeux ? Avec quoi pouvait bien jouer un petit Grec il y a deux mille cinq cents ans ? Avec une trottinette en bois ? Construit-il sur la plage des maisons en sable ? Grimpe-t-il aux arbres ? Façonne-t-il dans l'argile les petits oiseaux, les poissons et les chevaux que l'on peut voir aujourd'hui dans les musées ?

Quel souvenir gardera-t-il en mémoire toute sa vie ? Pour le petit Rabi, le moment le plus sublime était la prière matinale aux côtés de son père, pour le petit Proust, c'était l'attente de sa mère et de son baiser dans la chambre sombre avant de s'endormir. Quel était l'événement le plus important pour le petit Hérodote ?

Quel métier exerçait son père ? Halicarnasse est un port situé sur une voie commerciale entre l'Asie, le Proche-Orient et la Grèce proprement dite. Y accostent des navires de marchands phéniciens venus de Sicile et d'Italie, des navires grecs venus du Pirée et d'Argos, des navires égyptiens venus de Libye et du delta du Nil. Le père d'Hérodote était-il marchand ? Est-ce lui qui éveilla chez son fils la passion du monde ? Ne disparaît-il pas de la maison pendant des semaines et des mois, tandis que sa maman, interrogée par le petit Hérodote, répond que son papa se trouve..., citant à l'appui des noms d'univers lointains et tout-puissants susceptibles tout aussi bien de lui confisquer à jamais son père que, grâce à Dieu, de le lui rendre ? Ces évocations ne sont-elles pas à l'origine de son attrait pour le monde, de son désir de le connaître, de ses choix futurs ?

Les rares données qui nous sont parvenues nous informent que le petit Hérodote avait un oncle poète, Panyasis, auteur de divers poèmes et épopées. L'oncle emmenait-il son neveu en balade ? L'initiait-il à la beauté de la poésie, aux secrets de la rhétorique, à l'art oratoire ? Les *Histoires* sont certes un chef-d'œuvre, mais elles sont aussi un modèle de style, une école.

Dans sa jeunesse, semble-t-il, Hérodote goûte à la politique, par l'intermédiaire de son père et de son oncle, expérience unique qu'il ne renouvellera plus de toute son existence. Ceux-ci participent en effet à un soulèvement contre le tyran d'Halicarnasse, Lygdamis, qui réussit toutefois à écraser la révolte. Les rebelles se réfugient à Samos, île montagneuse située à deux jours de bateau au nord-ouest d'Halicarnasse. Hérodote y passe des années, peut-être même l'île est-elle le point de départ de ses voyages dans le monde. S'il refait une apparition à Halicarnasse, c'est pour des périodes fort brèves. Pourquoi ? Pour y revoir sa mère ? Mystère ! On peut supposer qu'il n'y reviendra plus.

On est au cœur du Ve siècle. Hérodote débarque à Athènes. Son navire accoste au Pirée d'où l'on peut gagner l'Acropole, située à huit kilomètres, à cheval ou le plus souvent à pied. Athènes est à l'époque une métropole mondiale, la ville la plus importante de la planète. Hérodote est un provincial, un métèque même. Or, dans cette cité, les étrangers, sans être considérés comme des esclaves, ne sont pas traités à la même enseigne que les Athéniens de souche, qui constituent une société se caractérisant par un racisme exacerbé, un complexe de supériorité hypertrophié, un ostracisme développé, voire une certaine arrogance.

Mais Hérodote semble s'adapter rapidement à son nouvel environnement. Cet homme alors âgé d'une trentaine d'années est ouvert, bienveillant, amical. Il organise des lectures, des rencontres, des soirées d'auteur, dont il vit probablement. Il noue des contacts importants avec Socrate, Sophocle, Périclès, chose facile à l'époque, car Athènes n'est pas une ville immense, elle compte quelque cent mille habitants et son architecture est dense et chaotique. Seuls deux lieux se distinguent et se différencient du reste de la ville : le centre religieux, l'Acropole, et l'endroit où se déroulent rencontres, spectacles, marchés, débats politiques et vie sociale, l'Agora. Là, dès le matin, les gens se regroupent, discutent, tiennent des réunions publiques. La place de l'Agora est constamment bondée, elle grouille de vie. Nous pourrions à coup sûr y rencontrer Hérodote. Mais il n'y reste pas longtemps car, au moment où il arrive à Athènes, les autorités de la cité adoptent un règlement draconien stipulant que seuls les citoyens dont les deux parents sont nés en Attique, province située autour d'Athènes, peuvent bénéficier des droits politiques. Hérodote ne peut donc pas acquérir la citoyenneté de la ville. Il la quitte, voyage et finit par s'installer pour le restant de ses jours au sud de l'Italie, à Thourioi.

Le dernier pan de sa vie fait l'objet de diverses interprétations. Pour les uns, il ne quitte plus cette ville. D'autres affirment qu'il refait un séjour en Grèce où on l'aperçoit à Athènes. La Macédoine est même citée. Mais aucune de ces hypothèses n'est confirmée. Il meurt à l'âge de soixante ans. Où ? Dans quelles circonstances ? Passe-t-il les dernières années de son existence à Thourioi, assis à l'ombre d'un platane, à rédiger son livre ? Ayant perdu la vue, dicte-t-il son œuvre à un scribe ? A-t-il conservé des notes ou ses souvenirs lui suffisent-ils ? Autrefois les hommes avaient une mémoire phénoménale. Ce qui expliquerait qu'il n'éprouve aucune difficulté à évoquer l'histoire de Crésus et de Babylone, de Darius et des Scythes, des Perses, des Thermopyles et de Salamine, ainsi que bien d'autres récits dont les *Histoires* fourmillent.

Peut-être Hérodote est-il mort sur le pont d'un navire voguant à travers la mer Méditerranée. En cheminant, s'est-il soudain senti fatigué, ou s'est-il assis sur une pierre pour ne plus se relever ? Hérodote a disparu, il nous a quittés il y a vingt-cinq siècles, nul ne sait en quelle année ni en quel lieu.

La rédaction.
Reportages sur le terrain.
Réunions. Rencontres. Discussions.

A mes moments de liberté, je suis plongé dans mes dictionnaires (un dictionnaire anglais a enfin été édité !) et divers ouvrages sur l'Inde (l'impressionnant livre de Jawaharlal Nehru, *Découverte de l'Inde*, l'énorme *Autobiographie* du Mahatma Gandhi ainsi que la belle *Pantchatantra, ou les cinq livres de la sagesse* viennent d'être publiés).

Successivement, ces titres me ramènent en Inde, me rappelant les lieux où je suis passé et me dévoilant sans cesse de nouvelles profondeurs, d'autres facettes, des significations insoupçonnées. Mais, comparés à ma précédente expédition, ces voyages sont multidimensionnels. Je découvre par ailleurs qu'ils peuvent être prolongés, répétés, multipliés grâce à la lecture de livres, l'étude de cartes, la contemplation d'images et de photographies. Ces périples iconographiques présentent un avantage sur un véritable voyage : on peut s'arrêter dans un lieu, le regarder tranquillement, revenir sur une image, etc., chose difficile dans la réalité à cause du manque de temps et diverses contingences.

Je m'enfonçai dans les méandres et les richesses de l'Inde avec l'espoir de m'approprier avec le temps toute sa sève, quand, un beau jour de l'automne 1957, notre omnisciente secrétaire Krysia Korta me convoqua à la rédaction et me chuchota d'un air énigmatique et enfiévré :

« Tu pars en Chine ! »

Les Cent Fleurs du président Mao

Automne 1957

Je suis arrivé en Chine à pied. Tout d'abord j'ai pris l'avion jusqu'à Hong-Kong avec une première escale à Amsterdam puis une seconde à Tokyo. A Hong-Kong, un omnibus m'a emmené à une minuscule gare au beau milieu des champs, d'où j'étais censé passer en Chine. Quand je me suis retrouvé sur le quai, un contrôleur et un policier se sont approchés de moi et m'ont indiqué un pont à l'horizon, puis le policier s'est exclamé :

« La Chine ! »

C'était un Chinois revêtu d'un uniforme de la police britannique. Il a fait un bout de chemin avec moi et, après m'avoir souhaité bon voyage, il s'en est retourné à la station. J'ai poursuivi ma route tout seul, portant ma valise d'une main, de l'autre un sac bourré de livres. Le soleil dardait ses rayons de feu, un vent brûlant et lourd soufflait, des mouches horripilantes bourdonnaient.

Protégé par un grillage de guingois, le pont ou plutôt la passerelle enjambait une rivière à moitié asséchée. Plus loin se dressait un haut portail garni de fleurs, d'inscriptions en chinois et surmonté d'un blason : un écusson rouge avec cinq étoiles dorées, quatre petites et une plus grande. Devant le portail se tenait un groupe de gardes-frontières. Ils ont examiné mon passeport avec circonspection, inscrit mes coordonnées dans un gros registre et m'ont fait signe de me diriger vers le train qu'on apercevait à environ un demi-kilomètre de là. J'ai repris mon chemin en peinant et suant à grosses gouttes, escorté par une nuée de mouches.

Le train était vide. C'était le même omnibus que j'avais pris à Hong-Kong, avec des rangées de bancs, sans compartiments. Il a fini par s'ébranler. Nous traversions des terres ensoleillées et verdoyantes, l'air brûlant et humide refoulé par la fenêtre embaumait les tropiques. J'avais l'impression d'être en Inde, dans la région de Madras ou de Pondichéry. Je me sentais un peu chez moi, au milieu de paysages qui m'étaient chers et familiers. Le train s'arrêtait constamment, embarquant à chaque halte de nouveaux passagers. Ils étaient tous vêtus à l'identique : les hommes avec des vestes en coutil bleu foncé boutonnées jusqu'au menton, les femmes en robes fleuries toutes coupées sur le même modèle. Tous se tenaient droit, le visage dans le sens de la marche du train, silencieux.

A une station, un groupe de trois agents vêtus d'uniformes bleu criard – une jeune fille flanquée de deux auxiliaires – sont entrés dans le wagon bondé. D'une voix puissante et péremptoire, la demoiselle nous a adressé un long discours à l'issue duquel l'un de ses assistants s'est mis à distribuer aux voyageurs un gobelet que le second emplissait de thé vert à l'aide d'un arrosoir métallique. Le thé était brûlant, les passagers soufflaient pour le refroidir et le buvaient à petites gorgées gargouillantes. Le silence régnait toujours, personne ne disait mot. J'essayais de déchiffrer les visages de ces hommes assis en rang d'oignons, mais ils étaient immobiles et inexpressifs. Je n'osais toutefois pas les fixer avec trop d'attention, car cela risquait d'être mal perçu et peut-être d'éveiller des soupçons. Personne d'ailleurs ne me regardait, malgré mon élégant costume acheté l'année précédente à Rome, qui jurait étrangement au milieu du coutil indigo et de la percale fleurie.

Au bout de trois jours de voyage, je suis arrivé à Pékin. Il faisait froid, un vent frais et sec soufflait, ensevelissant la ville et ses habitants sous des nuages de poussière grise. A la gare faiblement éclairée m'attendaient deux journalistes du journal de jeunes *Zhongguo*. Nous nous sommes serré la main, puis, droit comme un « i », presque au garde-à-vous, l'un a déclaré :

« Nous nous réjouissons de ton arrivée, car elle montre que la politique des Cent Fleurs proclamée par le président Mao porte ses fruits. Le président Mao nous incite en effet à travailler en collaboration et à partager nos expériences, c'est justement ce que font nos rédactions en procédant à un échange de correspondants permanents. Nous te saluons comme correspondant permanent du journal *Sztandar Młodych* à Pékin et, en échange, un correspondant permanent chinois se rendra à Varsovie en temps voulu. »

Je l'écoutais en tremblant, car je ne portais ni anorak ni manteau et je cherchais désespérément du regard un lieu où m'abriter du froid. Enfin, nous nous sommes engouffrés dans une voiture de la marque Pobiéda et nous avons filé à l'hôtel. Un homme, que les journalistes de *Zhongguo* m'ont présenté comme le camarade Li, mon interprète permanent, nous y attendait. Nous parlions tous en russe, langue qui, dès mon arrivée en Chine, est devenue ma langue de communication.

J'imaginais qu'on allait me donner une chambre dans une de ces maisons dissimulées derrière les murs d'argile ou de sable s'étirant à l'infini le long des rues de Pékin. Cette chambre serait garnie d'une table, de deux chaises, d'un lit, d'une armoire, d'une étagère pour les livres, d'une machine à écrire et d'un téléphone. Je visiterais la rédaction du *Zhongguo*, je prendrais des nouvelles, je lirais, je me rendrais sur le terrain, je recueillerais des informations, j'écrirais et j'enverrais des articles, sans cesser, bien sûr, d'étudier le chinois. Je visiterais des musées, des bibliothèques et des monuments, je rencontrerais des professeurs et des écrivains, bref, je ferais la connaissance d'une multitude de personnes intéressantes dans les villages et les villes, les magasins et les écoles, je me rendrais à l'université, au marché et à l'usine, dans les temples bouddhistes et les comités du Parti ainsi que dans des dizaines d'autres endroits dignes d'être connus et explorés. La Chine est un pays immense, me disais-je, tout en me réjouissant des innombrables impressions et sensations en perspective et persuadé de repartir enrichi de mille expériences, découvertes et connaissances nouvelles à l'issue de mon séjour.

Bourré de projets les plus optimistes, je suis monté dans ma chambre avec le camarade Li qui, lui, s'est retiré dans la chambre d'en face. Quand j'ai voulu fermer ma porte, je me suis aperçu qu'elle ne comportait ni poignée ni serrure et que, en plus, les gonds étaient disposés de telle sorte qu'elle restait toujours ouverte. J'ai également remarqué que la porte de la chambre du camarade Li béait sur le corridor et qu'il pouvait ainsi me garder à l'œil en permanence.

Ayant décidé de faire comme si de rien n'était, je me suis mis à déballer mes livres. J'ai sorti Hérodote qui se trouvait au-dessus des autres, puis les trois tomes des *Œuvres choisies* de Mao Zedong, *Le Vrai Livre de la fleur du Sud* de Zhuangzi (édition de 1953), ainsi que des livres achetés à Hong-Kong : *What's Wrong with China* de Rodney Gilbert (édition de 1926) ; *A History of Modern China* de K.S. Latourette (édition de 1954) ; *A short History of Confucian Philosophy* de Liu Wu-Chi (édition de 1955) ; *The Revolt of Asia* (édition de 1927) ; *The Mind of East Asia* de Lily Abegg (édition de 1952), ainsi que des manuels et des dictionnaires de chinois, car j'avais décidé d'apprendre la langue dès le premier jour.

Le lendemain matin, le camarade Li m'a emmené à la rédaction de *Zhongguo*. C'était la première fois que je voyais Pékin de jour. A perte de vue s'étendait un océan de maisons basses cachées derrière des murs. Seuls émergeaient leurs toits pointus gris foncé semblables à des ailes. De loin on aurait dit une énorme nuée d'oiseaux noirs prêts à prendre leur envol.

La rédaction m'a reçu très cordialement. Le rédacteur en chef, un jeune homme grand et mince, m'a dit qu'il se réjouissait de mon arrivée, car nous remplissions ainsi la consigne du président Mao qui voulait que fleurissent les Cent Fleurs !

J'ai répondu que j'étais heureux d'être arrivé, que j'étais conscient des tâches qui m'attendaient et que j'avais apporté avec moi, je tenais à l'ajouter, les trois tomes des *Œuvres choisies* de Mao Zedong que je m'apprêtais à étudier à mes moments de liberté.

Ma réponse a été accueillie avec satisfaction et reconnaissance. D'ailleurs, tout l'entretien au cours duquel nous buvions du thé vert s'est réduit à ce type d'échange de politesses et à des formules de louanges à l'adresse du président Mao et de sa politique des Cent Fleurs.

Au bout d'un certain temps, mes hôtes se sont tus comme s'ils en avaient reçu l'ordre, le camarade Li s'est levé, m'a regardé : j'ai compris que la visite était terminée. Nous nous sommes salués avec courtoisie, en souriant et en ouvrant bien grand les bras.

En fait, durant toute la visite, rien n'a été réglé, aucun projet concret n'a été abordé. On ne m'a posé aucune question et je n'ai pas eu une seule occasion d'aborder la suite de mon séjour et de mon travail.

Je me suis dit que telles étaient sans doute les coutumes du pays. Peut-être était-il incorrect de passer directement à l'action ? J'avais lu plusieurs fois que l'Orient avait un rythme de vie différent du nôtre, plus lent, que chaque chose se faisait en son temps, qu'il fallait rester serein, apprendre la patience, la persévérance, garder son calme intérieur, rester impavide, que le Tao appréciait l'immobilité et non le mouvement, et qu'enfin toute précipitation, fièvre ou violence faisaient mauvais effet et étaient considérées comme des manifestations de mauvaise éducation et de manque de savoir-vivre.

Je me rendais également compte que je n'étais qu'un grain de poussière dans cet énorme territoire qu'est la Chine, que ma personne ainsi que mon travail ne représentaient pas grand-chose par rapport à l'immense défi que tous s'étaient engagés à relever, y compris le journal *Zhongguo*, et que je devais attendre patiemment que mon tour vienne et que mon cas soit pris en considération. Pour l'heure, j'avais le toit et le couvert assurés, sans parler du camarade Li qui ne me lâchait pas d'une semelle ; quand j'étais dans ma chambre, il était assis dans la sienne à regarder ce que je faisais.

Assis, je lisais le premier tome de Mao Zedong. Mon activité était donc conforme aux instructions du moment puisque partout flottaient des banderoles rouges portant le slogan : ÉTUDIE SCRUPULEUSE-MENT LES PENSÉES IMMORTELLES DU PRÉSIDENT MAO ! Je lisais donc le rapport lu par Mao, en décembre 1935, à la conférence du Parti à Wayaopao, dans lequel l'orateur analysait les conséquences de la Grande Marche, la qualifiant de « marche unique dans l'histoire ». « Au cours de douze mois, poursuivis jour après jour et bombardés du ciel par des dizaines d'avions, rompant l'encerclement, anéantissant les divisions blindées ennemies et pourchassés par une armée de près d'un million de soldats, surmontant d'innombrables difficultés et obstacles, nous sommes allés de l'avant ; à pied nous avons parcouru plus de douze mille cinq cents kilomètres, nous avons traversé onze provinces. Croyez-vous que l'histoire ait déjà connu des marches semblables ? Non, jamais. » Grâce à cette traversée au cours de laquelle l'armée de Mao « franchit de

hautes chaînes montagneuses couvertes de neiges éter-
nelles et parcourut des plaines marécageuses que le pied
de l'homme n'avait jamais foulées », l'encerclement par
l'armée de Chiang Kai-Shek fut évité. L'heure de la
contre-offensive avait sonné.

Parfois, ennuyé par la lecture de Mao, je prenais en
main le livre de Zhuangzi. Taoïste zélé, Zhuangzi dédai-
gnait les biens temporels et avait pour modèle Huizi,
illustre sage taoïste. Ainsi, « quand Yao, maître légen-
daire de la Chine, lui proposa de prendre le pouvoir, il
se lava les oreilles souillées par cette nouvelle et se réfu-
gia dans la montagne solitaire du Qishan ». A l'instar de
Qohélet dans la Bible, Zhuangzi considère que le monde
extérieur n'est que néant et vanité : « Que l'on résiste
ou que l'on cède à notre environnement, tel un cheval
nous galopons vers la fin. N'est-ce pas vraiment affligeant ? Travailler toute sa vie sans contempler les fruits
de son travail, n'est-ce pas affligeant ? S'épuiser sans
pouvoir se retourner, n'est-ce pas affligeant ? Les gens
prétendent que l'immortalité existe, mais à quoi peut-
elle bien servir ? Le corps se décompose, et avec lui l'esprit. N'est-ce pas la chose la plus affligeante ? »

Zhuangzi est plein d'hésitations, rien pour lui n'est
certain : « La parole n'est pas seulement un souffle de
vent. La parole a un message à transmettre, mais il n'est
pas encore défini. Existe-t-elle vraiment ? Ou alors n'y
a-t-il rien qui lui ressemble ? Diffère-t-elle du gazouillis
des oiseaux ? »

J'ai failli demander au camarade Li comment un Chinois pouvait interpréter ces extraits, mais je me suis
retenu. A côté des paroles de Mao qui faisaient l'objet
d'une campagne d'étude dans le pays, ils risquaient de
paraître provocateurs. Je me suis donc rabattu sur un
passage complètement innocent à propos d'un papillon : « Un jour, Zhuangzi rêva qu'il était un papillon, un
joyeux papillon, qui volait librement sans savoir qu'il
était Zhuangzi. Soudain il se réveilla et il était redevenu

Zhuangzi. Maintenant il ne savait plus si le papillon était le rêve de Zhuangzi ou si Zhuangzi était le rêve du papillon. Pourtant Zhuangzi et le papillon sont radicalement différents. C'est ce qu'on appelle la métamorphose de l'être. »

J'ai demandé au camarade Li de m'expliquer le sens de ce récit. Il m'a écouté, a souri, puis il a soigneusement pris des notes. Il a dit qu'il me répondrait après avoir consulté un spécialiste.

J'attends toujours sa réponse.

J'ai terminé le premier tome de Mao Zedong et j'ai entamé le deuxième. Nous sommes à la fin des années trente, les troupes japonaises occupent une grande partie de la Chine et progressent dans les profondeurs du pays. Les deux adversaires, Mao Zedong et Chiang Kai-Shek, concluent une alliance stratégique afin d'opposer une résistance à l'envahisseur japonais. La guerre traîne en longueur, l'occupant est féroce, le pays détruit. Selon Mao, la meilleure tactique face à la supériorité de l'ennemi consiste à faire preuve de flexibilité et à le harceler constamment. Il répète ces principes sans cesse dans ses écrits et ses discours.

J'étais en train de lire le rapport de Mao sur cette guerre interminable contre le Japon qu'il proclama au printemps 1938 à Yanan, quand le camarade Li a raccroché le téléphone et est venu m'annoncer que le lendemain nous irions visiter la Grande Muraille. La Grande Muraille ! Les gens viennent des quatre coins du monde pour la contempler. C'est l'une des merveilles de la planète, un ouvrage unique, mythique et dans un certain sens inconcevable. En effet, les Chinois ont mis deux mille ans, avec des interruptions, pour l'édifier. Ils l'ont commencée du vivant de Bouddha et d'Hérodote, et le chantier se poursuivait encore à l'époque où, en Europe, Léonard de Vinci, le Titien et Jean-Sébastien Bach créaient leurs propres œuvres.

La longueur de la muraille donne lieu à des estimations différentes, de trois à dix mille kilomètres. Ces divergences s'expliquent par le fait qu'il n'y pas une seule Grande Muraille, mais plusieurs. Elles ont par ailleurs été construites à des époques différentes, dans des endroits différents et avec des matériaux différents. Elles ne sont liées entre elles que par la volonté politique des dirigeants chinois : en arrivant au pouvoir, chaque dynastie entreprenait la construction de sa Grande Muraille. L'idée d'ériger une Grande Muraille n'a pas un instant quitté les souverains de Chine. S'ils interrompaient le chantier, c'était seulement parce qu'ils manquaient de moyens, mais dès que les ressources le permettaient ils relançaient les travaux.

Les Chinois ont construit la Grande Muraille afin de se protéger contre l'expansionnisme mongol. Venus des steppes de Mongolie, des monts de l'Altaï et du désert de Gobi, ces envahisseurs agiles attaquaient à grand renfort de cohortes, de hordes et de troupeaux de chevaux, constituant une menace permanente pour leur Etat, agitant constamment le spectre du massacre et de l'esclavage.

Mais la Grande Muraille n'était que la partie visible de l'édifice, le symbole de la Chine, le blason et le bouclier de ce pays qui pendant des millénaires est resté le royaume des murs. En effet la Grande Muraille en marquait les frontières septentrionales. Mais d'autres murs séparaient des royautés, des régions et des quartiers ennemis. Ils protégeaient les villes et les villages, les cols et les ponts. Ils défendaient les palais et les bâtiments officiels, les temples et les marchés, les casernes, les commissariats de police et les prisons. Les murs entouraient les maisons privées, séparant les uns des autres voisins et familles. Et quand on sait que les Chinois n'ont pas cessé d'ériger des murs pendant des siècles, voire des millénaires, quand on réfléchit à leur nombre incommensurable, leur dévouement, leur esprit de sacrifice, leur discipline exemplaire, leur assiduité de fourmi, on aboutit à des centaines et des centaines de millions d'heures passées à bâtir des murs, heures qui dans ce pays pauvre auraient pu être consacrées à l'apprentissage de la lecture ou d'un métier, à la culture ou l'élevage.

Voilà où disparaît l'énergie du monde !

C'est tellement irrationnel ! Tellement inutile !

En effet, la Grande Muraille a beau être un géant, une forteresse s'étendant sur des milliers de kilomètres à travers des montagnes et des déserts inhabités, un objet de fierté et, comme je l'ai déjà dit, l'une des merveilles du monde, elle est aussi la preuve de la faiblesse et de l'aberration humaines, la preuve d'une grave faute de l'Histoire, de l'incompréhension des hommes à cet endroit de la planète, de leur incapacité à convoquer une table ronde afin de s'entendre sur la manière d'exploiter au mieux les ressources de l'énergie et de l'esprit humains.

Chimères que tout cela, car la première réaction face à un éventuel danger a consisté à ériger des murs, à s'enfermer, à se délimiter. Ce qui vient de l'extérieur, de là-bas, ne peut être que menace, présage de malheur, signe avant-coureur du mal, du mal absolu.

Mais le mur ne sert pas seulement de défense. Tout en protégeant contre un péril extérieur, il permet aussi de contrôler ce qui se passe à l'intérieur grâce aux passages, portes et portillons qui le traversent. En assurant la protection du site, on contrôle qui entre et qui sort, on pose des questions, on vérifie la validité des laissez-passer, on note les noms, on scrute les visages, on observe, on mémorise. Ainsi le mur sert-il en même temps de bouclier et de piège, de protection et de cage.

Le plus grave, c'est que le mur développe une attitude de défense permanente, il crée une mentalité selon laquelle le monde est divisé en deux camps : à l'extérieur du mur, ce qui est mauvais et inférieur, à l'intérieur, ce qui est bon et supérieur. Il n'est pas indispensable d'ailleurs que le défenseur soit physiquement posté devant le mur, il peut en être éloigné. Il suffit qu'il porte en lui l'image du mur et qu'il respecte les règles imposées par sa logique.

Pour se rendre à la Grande Muraille, il faut une heure en prenant une route vers le nord. On traverse d'abord une ville. Il souffle un vent violent et glacé. Les piétons et les cyclistes avancent tête baissée pour lutter contre la tempête. Des flots de cyclistes se déversent de toutes parts. Tous s'arrêtent aux feux rouges comme s'ils étaient soudainement stoppés par une digue, puis ils reprennent leur cours et voguent jusqu'aux prochains feux. Ce rythme régulier, laborieux, n'est perturbé que par les rafales de vent. Le flot s'agite alors soudain et s'emballe, faisant tomber les uns, contraignant les autres à s'arrêter et à mettre pied à terre. La confusion et le chaos règnent dans les rangs des cyclistes. Puis, quand le vent s'apaise, tout rentre dans l'ordre et la rivière de vélos repart péniblement.

Les trottoirs du centre de la ville sont bondés. Souvent on peut voir des écoliers en uniforme marcher en rangs. Ils vont deux par deux, agitent de petites bannières rouges, guidés par un enfant en tête de file, qui brandit un drapeau rouge ou un portrait du bon tonton Mao. En chœur, les colonnes déclament un texte avec ferveur, chantent ou poussent des cris. « Que disent-ils ? », demandé-je au camarade Li. « Ils veulent étudier les pensées de Mao », me répond-il. Les policiers que l'on aperçoit à tous les coins de rue donnent toujours la priorité aux cortèges d'enfants.

La ville est jaune et bleu foncé : jaunes, les murs qui longent les rues, bleus, les habits des travailleurs. « Ces vêtements constituent un acquis de la révolution, m'explique le camarade Li. Naguère les gens n'avaient rien à se mettre sur le dos et ils mouraient de froid. » Les hommes sont rasés comme de jeunes recrues, les fillettes, les jeunes filles, les femmes et les vieilles femmes ont les cheveux coupés au bol : frange courte et nuque dégagée. Il faut observer attentivement les visages pour pouvoir les distinguer, mais ce n'est guère poli de fixer les gens.

Si quelqu'un porte un sac, il ressemble à tous les autres sacs. De même pour les casquettes. Je me demande bien comment font les gens, lors de grands rassemblements, pour reconnaître leurs affaires qu'ils doivent laisser au vestiaire. Ils s'y retrouvent pourtant. Cela prouve que les vraies différences se situent parfois dans de menus détails – un bouton cousu autrement par exemple.

On monte sur la Grande Muraille par une tour désaffectée. Elle ressemble à une gigantesque construction hérissée de tourelles et de créneaux massifs, si large qu'au sommet dix personnes peuvent y marcher de front. Vue d'en haut, la Muraille se déroule en serpentant à l'infini, chacune de ses extrémités se perdant au-delà des montagnes, des forêts. Elle est déserte, morte, il y souffle un vent à décorner une chèvre. Contempler, toucher les blocs de pierre traînés ici pendant des siècles à la sueur du front d'hommes tombant d'épuisement, pourquoi ? Quel sens cela a-t-il ? A quoi cela sert-il ?

Au fur et à mesure que les journées passaient, la Grande Muraille se transformait pour moi en une Grande Métaphore. En effet, j'étais entouré par des hommes avec lesquels je ne pouvais pas communiquer, j'étais entouré par un univers que j'étais incapable de pénétrer. Ma situation devenait de plus en plus saugrenue. J'étais censé écrire, mais à quel sujet ? La presse était rédigée en chinois seulement, or je ne comprenais pas cette langue. Dès le début, j'avais prié le camarade Li de me faire la traduction de divers articles, mais, dans son interprétation, chacun commençait par les mots : « Comme nous l'enseigne le président Mao » ou « En suivant les consignes du président Mao », etc. Etait-ce

vraiment le contenu de ces articles ? Comment pouvais-
je le savoir ? Le seul fil qui me liait à l'extérieur était le
camarade Li, mais en fait il me coupait du monde. A
chacune de mes demandes de rencontre, d'entretien, de
voyage, il me répondait systématiquement : « Je vais
transmettre votre demande à la rédaction. » Je ne recevais néanmoins jamais de réponse. Je ne pouvais pas
non plus sortir seul, car le camarade Li me suivait partout. Du reste, où aurais-je pu aller ? Chez qui ? Je ne
connaissais pas la ville, je ne connaissais personne, je
n'avais pas le téléphone (le camarade Li, lui, en avait
un).

Mais surtout je ne connaissais pas la langue. Certes,
dès le début, j'ai essayé d'apprendre le chinois seul. J'ai
tenté de pénétrer l'épais maquis des hiéroglyphes et des
idéogrammes, mais je me suis heurté à un obstacle, la
polysémie du signe. J'avais lu quelque part qu'il existe
plus de quatre-vingts traductions anglaises du *Daodejing*
(la Bible du taoïsme), toutes fiables et crédibles, mais en
même temps complètement différentes ! Mes jambes en
flageolaient. Non, pensai-je, je n'y arriverai pas, je n'en
viendrai jamais à bout. Les caractères dansaient sous
mes yeux, vacillaient, palpitaient, changeaient de forme,
de position, de liens, de relations, de correspondances,
de dispositions, ils se multipliaient, se divisaient, formaient des files, des colonnes, se remplaçaient mutuellement, les sons « ao » devenaient, Dieu sait pourquoi,
des sons « ou », je me mettais soudain à confondre le
« eng » avec le signe « ong ». Erreurs rédhibitoires !

La pensée chinoise

Etant disponible, je dévorais les livres sur la Chine achetés à Hong-Kong, au point d'en oublier la Grèce et Hérodote. Je voulais connaître à fond le pays et ses habitants avant de me lancer dans mon travail de journaliste. Je ne me rendais nullement compte que la plupart des correspondants écrivant sur la Chine résidaient à Hong-Kong, Tokyo ou Séoul, qu'ils étaient en majorité chinois et qu'ils maîtrisaient bien évidemment tous la langue. Bref, je ne me rendais pas compte que ma situation à Pékin relevait de l'impossible et de l'irréel.

Je ressentais confusément l'omniprésence de la Grande Muraille, non pas celle que j'avais foulée quelques jours auparavant au nord dans les montagnes, mais une muraille bien plus terrible et invincible : la Grande Muraille de la Langue. Ce rempart me cernait de toutes parts, il se manifestait au moindre contact avec un Chinois, entravait la compréhension de tout mon environnement : conversations, journaux, radio, slogans, inscriptions sur les murs, les marchandises et les portes des administrations. Je rêvais de tout mon être de tomber sur un caractère ou une expression familière, pour m'y accrocher, pousser un soupir de soulagement, me sentir en terrain connu, chez moi. Hélas ! Tout restait impénétrable, énigmatique, crypté.

J'avais vécu la même expérience en Inde ! Là-bas aussi, je m'étais senti incapable de percer les buissons épineux des alphabets indiens. Si j'avais poursuivi mon voyage là-bas, me serais-je heurté aux mêmes barrières ?

Comment s'érige donc cette tour de Babel linguistique ? Comment naît un alphabet ? Il a bien dû commencer par un trait, jadis, dans la nuit des temps. Un jour, un homme a gravé un signe pour ne pas oublier, ou pour transmettre, ou pour exorciser un objet ou un territoire.

Mais pourquoi le même objet est-il écrit à l'aide de signes si différents ? Partout dans le monde, une montagne ou un arbre se ressemblent, et pourtant, dans chaque alphabet, ils correspondent à des représentations, des caractères, des symboles divers. Pourquoi ? Pourquoi, dans une culture donnée, la première, la toute première créature voulant décrire une fleur dessine un trait vertical, dans une autre culture elle dessine un petit cercle, dans une troisième culture elle trace deux lignes et un cône ? Ces décisions sont-elles prises individuellement ou collectivement ? Sont-elles débattues préalablement ? Font-elles l'objet de discussions autour du feu ? Sont-elles entérinées par un conseil de famille ? Par une assemblée tribale ? Les anciens, les guérisseurs, les devins ont-ils leur mot à dire ?

Car, quand la machine est lancée, que le loquet est verrouillé, plus moyen de faire marche arrière. Le simple fait par exemple de mettre un trait à gauche et un autre à droite engendre toute une suite de variantes qui vont s'affiner, diverger et s'embrouiller au fil du temps, puisque dans la logique infernale de son évolution, l'alphabet ne cesse de se ramifier, devenant souvent de moins en moins lisible, voire indéchiffrable pour les profanes.

En dépit des problèmes similaires que me posaient les alphabets indiens et chinois, la différence de mœurs entre les habitants de ces deux pays était néanmoins manifeste. L'Indien est détendu, le Chinois crispé et vigilant. La foule indienne est informe, fluide et lente, la foule chinoise va en ordre rangé, discipliné et martial. On sent que la foule chinoise est dominée par un guide, une autorité suprême. En revanche, au-dessus de la foule indienne flotte un aréopage d'innombrables divinités indulgentes. Si une foule indienne tombe sur une curiosité, elle s'arrête, observe avec attention et se met à discuter. Dans la même situation, la foule chinoise poursuivra son chemin, compacte, obéissante, le regard fixé vers un but déterminé. Les Indiens sont plus cérémoniels, solennels, religieux. L'univers de l'esprit et de ses manifestations symboliques est toujours proche, présent, sensible chez eux. Des saints vagabondent sur les routes, des pèlerins s'acheminent vers des temples, sièges des dieux, des foules se rassemblent au pied de montagnes sacrées, se baignent dans des rivières sacrées, brûlent leurs morts sur des bûchers sacrés. Les Chinois semblent moins ostentatoires, ils sont beaucoup plus discrets et renfermés. Ils n'ont pas le temps de célébrer des fêtes, car ils doivent exécuter les consignes de Mao ou de quelque autorité. Au lieu d'honorer leurs dieux, ils se concentrent sur l'étiquette. Sur les routes, à la place des pèlerins, on voit des brigades de travail.

Leurs visages eux aussi sont différents.

Le visage de l'Indien réserve souvent des surprises ; un point rouge sur le front, des ramages colorés sur les joues, des dents brun foncé dans un sourire. Le visage du Chinois ne surprend pas. Il est lisse et ses traits immuables. Rien ne semble pouvoir perturber son immobilité. Ce visage nous dit qu'il cache une chose que nous ignorons et que nous ignorerons toujours.

Un jour, le camarade Li m'a emmené à Shanghai. Quelle différence avec Pékin ! J'ai été frappé par l'énormité de cette ville, la variété de son architecture ; des quartiers entiers construits dans le style français, italien, américain. Partout, sur des kilomètres, des allées, des

boulevards, des promenades, des passages ombragés.
Des bâtiments impressionnants, une circulation urbaine
intense avec des voitures, des pousse-pousse, des vélos
et des foules, des foules de passants. Des magasins, et
même, çà et là, des bars. Il y fait beaucoup plus chaud
qu'à Pékin, l'air est doux, la proximité de la mer y est
sensible.

Une fois, nous avons traversé le quartier japonais, et
nous avons regardé le socle lourd et disproportionné
d'un temple bouddhiste. « Est-ce qu'il est en service ? »,
ai-je demandé au camarade Li. « Ici, à Shanghai, certainement », a-t-il répondu d'un ton où se mêlaient ironie
et mépris, comme si Shanghai faisait partie de la Chine
mais pas à cent pour cent, que la ville n'avait pas été
totalement « maoïsée ».

Le bouddhisme s'est répandu en Chine au cours du
premier millénaire de notre ère seulement. Auparavant,
pendant cinq siècles, le territoire était dominé par deux
courants spirituels parallèles, deux écoles, deux orientations : le confucianisme et le taoïsme. Confucius vécut
dans les années 560-480 avant Jésus-Christ. Les historiens sont incapables de dire si le fondateur du taoïsme,
Laozi, était l'aîné ou le cadet de Confucius. De nombreux spécialistes prétendent même que Laozi n'aurait
pas existé, que l'unique livret qu'il aurait laissé, *Daodejing*, est un recueil de fragments, d'aphorismes et de dic-
tons rassemblés par des scribes et des copistes
anonymes.

Si l'on admet que Laozi a vécu et qu'il était plus âgé
que Confucius, on peut considérer comme véridique le
récit, maintes fois repris par la suite, du jeune Confucius
se rendant sur les lieux où vivait le sage Laozi pour lui
demander conseil sur la manière de vivre. « Abstiens-toi
de toute arrogance et concupiscence, lui aurait répondu
le vieillard, de la flagornerie et de l'ambition démesurée.
Tout cela te causera préjudice. Je n'ai rien d'autre à te
dire. »

A supposer que Confucius ait été l'aîné de Laozi, il aurait transmis à son jeune compatriote trois grandes pensées. Tout d'abord « Comment peut-on servir les dieux si on est incapable de servir les hommes ? », ensuite « Pourquoi rendre le bien pour le mal ? Par quoi rendre alors le bien ? », et enfin « Comment peut-on savoir ce qu'est la mort si on ignore ce qu'est la vie ? »

La pensée de Confucius et celle de Laozi (pour peu qu'il ait existé) sont nées au déclin de la dynastie Zhou, durant la période des « Royaumes combattants », à l'époque où la Chine était déchirée, divisée en de nombreux Etats qui menaient entre eux des guerres acharnées décimant la population. Celui qui réussissait à échapper momentanément au massacre continuait d'être tourmenté par l'incertitude et la peur du lendemain et il restait hanté par le problème de sa survie. La pensée chinoise tente précisément d'apporter une réponse à cette question. C'est sans doute la philosophie la plus pragmatique que le monde connaisse. Contrairement à la pensée hindoue, elle s'aventure rarement dans les régions de la transcendance et s'efforce de suggérer des conseils de survie à l'homme de la rue qui a eu le malheur de naître dans un monde sans pitié.

C'est là que divergent les voies de Confucius et de Laozi (si tant est qu'il ait existé), ou plus précisément elles apportent chacune une réponse différente à cette question. Confucius considère que, étant né dans une société, l'homme a des obligations dont les plus importantes consistent à exécuter les recommandations du pouvoir et à obéir aux parents, sans oublier le respect des ancêtres et de la tradition. Ce qui prévaut, c'est la stricte observance de l'étiquette, de l'ordre existant et le refus de tout changement. L'homme de Confucius est un être loyal et soumis au pouvoir. S'il exécute les ordres avec obéissance et consciencieusement, dit le Maître, il survivra.

La conduite préconisée par Laozi (pour peu qu'il ait existé) est autre. Le fondateur du taoïsme conseille de se tenir à l'écart de tout. Puisque rien n'est durable, il ne faut s'attacher à rien. Tout ce qui existe est voué à mourir, dit le Maître. Aussi convient-il de garder du recul, de maintenir ses distances, de refuser toute promotion, de ne poursuivre aucun objectif, de se détourner des biens terrestres. Pour survivre, il faut agir par l'inaction, la force consistant dans la faiblesse et l'indécision, la sagesse dans la naïveté et l'ignorance. Pour survivre, il faut se rendre vain, inutile à tout le monde, il faut habiter loin des hommes, devenir un ermite intérieur, se contenter d'un bol de riz, d'une gorgée d'eau. Mais le plus important est de respecter le Tao. Que recouvre ce concept ? En fait le Tao ne peut être exprimé, car son essence est indéterminée et inexprimable : « Dès l'instant où le Tao est défini, il perd toute signification », dit le Maître. Le Tao est une voie, et observer le Tao consiste à suivre cette voie et à aller de l'avant.

Le confucianisme est une philosophie de pouvoir, de fonctionnaires, de structure, d'ordre, de garde-à-vous ; le taoïsme est la sagesse de ceux qui refusent de jouer le jeu et veulent rester une simple particule de la nature indifférente.

Dans un certain sens, le confucianisme et le taoïsme sont des écoles éthiques proposant des stratégies de survie opposées. Mais, sur les points qui s'adressent à l'homme de la rue, elles ont un dénominateur commun, en l'occurrence la recommandation de la soumission. Il est intéressant de remarquer que, plus ou moins à la même époque, en Asie également, naissent deux autres foyers de pensée : le bouddhisme et l'école ionienne, qui prodiguent peu ou prou les mêmes conseils que le confucianisme et le taoïsme, à savoir l'obéissance.

Sur les images des peintres de l'époque de Confucius, on voit des scènes de la Cour : un empereur assis au milieu de bureaucrates raides comme des passe-lacets, de chefs du protocole, de généraux pompeux et de serviteurs humblement courbés. Sur les images des peintres de l'époque taoïste, on voit des paysages lointains aux tons pastel, des chaînes de montagnes à peine esquissées, des brumes lumineuses, des mûriers et, au premier plan, une feuille de bambou svelte, délicate, agitée par un vent invisible.

En parcourant les rues de Shanghai avec le camarade Li, je me demande si les Chinois que nous croisons constamment sont confucianistes, taoïstes ou bouddhistes, autrement dit s'ils appartiennent à l'école chinoise « Ru », « Tao » ou « Fo ».

Question épineuse, fausse, et qui, de surcroît, passe à côté de la réalité. En effet la force de la pensée chinoise repose sur sa souplesse, son pouvoir conciliateur et syncrétique, sa faculté de réunir en un tout diverses orientations, visions et attitudes, d'autant que, au cours de ce processus d'évolution, les racines, les fondements d'aucune école n'ont jamais été détruits. L'histoire millénaire de la Chine a traversé des expériences multiples, ce qui n'a pas empêché que tantôt le confucianisme, tantôt le taoïsme, tantôt le bouddhisme prenne le dessus (on peut difficilement les appeler religions au sens européen de ce terme puisqu'ils ignorent le concept de Dieu). Cycliquement, des tensions et des conflits surgissaient entre ces courants, périodiquement un empereur en soutenait un, un autre tentait de les réunir ou au contraire les opposait, mais avec le temps tout finissait par rentrer dans l'ordre, s'entremêler, cohabiter. Dans l'immense gouffre de l'histoire de cette civilisation, tout était avalé, absorbé, puis infailliblement coulé dans le moule chinois.

Ce processus de synthèse, d'union et de modification ne pouvait qu'affecter l'âme du Chinois. En fonction de sa situation, du contexte et des circonstances, l'élément confucianiste ou taoïste prenait le dessus, car, ici, rien n'était fixé une fois pour toutes, rien n'était arrêté, scellé pour de bon. Pour survivre, il pouvait être un exécuteur docile, extérieurement soumis, mais intérieurement singulier, inaccessible, indépendant.

Nous voilà de retour à Pékin, à notre hôtel. Je suis revenu à mes bouquins. J'étudie l'histoire de Han Yu, grand poète du IXe siècle. Partisan de Confucius, Han Yu se lance dans un combat contre l'influence du bouddhisme qu'il considère comme une idéologie étrangère, hindoue en l'occurrence. Il écrit des essais critiques, des pamphlets fulgurants. L'activité chauvine du grand poète irrite à ce point l'empereur Xian, partisan du bouddhisme, que le souverain le condamne à mort, mais, fléchi par les courtisans, il commue sa peine en exil dans l'actuelle province du Guangdong infestée de crocodiles.

Je suis brusquement interrompu dans ma lecture par l'arrivée d'un membre de la rédaction de *Zhongguo* accompagné d'un représentant de la Centrale du commerce extérieur. Ce dernier me remet une lettre de mes collègues de Varsovie m'informant que l'équipe du journal *Sztandar Młodych* s'est déclarée contre la fermeture de *Po prostu*, que tout le collège a été licencié par le Comité central, et la direction du journal confiée à trois commissaires délégués. En signe de protestation, une partie des journalistes ont donné leur démission, d'autres hésitent, attendent. Mes collègues me demandent de prendre position.

L'agent de la Centrale du commerce a à peine tourné les talons que je déclare au camarade Li avoir reçu l'ordre de rentrer d'urgence au pays et que je dois faire mes bagages. Le visage du camarade Li tressaille. Nous échangeons un regard, puis nous descendons à la salle à manger où nous attend le dîner.

Je suis revenu d'Inde et de Chine avec un sentiment de frustration et même de regret, mais aussi avec la conscience de fuir. Or il fallait que je fuie, car ces univers nouveaux, inconnus commençaient à m'attirer dans leur orbite, à m'absorber, à me tyranniser et m'obséder. D'emblée j'avais été en proie à une fascination, un désir brûlant de connaissance, d'immersion totale, de fusion, d'assimilation, comme s'il s'agissait du pays où j'étais né, où j'avais été éduqué, où j'avais vécu. J'avais voulu en apprendre sur-le-champ la langue, dévorer une masse de livres à son sujet, en connaître le moindre recoin.

C'était une sorte de pathologie, une maladie grave, car en même temps je me rendais compte que ces civilisations sont si immenses, si riches et complexes que pour connaître ne serait-ce qu'un fragment, une rognure de l'une d'elles, il me faudrait y consacrer toute mon existence. Elles sont constituées d'innombrables pièces, couloirs, balcons et mansardes à ce point enchevêtrés et emberlificotés que, dès qu'on y pénètre, on ne peut plus en sortir, en revenir, faire marche arrière. L'étude de la civilisation hindoue, chinoise, arabe ou hébraïque est certes noble et captivante, mais elle exclut toute autre activité.

Ma fascination pour l'au-delà des frontières, des gens, des routes, des cieux nouveaux ne me lâchait pas pour autant.

Je suis rentré à Varsovie. Le caractère insolite de ma situation en Chine qui s'était traduit par une inefficacité involontaire, une suspension absurde dans le vide, trouva rapidement une explication : l'idée de m'envoyer à Pékin était née dans la foulée de deux processus parallèles de « dégel » : « octobre 56 » en Pologne et les « Cent Fleurs du président Mao » en Chine. Mais, avant même que j'arrive à Pékin, les deux pays avaient fait marche arrière. En Pologne, Gomułka s'était lancé dans une campagne contre les libéraux ; en Chine, Mao Zedong

était passé à la politique draconienne du Grand Bond
en avant.

En fait, j'aurais dû quitter Pékin le lendemain même
de mon arrivée. Mais ma rédaction n'avait guère réagi.
Pétrifiée dans sa lutte pour la survie, elle m'avait tout
bonnement oublié. Ou alors, me voulant du bien, elle
avait pensé me préserver ainsi de l'orage. A mon avis,
la rédaction de *Zhongguo* était informée par l'ambassade
de Chine à Varsovie que le correspondant de *Sztandar
Młodych* travaillait pour un journal qui ne tenait plus
qu'à un fil et dont les heures étaient comptées. L'hospitalité traditionnelle des Chinois, leur peur viscérale de
perdre la face ainsi que leur courtoisie innée expliquent
peut-être le fait que je n'aie pas été expulsé. Sans doute
comptaient-ils sur moi pour que je devine de moi-même
que le contrat de collaboration initial n'était plus en
vigueur. Et ils avaient tout fait, finalement, pour me le
faire comprendre et m'amener à la décision de partir.

Sur les traces du monde

Dès mon retour au pays, j'ai changé de rédaction. J'ai été embauché par l'Agence polonaise de presse. Comme je rentrais de Chine, mon nouveau patron, Michał Hofman, a estimé que je devais connaître l'Extrême-Orient et que je pouvais couvrir la partie de l'Asie située à l'est de l'Inde qui englobe l'archipel indonésien.

Nous sommes tous plus ou moins ignorants, mais là, je ne connaissais rien des territoires qui m'étaient affectés. J'ai donc retroussé mes manches et, la nuit, j'ai entrepris de me documenter sur la guérilla dans la jungle de Birmanie ou de Malaisie, les révoltes de Sumatra et de Célèbes et les rébellions de la tribu Moro aux Philippines. Une fois de plus, le monde m'apparaissait comme un domaine immense, inexplorable et insurmontable, d'autant que je manquais cruellement de temps ; j'étais tenu par mon travail à la rédaction du matin au soir. Un flux de dépêches qu'il fallait lire, traduire, synthétiser, rédiger et envoyer aux journaux et aux radios déferlait quotidiennement sur ma table de travail.

Je recevais des nouvelles de Rangoon, Singapour, Hanoi, Manille ou Bandung. Commencé en Inde et en Afghanistan, poursuivi au Japon et en Chine, mon périple asiatique se prolongeait sur mon bureau. J'y avais déployé, sous une plaque de verre, une carte du continent asiatique d'avant-guerre, sur laquelle mon doigt errait à la recherche de lieux tels que Phnom Penh,

Surabaya, les îles Salomon ou l'introuvable Laoag où venait de se produire une tentative d'attentat contre un Homme Important, à moins que ce ne fût une grève d'ouvriers dans les plantations de caoutchouc. Je vagabondais en pensée parmi ces lieux et ces événements que j'essayais de visualiser.

Parfois, le soir, quand les bureaux de la rédaction se vidaient et que les couloirs s'endormaient, je m'emparais des *Histoires* d'Hérodote rangées au fond d'un tiroir afin de me reposer des grèves, des luttes armées, des attentats et des explosions qui ébranlaient la vie de pays inconnus.

Hérodote commence son œuvre par une phrase expliquant les motivations de son entreprise :

> Hérodote d'Halicarnasse présente ici ses « Enquêtes » pour que les œuvres des hommes et leurs faits les plus mémorables ne sombrent dans l'oubli, et dans le but de découvrir pour quelles raisons Grecs et Barbares se firent la guerre (L).

Cette phrase est la clé de tout le livre.

Tout d'abord, Hérodote informe qu'il mène des enquêtes (personnellement je préférerais utiliser le mot « recherches »). Nous savons aujourd'hui qu'il y consacra sa vie entière, une vie longue pour l'époque. Pourquoi ? Pourquoi dans sa jeunesse prit-il cette décision ? A-t-il été obligé de mener ces investigations ? Lui a-t-on suggéré de le faire ? Etait-il au service d'un souverain ? D'un conseil des anciens ? D'un oracle ? A qui ces enquêtes étaient-elles utiles ? A quoi servaient-elles ?

Peut-être entreprit-il son œuvre de sa propre initiative, entraîné par la soif de savoir, emporté par une force fiévreuse et mystérieuse ? Peut-être était-il chercheur dans l'âme ? Peut-être son cerveau générait-il constamment des milliers de questions qui l'empêchaient de vivre et le réveillaient la nuit ? Et, à supposer qu'il s'agît réellement d'une « tocade », d'une manie, comment arrivait-il à la calmer ?

Hérodote avoue qu'il est obsédé par la mémoire, faible, fragile, courte, illusoire selon lui. Ce qu'elle a retenu et emmagasiné peut s'évaporer, disparaître, sans laisser la moindre trace. Toute sa génération, tous les hommes vivant à cette époque sont confrontés à la même crainte. On ne peut vivre sans mémoire, car elle élève l'homme au-dessus du monde animal, elle est le reflet de son âme, mais, en même temps, elle est trompeuse, fugace, perfide. Aussi l'homme doute-t-il de lui : « Mais si, cela vient juste de se produire... » ; « Dis, rappelle-moi quand c'est arrivé ! » ; « C'était bien celui... » ; « Tu te souviens qui c'était ? » Nous ne savons plus, et ces mots cachent le gouffre de l'ignorance, autrement dit du néant.

L'homme d'aujourd'hui n'a pas le même souci, car il vit entouré d'une mémoire à portée de main, emmagasinée dans des encyclopédies, manuels, dictionnaires, abrégés, bibliothèques, musées, archives, enregistrements sonores, films, chez des bouquinistes, sur Internet. Il dispose d'une réserve inépuisable de mots, de sons, d'images, dans les appartements, les magasins, les caves et les greniers. S'il est petit, la maîtresse lui dira tout à l'école, s'il est étudiant, c'est le professeur qui le renseignera.

Rien ou presque rien de ces institutions, administrations et techniques n'existait au temps d'Hérodote. L'homme ne savait strictement que ce que sa mémoire était en mesure de préserver. Certes, des individus isolés, l'élite, apprenaient à écrire sur des rouleaux de papyrus et des tablettes d'argile. Mais les autres ? La culture a toujours été le domaine de l'aristocratie. Dès qu'elle cesse d'obéir à cette règle, elle meurt.

Dans l'univers d'Hérodote, le seul dépositaire ou presque de la mémoire humaine est l'homme. Pour accéder à cette mémoire, il faut aller à sa rencontre ; s'il habite loin, il faut se mettre en route, marcher, et, quand on arrive chez lui, il faut s'asseoir à ses côtés et écouter son récit, écouter, mémoriser ou peut-être prendre des notes. Ainsi surgit le reportage.

Hérodote prend donc la route, il rencontre des hommes et écoute leurs récits. Ils lui disent qui ils sont, narrent leur histoire. Mais d'où tiennent-ils leur savoir ? Des autres bien sûr, de leurs ancêtres surtout, répondent-ils, qui leur ont légué ce qu'ils savaient. Et aujourd'hui à leur tour, ils passent le relais aux jeunes. Comment ? Sous forme de récits qu'ils se racontent, assis autour du feu, et qui résonneront après comme des légendes ou des mythes. Au moment où ils parlent, conteurs et auditeurs sont toutefois persuadés qu'il s'agit de la stricte vérité.

Ils écoutent, la flamme crépite, l'un ajoute du petit bois, la lumière et la chaleur du feu excitent la pensée, éveillent l'imagination. L'enchaînement des récits est presque inimaginable sans la présence d'une flambée, de veilleuses ou de bougies éclairant les ténèbres. La lumière du feu attire, elle soude le groupe, elle génère de bonnes vibrations. Flamme et communauté. Flamme et histoire. Flamme et mémoire. Héraclite, l'aîné d'Hérodote, considère le feu comme l'origine de la matière, sa substance initiale. Selon lui, tout est mouvement perpétuel, à l'instar du feu, tout s'éteint pour s'embraser de nouveau. Tout passe mais, en passant, se métamorphose. Ainsi en est-il de la mémoire dont certaines images s'éteignent, remplacées par de nouvelles, qui, à leur tour, ne sont jamais identiques aux précédentes. On ne pénètre jamais deux fois dans la même eau, de même qu'une image n'est jamais la reproduction exacte de la précédente.

Conscient de l'irréversibilité du temps, Hérodote veut s'opposer à sa nature destructrice : [...] *pour que les œuvres des hommes et leurs faits les plus mémorables ne sombrent dans l'oubli (L).*

Fallait-il qu'il fût audacieux et convaincu de l'importance de sa mission pour déclarer que, grâce à lui, *les œuvres des hommes et leurs faits les plus mémorables ne sombreraient pas dans l'oubli* ! Les œuvres des hommes ! Mais d'où tient-il cette conscience ? Homère, son prédécesseur, décrivit l'histoire d'une guerre concrète, la guerre de Troie, puis les aventures d'un voyageur solitaire, Ulysse en l'occurrence. Mais l'histoire de l'humanité ? C'est tout de même une idée, un concept, un horizon nouveaux. Par cette phrase, Hérodote apparaît au lecteur non pas comme un scribe d'un coin perdu de la Grèce, un provincial étriqué, un amoureux de sa petite ville grecque, un patriote de l'une des dizaines de minuscules cités-États dont la Grèce est alors constituée. Non ! L'auteur des *Histoires* se présente carrément comme un visionnaire, un créateur capable de penser à l'échelle planétaire – en un mot, comme le premier mondialiste.

Certes, la carte du monde qu'Hérodote a sous les yeux ou qu'il imagine est différente de celle qui nous sert de référence aujourd'hui ; son univers est beaucoup plus restreint. Le centre en est le territoire montagneux, et alors boisé, qui entoure la mer Egée. Les terres situées sur la rive occidentale constituent la Grèce, celles de la rive orientale la Perse. D'emblée, nous nous trouvons plongés au cœur du problème, car, dès sa naissance, dès ses premières années, dès qu'il commence à comprendre la vie, Hérodote sait que le monde est divisé en deux, qu'il se partage entre l'Est et l'Ouest, que ces deux zones sont en état permanent d'opposition, de conflit, de guerre.

Une question nous brûle les lèvres : pourquoi ? Pourquoi en est-il ainsi ? Cette interrogation, qui s'adresse à Hérodote comme à n'importe quel autre penseur, est incluse dans la première phrase de son chef-d'œuvre : *Hérodote d'Halicarnasse présente ici ses « Enquêtes » [...] dans le but de découvrir pour quelles raisons Grecs et Barbares se firent la guerre (L).*

Cette interrogation trouble et hante l'humanité depuis des millénaires, depuis la nuit des temps elle revient sans cesse : pourquoi les hommes se font-ils la guerre ? Quelle est leur motivation ? Quelle est leur perspective quand ils engagent un combat ? Par quoi sont-ils guidés ? Que pensent-ils ? Quel but poursuivent-ils ? Interminable litanie de questions ! Or, voilà qu'Hérodote consacre toute une vie de labeur afin d'y apporter une réponse. Mais, parmi les thèmes généraux et abstraits, il privilégie les événements les plus concrets, ceux qui se déroulent sous ses yeux, ceux dont le souvenir reste encore frais et vivace, ou ceux qui demeurent plus ou moins vivants même si leur mémoire s'est ternie. Bref, il concentre son attention et ses recherches sur le problème suivant : pourquoi la Grèce (c'est-à-dire l'Europe) fait-elle la guerre à la Perse (c'est-à-dire l'Asie) ? Pourquoi ces deux mondes, l'Ouest (l'Europe) et l'Est (l'Asie), luttent-ils, se battent-ils à la vie et à la mort ? En a-t-il toujours été ainsi ? En sera-t-il toujours ainsi ?

Tout cela l'intéresse, le préoccupe, l'absorbe, l'obsède. Essayons d'imaginer cet homme subjugué par cette idée qui ne lui laisse aucun répit. Alerte, il apparaît sans cesse dans des lieux différents, semant partout où il passe un vent d'inquiétude ! Les gens qui, pour la plupart, hésitent à sortir de leur enclos – il en a toujours été ainsi partout dans le monde –, considèrent ces êtres à part comme des hurluberlus, des illuminés, parfois même des toqués.

Les contemporains d'Hérodote le percevaient-ils ainsi ? Lui-même ne dit rien à ce sujet, mais sans doute ne prêtait-il guère attention à l'opinion d'autrui. Il était avant tout préoccupé par ses voyages, leur préparation, puis par la sélection et la classification des matériaux rapportés, car un voyage ne commence pas au moment où l'on se met en route et il ne se termine pas quand on arrive à destination. En réalité, il débute bien plus tôt et ne s'arrête pratiquement jamais, car la bande de la mémoire continue de tourner même quand on a cessé de bouger depuis longtemps. Le voyageur est en effet contaminé par le voyage, une maladie pratiquement incurable.

Nul ne sait à quel titre Hérodote voyageait. Comme marchand (occupation favorite des hommes du Levant) ? C'est peu probable, car les prix, le commerce, les marchés ne l'intéressaient pas. Comme diplomate ? A cette époque, cette profession n'existait pas encore. Comme espion ? Au profit de quel Etat ? Comme touriste ? Non, les touristes voyagent pour se reposer alors qu'Hérodote, lui, travaille dur ; il est reporter, anthropologue, ethnographe, historien. Hérodote est le type même de l'« homme de voyage », que, par la suite, l'Europe du Moyen-Age désignera sous le terme de l'« homme de grand chemin ». Ses pérégrinations n'ont toutefois rien à voir avec des déplacements désinvoltes et insouciants d'un lieu à un autre ; les voyages d'Hérodote ont un objectif, celui de connaître le monde et ses habitants, connaître pour décrire ensuite, pour décrire surtout *les œuvres des hommes et leurs faits les plus mémorables (L)*.

C'est là son intention première. Mais, au fil de ses expéditions, il découvre un monde de plus en plus immense, vaste et multiple : au-delà de l'Egypte s'étendent les terres libyennes, derrière desquelles se déploie le territoire des Ethiopiens, autrement dit l'Afrique ; à l'est, après la traversée de l'immense Perse (entreprise nécessitant au bas mot trois mois de marche forcée), surgit la merveilleuse et inaccessible Babylone, puis les terres infinies des Indiens ; à l'ouest, la mer Méditerranée déroule ses flots jusqu'aux colonnes d'Hercule au-delà desquelles se trouveraient encore d'autres océans, et enfin, au nord, se répandraient des mers, des steppes et des forêts habitées par les innombrables peuplades scythes.

Anaximandre de Milet (la cinquième ville d'Asie Mineure), aîné d'Hérodote, dessina la première carte du monde. Selon lui, la Terre avait la forme d'un cylindre. Sur sa surface supérieure environnée de cieux habitaient les hommes. Située à égale distance de tous les corps célestes, elle était suspendue dans les airs. Diverses autres cartes du monde sont apparues à cette époque. Le plus souvent, la Terre avait l'apparence d'un bouclier plat et ovale entouré de toutes parts par les eaux du grand fleuve Okeanos, frontière de la Terre mais aussi source de tous les fleuves du monde.

Le centre de cet univers est la mer Egée, ses rives et ses îles. C'est de là qu'Hérodote part en expédition. Plus il s'enfonce dans les confins de la Terre, plus il fait de nouvelles découvertes. Hérodote est le premier à dévoiler la nature multiculturelle du monde, le premier à affirmer que toute culture doit être acceptée et comprise. Or, pour pouvoir comprendre, il faut d'abord connaître. Qu'est-ce qui différencie ces cultures ? Avant tout leurs coutumes. Dis-moi comment tu t'habilles, comment tu te comportes, quelles sont tes habitudes, quels dieux tu vénères, et je te dirai qui tu es. Non seulement l'homme crée sa culture et vit dans son sein, mais il la porte en lui. L'homme est culture.

Hérodote, qui connaît bien le monde, ne sait pourtant pas tout. Il n'a jamais entendu parler de la Chine ni du Japon, ignore tout de l'Australie et de l'Océanie, il n'a pas pressenti l'existence et l'épanouissement du grand continent américain. Même sur l'Europe de l'Ouest et du Nord pourtant si proches, il ne sait rien. Le monde d'Hérodote est concentré sur la Méditerranée et le Proche-Orient, un univers de soleil, de mers et de lacs, de hautes montagnes et de vallées verdoyantes, d'oliviers et de vignes, de millet et d'agneaux, la douce Arcadie qui, périodiquement, se couvre de sang.

Heurs et malheurs de Crésus

Cherchant une réponse aux questions qui lui tiennent à cœur, notamment les origines du conflit Est/Ouest et les raisons de leurs antagonismes, Hérodote adopte une position fort prudente. Au lieu de s'exclamer « Je sais ! Je sais ! », il se tient en retrait et met en avant les interprétations des autres, en l'occurrence celle des *savants perses*. Selon eux, les responsables de ce conflit mondial ne sont ni les Grecs ni les Perses, mais un troisième peuple, les Phéniciens, marchands professionnels en perpétuelle mobilité. Instigateurs de l'enlèvement des femmes, ce sont eux qui déclenchèrent la tourmente générale.

Les Phéniciens commencent donc par enlever la fille du roi Io dans le port grec d'Argos et l'embarquent en Egypte. En représailles, des Grecs débarquent dans la ville phénicienne de Tyr où ils enlèvent la fille du roi, Europe, tandis que d'autres Grecs enlèvent la fille du roi de Colchide, Médée. A son tour, Alexandre de Troie enlève Hélène, l'épouse du roi grec Ménélas, et l'emmène à Troie. Pour se venger, les Grecs attaquent Troie. Une grande guerre éclate, dont l'histoire fut immortalisée par Homère.

Hérodote cite le commentaire que les chroniqueurs perses proposent au sujet de ces événements :

> Enlever les femmes, me dirent les Perses, c'est évidemment malhonnête, mais prendre ces choses à cœur au point de vouloir les venger, quelle folie ! Les gens sérieux n'agissent pas ainsi. Il est évident que si elles n'y tenaient pas les premières, on n'enlèverait jamais les femmes de force (L).

Pour étayer son argumentation, il évoque l'enlèvement de la fille du roi Io du point de vue des Phéniciens :

> Les Phéniciens affirment qu'ils ne l'ont jamais enlevée de force, mais qu'elle eut des relations coupables avec le capitaine du bateau, devint enceinte et préféra s'enfuir avec son capitaine plutôt que de reparaître ainsi devant sa famille (L).

Pourquoi Hérodote commence-t-il son immense fresque du monde par un épisode futile selon les savants perses : le rapt de jeunes filles ? Parce qu'il est à l'écoute de la demande de son public : pour être vendue, une histoire doit être attrayante, épicée, sensationnelle, palpitante. Or les récits sur les enlèvements des femmes remplissent cette fonction.

Hérodote vit à une époque charnière où la tradition orale domine mais où l'écrit émerge lentement. Il est possible que sa vie et son travail s'organisent selon le rythme suivant : il part pour un long voyage au cours duquel il recueille divers matériaux, puis il revient en Grèce et, se rendant de ville en ville, organise des soirées d'auteur où il narre les expériences, les impressions et les observations de ses pérégrinations. Peut-être ces rencontres lui permettent-elles de vivre tout en lui payant ses expéditions suivantes ? Ayant tout intérêt à attirer le public le plus nombreux, il commence habilement par une histoire captivante et excitante, par un détail croustillant. Son œuvre entière est jalonnée d'intrigues destinées à émouvoir, étonner, surprendre le public qui se lasserait sans ces stimulants et partirait avant la fin, laissant l'orateur sans un sou.

Toutefois les histoires de rapt ne sont pas là seulement pour procurer des sensations faciles, elles ne jouent pas simplement le rôle de trame ambiguë et piquante. Dès le début de ses recherches, Hérodote cherche à formuler un premier grand précepte relatif au fonctionnement de l'histoire. Comment expliquer son ambition ? Au cours de ses voyages, Hérodote accumule une masse énorme de matériaux provenant de lieux et d'époques divers, un ensemble de faits à première vue chaotique et infini qu'il souhaite ordonner selon un principe déterminé. Or, est-il possible de définir un tel principe ? Hérodote répond par l'affirmative ; si on essaie de savoir qui a commencé, à qui incombe la responsabilité, *qui le premier a commis une injustice*, et si on garde à l'esprit cette question, on parvient plus facilement à naviguer dans les méandres embrouillés et enchevêtrés de l'histoire, on réussit plus aisément à se représenter ses mobiles et les forces qui la guident.

Le fait de définir ce principe et d'en être conscient a une importance capitale car, dans le monde d'Hérodote (et aujourd'hui encore dans certaines sociétés), la vengeance héréditaire, le système de représailles, la règle de l'« œil pour œil » demeurent vivaces. Par ailleurs, laver l'affront n'est pas seulement un droit, c'est le devoir le plus sacré. Celui qui le néglige est maudit par sa famille, son clan, sa société. De surcroît, le devoir d'honneur et de vengeance ne pèse pas seulement sur le membre de la tribu ayant subi un préjudice, il est aussi accompli par les dieux, voire par le Destin impersonnel et intemporel.

Quelle fonction remplit la vengeance ? Elle joue un rôle dissuasif : la peur de la vengeance, de sa fatalité et de sa sévérité est censée retenir le commun des mortels de commettre un acte indigne et nuisible. Elle sert en quelque sorte de frein, de « voix de la raison ». Si toutefois elle s'avère inefficace et ne parvient pas à entraver la perpétration d'un outrage, l'auteur du forfait amorce alors une longue suite de vengeances susceptibles d'enchaîner des générations pour des siècles et des siècles.

Il y a dans le mécanisme de la vengeance un fatalisme lugubre auquel nul ne peut échapper. Le malheur peut vous tomber dessus de but en blanc. Que s'est-il passé ? En réalité, vous faites les frais d'une vengeance au nom de crimes perpétrés par un aïeul qui a vécu une dizaine de générations plus tôt et dont vous ignorez même l'existence.

L'autre précepte énoncé par Hérodote concerne non seulement l'histoire mais la vie de l'homme. Il stipule notamment que *nul mortel ne peut se dire heureux.* Hérodote apporte le développement de cet adage en décrivant la dramatique et émouvante destinée de Crésus, roi des Lydiens, proche de celle de Job, personnage biblique dont Crésus est peut-être le prototype.

La Lydie, royaume de Crésus, était un Etat asiatique puissant situé entre la Grèce et la Perse. Crésus avait accumulé dans ses palais d'immenses richesses, des montagnes d'or et d'argent qui l'avaient rendu célèbre dans le monde entier et qu'il montrait volontiers à ses hôtes. Cela se passait au VIe siècle avant Jésus-Christ, quelques décennies avant la naissance d'Hérodote.

Tous les sages que possédait la Grèce à cette époque ne manquaient pas de venir visiter Sardes à tour de rôle, en particulier l'Athénien Solon (L) (poète, fondateur de la démocratie grecque et sage illustre). Crésus reçut personnellement Solon et ordonna à ses serviteurs de montrer à son hôte ses trésors. Persuadé que leur vue étourdirait Solon, il s'adressa à lui en ces termes : *Je voudrais te poser une question : as-tu déjà, dans ta vie, rencontré un homme dont tu puisses dire : cet homme est le plus heureux de tous (L) ?*

Au lieu de le flatter, Solon se mit à lui citer, à titre d'exemple, des noms de héros grecs morts au champ d'honneur, puis il ajouta :

Crésus, ne sais-tu pas que la divinité est souvent capricieuse et jalouse à l'égard des hommes ? Combien de fois, dans le cours d'une vie, ne se trouve-t-on pas en face de choses qu'on voudrait éviter ? Une vie humaine dure en moyenne soixante-dix ans. Soixante-dix ans représentent vingt-cinq mille deux cents jours... Eh bien, de tous ces jours, pas un ne ressemble à l'autre. L'homme, Crésus, est le jouet de la Fortune. Tu as d'immenses richesses, tu règnes sur des milliers de sujets, mais te dire que tu es heureux, je ne pourrai le faire que le jour où toute ta vie sera terminée sans malheurs... Tant qu'il n'est pas mort, ne dis pas qu'un homme est heureux... En toute chose, Crésus, il faut considérer la fin. Combien de gens n'ont-ils pas vu le bonheur qu'ils tenaient dans leur main cruellement arraché un beau jour (L) ?

Effectivement, après le départ de Solon, le châtiment divin frappa cruellement Crésus, pour la bonne raison sans doute qu'il pensait être le plus heureux des hommes sur Terre. Crésus avait deux enfants, le bel Atys et un second fils sourd-muet. Bien que son père veillât sur lui comme sur la prunelle de ses yeux, Atys fut accidentellement tué au cours d'une chasse par un certain Astradys. Lorsque ce dernier se rendit compte de l'acte qu'il venait de commettre, il fut effondré. Pendant les funérailles d'Atys, Astradys attendit que la foule se fût éloignée et que le silence régnât autour du monument, *et ne voyant aucun autre homme aussi lourdement marqué par le Destin, il se suicida sur la tombe (L).*

Deux ans après la mort de son fils, Crésus vit toujours dans une profonde affliction. Simultanément, chez les Perses voisins, le grand Cyrus prend le pouvoir et agrandit son empire à un rythme accéléré. Craignant que l'Etat de Cyrus ne devienne trop fort et ne constitue une menace pour la Lydie, Crésus décide de devancer un éventuel assaut perse et de frapper le premier.

En ce temps-là, les puissants de ce monde ont coutume de consulter un oracle avant de prendre une décision importante. Dans la Grèce de l'époque, ces oracles sont légion, mais le plus illustre siège dans un temple situé sur le versant d'une haute montagne à Delphes. Afin de recueillir un augure favorable, il convient de se concilier le dieu de Delphes par moult sacrifices. Crésus prépare donc une gigantesque collecte d'offrandes.

Il donne l'ordre de sacrifier trois mille bœufs, de couler son pesant de lingots d'or, de forger de multiples objets en argent.

Il fait allumer un gigantesque brasier sur lequel il jette des lits en or et en argent, des vêtements et des tuniques de pourpre.

Il fit prescrire à tous les Lydiens de sacrifier au dieu, chacun selon ses moyens (B).

Essayons d'imaginer l'immense et humble peuple lydien se rendant sur les lieux où crépite un grand bûcher. Chacun jette ce qu'il possède de plus précieux : bijoux en or, vaisselle rituelle et domestique, habits de fête, vêtements quotidiens.

Les présages proférés par l'oracle et répercutés à leurs commanditaires se distinguent généralement par une prudente ambiguïté et une obscurité trouble. Il s'agit de textes construits de telle façon que l'oracle, en cas d'erreur (ce qui arrive fréquemment), puisse habilement se tirer d'affaire sans jamais perdre la face. La volonté d'écarter le voile de l'avenir est néanmoins à ce point vivace et enracinée que les gens s'abreuvent des mystérieuses phrases des pythies et des mages avec une anxiété, une opiniâtreté et une avidité qui ne se démentiront pas pendant des millénaires. Manifestement, Crésus en est aussi l'esclave. Il attend avec impatience le retour de ses émissaires qu'il a expédiés auprès de différents oracles grecs. La réponse de celui de Delphes se résume ainsi : « Si tu te lances à l'assaut des Perses, tu détruiras un grand Etat. » Aveuglé par son agressivité,

Crésus interprète à sa manière l'auspice : « Si tu attaques la Perse, tu la détruiras. » La Perse est effectivement un grand Etat (sur ce point l'oracle a dit vrai).

Il passe alors à l'attaque et perd la guerre, détruisant, conformément au présage, un grand Etat, le sien en l'occurrence. Et il est fait prisonnier.

> Il fut conduit devant Cyrus qui fit dresser un grand bûcher. Crésus, chargé de chaînes, y monta avec quatorze jeunes Lydiens. Cyrus voulait-il les sacrifier à quelque dieu, comme prémices du butin ? Avait-il décidé de le faire depuis longtemps ? A moins que, sachant la piété de Crésus, il n'ait voulu voir si quelque dieu viendrait le délivrer des flammes ? Toujours est-il qu'il envoya Crésus au supplice. Et ce dernier, debout sur le bûcher, repensa brusquement à Solon et à la phrase si juste qu'il lui avait dite : « Nul mortel ne peut se dire heureux ! » Il poussa un profond soupir, garda un long moment le silence puis dit trois fois : « Solon ! Solon ! Solon (L) ! »

Sur la demande de Cyrus qui se tient au pied du bûcher, les interprètes demandent à Crésus qui il invoque et pour quelle raison. Crésus s'apprête à répondre, mais au moment où il ouvre la bouche, les extrémités du bûcher s'embrasent déjà. Prend-il pitié de sa victime ou craint-il une vengeance ? Nul ne le sait, toujours est-il que Cyrus change de décision et ordonne d'éteindre au plus vite les flammes et de faire descendre Crésus avec ses jeunes compagnons. Mais, en dépit de toutes les tentatives, le feu n'est plus maîtrisable.

> Crésus, en voyant tout le monde s'affairer autour du bûcher, comprit que Cyrus avait changé d'avis, et il invoqua Apollon de toutes ses forces. [...] Et au moment où, les yeux en larmes, il criait de toutes ses forces : « Apollon ! Apollon ! », des nuées s'amoncelèrent et crevèrent dans le ciel jusqu'alors tranquille et sans nuages, et une pluie diluvienne éteignit les flammes ! Cyrus comprit

que Crésus était un homme digne de ce nom et qu'il avait l'amitié des dieux. « Crésus, lui dit-il dès qu'il fut descendu du bûcher, qui t'a conseillé de marcher contre moi avec ton armée et d'agir en ennemi plutôt qu'en ami ? » « Roi, c'est ma mauvaise étoile et c'est ta bonne étoile ! Le fautif, c'est ce dieu des Grecs qui m'a poussé à marcher contre toi. Quel homme, autrement, serait assez fou pour choisir de lui-même la guerre ? Dans la paix, les fils ensevelissent leurs pères, mais à la guerre, les pères ensevelissent leurs fils ! Si les choses ont tourné ainsi, c'est que sans doute les dieux l'ont bien voulu. »

Cyrus fit délivrer Crésus de ses chaînes, lui dit de s'asseoir près de lui, et redoubla de gentillesse à son égard. Tout le monde, dans le camp perse, entourait Crésus et le regardait bouche bée. Lui resta un moment sans rien dire (L).

Les deux souverains les plus puissants de l'Asie de l'époque, Crésus le vaincu et Cyrus le vainqueur, sont assis côte à côte et contemplent les décombres fumants du bûcher sur lequel, un instant auparavant, l'un d'eux était censé brûler. On peut concevoir que Crésus, voué une heure plus tôt à une mort abominable, soit encore sous le choc, et qu'il se mette à adresser des reproches aux dieux quand Cyrus lui demande la faveur qu'il souhaite obtenir : *Maître, le plus grand plaisir que tu puisses me faire, c'est me permettre d'envoyer au dieu des Grecs, que j'ai honoré entre tous, les fers que voici, et de lui demander s'il a pour règle de tromper ses bienfaiteurs (B).*

Terrible blasphème !

Ayant reçu la permission de Cyrus, Crésus *envoya quelques Lydiens à Delphes ; ils devaient déposer ses fers au seuil du temple et demander au dieu s'il n'avait pas honte d'avoir, par ses réponses, poussé Crésus à marcher contre les Perses [...] ; ils devaient aussi demander si les dieux grecs avaient l'ingratitude pour règle (B).*

A cette question, la pythie de Delphes devait donner une réponse qui deviendra le troisième précepte d'Hérodote :

« Au sort qu'a fixé le destin, un dieu même ne peut échapper. Crésus a payé la faute de son quatrième ancêtre qui, simple garde des Héraclides, cédant aux intrigues d'une femme, a tué son maître et pris un rang auquel il n'avait aucun droit ; Apollon souhaitait que la ruine de Sardes n'eût pas lieu sous Crésus, mais sous ses enfants : il n'a pu fléchir les Moires... »

Voilà ce que la Pythie répondit aux Lydiens qui revinrent à Sardes transmettre sa réponse à Crésus. Quand il l'eut entendue, Crésus comprit que le dieu ne l'avait point trompé, et qu'il était le seul coupable (B).

La fin de la bataille

Je pensais avoir fait mes adieux à Crésus, personnage somme toute assez humain dans la vanité naïve et sincère qu'il tirait de ses richesses admirées du monde entier (tonnes d'or et d'argent constituant ses innombrables trésors), sa foi inébranlable et dévote dans les prophéties de l'oracle de Delphes, son désespoir après la mort de son fils à laquelle il contribua indirectement, son effondrement tragique à la suite de la perte de son Etat, son acceptation apathique à périr dans les flammes, sa révolte blasphématoire contre les décisions divines, sa lourde expiation de la faute d'un lointain ancêtre. Je le répète, je pensais avoir définitivement fait mes adieux au souverain lydien, châtié et humilié, quand je le vis soudain refaire surface dans les pages d'Hérodote, en compagnie cette fois du roi des Perses, Cyrus, se lançant à la conquête des Massagètes, peuple belliqueux et sauvage qui écumait en ce temps-là les steppes de l'Asie centrale jusqu'aux rives du fleuve Amou-Daria.

Nous sommes au VIᵉ siècle avant notre ère, et les Perses, grands conquérants du moment, envahissent le monde. Bien des siècles plus tard, d'autres puissances se succéderont dans cette entreprise, mais, à cette période perdue dans la nuit des temps, la tentative ambitieuse des Perses peut paraître audacieuse et immense. Car ils conquirent les Ioniens et les Eoliens, ils conquirent Milet, Halicarnasse et une multitude d'autres colonies grecques situées en Asie Mineure, ils conquirent les

Mèdes et Babylone, en un mot, tout ce qui se trouvait à portée de leur main finissait sous leur coupe. Or, voilà que Cyrus se lance à la conquête d'un peuple vivant aux confins du monde tel qu'il était connu et imaginé en ce temps-là. Peut-être est-il convaincu que, s'il assujettit les Massagètes, occupe leurs territoires, s'approprie leurs troupeaux, il pourra enfin clamer *urbi et orbi* : « Le monde m'appartient ! »

Mais l'avidité du tyran perse va provoquer sa déroute, de même que l'insatiabilité causa naguère la déchéance de Crésus. De plus, le châtiment frappe toujours l'homme au moment où il croit être sur le point de réaliser son rêve, rendant son malheur encore plus cruel et destructeur. Désillusion, immense rancœur contre le sort vengeur, sentiment accablant de soumission et d'impuissance s'ajoutent alors à la lourdeur de la peine.

Mais, pour l'instant, Cyrus s'enfonce vers le nord aux confins de l'Asie à la conquête des Massagètes. Cette expédition n'étonne personne car, *pour ce qui est des raisons de leur faire la guerre, il n'en manquait pas : n'était-il pas, à sa naissance, un être exceptionnel ? N'avait-il pas réussi toutes ses entreprises ? Il lui suffisait de vouloir combattre un peuple pour que celui-ci soit aussitôt vaincu (L) !*

Des Massagètes, nous savons seulement qu'ils vivent dans les vastes steppes de l'Asie centrale ainsi que sur des îles du fleuve Amou-Daria où, l'été, ils déterrent toutes sortes de racines qu'ils consomment directement. Quant aux fruits, ils les cueillent sur les arbres une fois qu'ils sont mûrs, les conservent et les mangent pendant l'hiver. Nous apprenons également que les Massagètes font usage d'une espèce de drogue ; ils sont en quelque sorte les ancêtres de nos « accros » et de nos « junkies ».

Ils ont aussi découvert d'autres fruits, aux propriétés très particulières, qui répandent un parfum enivrant quand on les jette dans le feu. Ils se rassemblent autour de grands feux dans lesquels ils jettent ces fruits, et s'enivrent en les respirant, jusqu'à se mettre en transe et à chanter et à danser frénétiquement (L).

La reine des Massagètes se prénomme Tomyris. Entre elle et Cyrus va se nouer un drame mortel et sanguinaire auquel Crésus va également participer. Cyrus commence par un stratagème : il feint de vouloir demander la main de Tomyris. Mais la reine des Massagètes n'est pas dupe du subterfuge du roi des Perses qui, selon elle, est plus attiré par les appâts de la royauté que par les siens propres. Voyant qu'il n'atteindra pas son objectif par la ruse, Cyrus décide de déclarer la guerre aux Massagètes qui se trouvent sur l'autre rive de l'Amou-Daria, fleuve qu'il vient d'atteindre à la tête de son armée.

De Suse, capitale de la Perse, aux rives de l'Amou-Daria s'étire une voie longue et pénible, ou plus exactement une suite de cols montagneux, puis le désert brûlant de Karakoum, et enfin des steppes infinies.

Avec le recul, cette expédition n'est pas sans rappeler la folle avancée de Napoléon sur Moscou. Perses et Français sont mus par la même folie : dominer, conquérir, posséder. Perses et Français vont cependant essuyer une terrible défaite pour avoir enfreint la règle d'or des Grecs, celle de la mesure, qui consiste à ne jamais trop en vouloir, à ne jamais tout désirer. Mais, au moment de se lancer dans leur entreprise, ils sont trop aveuglés pour le sentir, l'avidité de la conquête leur a ôté tout bon sens, elle les a privés de raison. Si le monde était régi par la seule raison, l'histoire existerait-elle ? C'est une question qu'on est en droit de se poser.

L'expédition de Cyrus, interminable colonne d'hommes, de chevaux et de matériel, tient bon pour le moment. Certes, dans les montagnes, les soldats exténués chutent dans les précipices les uns après les autres, la soif les décime dans le désert, plus loin encore des détachements entiers se perdent dans l'immensité de la steppe. Il ne faut pas oublier que cartes, boussoles, jumelles, poteaux indicateurs n'existent pas. Sans doute prennent-ils langue avec des tribus locales, les interrogent-ils, réquisitionnent-ils des guides ou consultent-ils les mages. Tant bien que mal, la grande armée va de l'avant, péniblement, infatigablement, parfois poussée à coups de bâton comme le veut l'usage chez les Perses.

Dans ce voyage douloureux, seul Cyrus demeure dans le confort. *Le Grand Roi, en effet, ne boit que l'eau du fleuve Choaspe, qui coule près de Suse. On transporte donc dans des vases d'argent, sur d'innombrables chariots attelés de mulets, l'eau bouillie du Choaspe. Cette eau accompagne partout le roi, où qu'il aille (L).*

Cette eau me fascine. Elle a préalablement été bouillie, versée dans des récipients en argent (l'argent préserve la fraîcheur), or il faut entreprendre la traversée du désert. Cette eau, comme nous venons de le lire, est transportée sur des chariots attelés à des mules.

Des chariots avec de l'eau, des soldats qui s'effondrent, terrassés par la soif. Les soldats périssent, mais les chariots poursuivent leur route, ils ne s'arrêtent pas, l'eau n'est pas pour eux, elle est exclusivement réservée à Cyrus, le roi ne boit rien d'autre. Si elle venait à manquer, il mourrait de soif. Peut-on imaginer une chose pareille ?

Un autre point m'intrigue : le fait que, dans cette campagne, deux rois aillent côte à côte, le grand et éminent Cyrus, et Crésus, le souverain détrôné, venant d'échapper au bûcher que le premier lui réservait. Quelles sont maintenant leurs relations ? Hérodote affirme qu'elles sont cordiales. Mais notre ami grec n'a pas pris part à cette expédition, il n'était même pas né à l'époque où elle a eu lieu. Cyrus et Crésus voyagent-ils dans le même char dont les roues, les palonniers, le timon sont sûrement en or ? A la vue de toutes ces richesses, Crésus ne se lamente-t-il pas en secret ? Les deux souverains discutent-ils entre eux ? Ils doivent communiquer par le truchement d'un interprète, car ils ne parlent pas la même langue. De quoi peuvent-ils bien discuter puisque, après des jours et des semaines de voyage, les sujets de conversation finissent par s'épuiser ? Et si, en plus, tous deux sont de nature taciturne, renfermée, introvertie ?

Je me demande bien ce qui se passe quand Cyrus a envie de boire ? « Apportez-moi de l'eau », crie-t-il à son serviteur. Les porteurs d'eau doivent être des hommes de confiance, un personnel assermenté, car il ne s'agit pas que le précieux breuvage soit bu en cachette. Sur l'ordre du maître, ils apportent une jarre en argent. Cyrus boit-il seul, ou s'exclame-t-il : « Tiens, Crésus, bois aussi ! » ? Hérodote n'en dit mot. C'est pourtant un moment crucial car, dans le désert, il est impossible de vivre sans eau.

Mais il se peut qu'ils ne voyagent pas ensemble. Crésus a peut-être sa propre cruche d'eau, de l'eau ordinaire, pas forcément l'eau spéciale du fleuve Choaspe. Nous ne le saurons jamais, car nous ne retrouvons Crésus qu'au moment où l'expédition atteint les rives du large et tranquille Amou-Daria.

Cyrus, qui n'a pas réussi à prendre possession de la reine Tomyris, lui a déclaré la guerre. Il commence par faire jeter des pontons à travers le fleuve afin de permettre la traversée de ses troupes. Mais, tandis qu'il est occupé à cet ouvrage, un émissaire vient lui transmettre un message de Tomyris, plein de sagesse et de réflexion : *Arrête tous ces travaux, occupe-toi plutôt de ton peuple et laisse le mien en paix. Mais, comme j'imagine que je te dis tout cela en pure perte, et qu'il t'est impossible de rester tranquille, je te propose une chose : si tu tiens tellement à te battre contre les Massagètes, inutile de te fatiguer à construire ces ponts. Franchis le fleuve et viens chez nous. Nous nous retirerons à trois jours de marche. A moins que tu ne préfères nous recevoir sur tes terres ? Dans ce cas, fais la même chose, retire-toi à trois jours du fleuve (L)* !

Après avoir entendu le message de Tomyris, Cyrus convoque une assemblée des anciens et demande leur avis. Tous conseillent unanimement de se retirer et d'accueillir la reine massagète sur la rive perse du fleuve.

Une seule voix détonne dans ce concert, celle de Crésus. Sur un ton philosophique, il se met à discourir : *Dis-toi bien que le destin de l'homme est comme une roue qui tourne, et que la chance tourne avec elle (L).*

Bref, Crésus met tout simplement Cyrus en garde contre les possibles revers de la fortune. Il l'engage à passer de l'autre côté du fleuve et, ayant entendu dire que les Massagètes ignorent tout de la richesse des Perses et qu'ils n'ont par ailleurs jamais goûté au luxe, il lui conseille d'égorger un troupeau de brebis, de dresser une table avec du vin et des plats à profusion et de leur préparer un immense festin. Les Massagètes mangeront et boiront, puis, quand ils seront ivres et qu'ils s'endormiront, les Perses les feront prisonniers. Cyrus accepte le plan de Crésus, Tomyris se retire des rives du fleuve, l'armée perse pénètre en terre massagète.

La tension qui précède généralement les grandes hostilités ne cesse de croître. Les paroles de Crésus sur la roue du destin ont fait comprendre à Cyrus, qui a à son actif vingt-neuf ans de règne à la tête de l'Empire perse, l'importance de l'enjeu. Il est désormais moins sûr de lui, moins arrogant, moins suffisant que naguère. Pendant la nuit, il est visité par un mauvais rêve et le lendemain, soucieux de la vie de son fils Cambyse, il le renvoie en Perse en compagnie de Crésus. Il est par ailleurs obnubilé par divers complots et machinations à son encontre.

Il conduit néanmoins son armée sur le champ de bataille, distribue des ordres à ses troupes suspendues à ses lèvres. Cyrus suit point par point les conseils de Crésus, ignorant qu'il glisse doucement vers sa perte. (Crésus l'a-t-il consciemment induit en erreur ? Lui a-t-il tendu un piège afin de se venger de la défaite et de la honte jadis essuyées ? Hérodote ne dit pas un mot à ce sujet.)

Toujours est-il que Cyrus expédie au combat les troupes les plus incompétentes de son armée : lambins, vagabonds, faibles et malades, les « crevards » comme on les appelait au goulag. Cette chair à canon va bien évidemment être massacrée au premier contact avec les soldats massagètes. Après avoir passé au fil de l'épée l'arrière-garde perse *puis voyant que « le couvert était mis », ils s'attablèrent sans plus de façon pour fêter leur victoire. Ils mangèrent et burent tout leur saoul et s'endormirent comme des masses. Les Perses n'eurent plus qu'à venir, à en massacrer le plus grand nombre et à faire prisonniers tous les autres, y compris le fils de Tomyris, Spargapise, qui commandait les troupes massagètes (L).*

Informée du sort de son fils et de son armée, Tomyris envoie à Cyrus un héraut avec le message suivant : *Rends-moi mon fils et disparais d'ici. Bien que tu aies massacré le tiers de mon armée, je te fais grâce si tu t'en vas. Sinon, je te jure par le Soleil (qui est le roi des Massagètes), si c'est du sang que tu veux boire, je t'en ferai boire tout ton saoul (L) !*

Cyrus ne prête guère attention aux paroles puissantes et funestes de la reine. Enivré par sa victoire, il se réjouit d'avoir entraîné Tomyris sur le champ de bataille, de s'être vengé de celle qui a repoussé ses avances. La reine n'est pas encore au courant du malheur qui vient de la frapper : *Quand Spargapise, le fils de Tomyris, revint de son ivresse et comprit dans quelle situation il s'était mis, il supplia Cyrus de lui ôter ses chaînes, et aussitôt libre, se suicida (L).*

Commence alors une orgie de mort et de sang.

Voyant que Cyrus n'a pas écouté son message, Tomyris réunit son armée et engage une bataille contre le roi perse. D'après Hérodote, *ce fut, de toutes les batailles qui mirent aux prises des Barbares, la plus acharnée, à mon avis (B).* Les hostilités commencèrent par une pluie de flèches, puis, quand celles-ci furent épuisées, les guerriers continuèrent à coups d'épées et de poignards pour finir dans un corps à corps acharné. Au début, les forces des deux adversaires étaient égales, mais, petit à petit, les Massagètes prirent le dessus. Presque toute l'armée perse périt dans ce combat. Parmi les victimes figurait Cyrus.

Se déroule alors une scène digne d'une tragédie grecque : le champ de bataille est jonché des cadavres des deux armées. Tomyris y pénètre et va de corps en corps, remplissant l'outre qu'elle tient à la main du sang qu'elle fait couler de leurs blessures encore fraîches. Complètement barbouillée la reine ruisselle de sang humain. Il fait une chaleur torride, elle s'essuie le visage de ses mains ensanglantées. La face sanguinolente, elle sonde le charnier à la recherche du corps de Cyrus. *Et quand elle le trouva, elle lui plongea la tête dans cette outre, en criant au mort dégoulinant de sang : « Je suis vivante et victorieuse, mais tu m'as tuée quand même en me prenant mon fils, lâchement. Et toi, bien que tu ne sois plus qu'un cadavre, je te rassasierai de sang, comme je l'ai promis (L) ! »*
C'est ainsi que s'achève la bataille.
C'est ainsi que périt Cyrus.
La scène est déserte. Il ne reste plus que Tomyris en proie au désespoir et à la haine.

Hérodote ne fournit aucun commentaire, s'acquittant de sa mission de reporter, il ajoute simplement quelques informations :

> Quand un Massagète désire une femme, il suspend son carquois devant le chariot de cette femme et couche avec elle, sans autre préambule.
> Pour un Massagète, la meilleure façon de finir sa vie est d'arriver à l'extrême vieillesse pour être sacrifié par ses proches parents avec les bêtes de son troupeau. On égorge le vieillard, on le fait cuire, et toute la famille s'en régale. Mourir ainsi est, pour un Massagète, la plus belle des morts. Celui qui meurt de maladie n'est jamais mangé. On l'enterre en le plaignant sincèrement de ne pas avoir atteint l'âge des sacrifices (L).

De l'origine des dieux

Abandonnant Tomyris sur le champ de bataille jonché de cadavres, Tomyris vaincue mais victorieuse, désespérée mais triomphante, Tomyris, l'inflexible et fougueuse Antigone des steppes asiatiques, je range Hérodote dans le tiroir de mon bureau, puis je me mets à examiner les dernières dépêches envoyées de Chine, d'Indonésie, de Singapour et du Viêt-nam par les correspondants de Reuter et de l'Agence France-Presse. J'apprends ainsi qu'à Bing Long la guérilla vietnamienne a contre-attaqué les troupes de Ngô Dinh Diem (l'issue des combats et le nombre des victimes demeurent inconnus), que Mao Zedong vient de lancer une nouvelle campagne pour remplacer la politique des Cent Fleurs et rééduquer l'intelligentsia. Les Chinois sachant lire et écrire (compétences désormais devenues des circonstances aggravantes) seront déportés dans les campagnes où ils tireront la charrue et creuseront des canaux d'irrigation afin de se débarrasser des chimères essaimées par les Cent Fleurs et se familiariser avec la vraie vie du prolétaire ou du paysan. J'apprends aussi que Sukarno, le président d'Indonésie, l'un des idéologues de « la démocratie guidée », a ordonné aux Néerlandais de quitter le pays, leur colonie de longue date. Pour la plupart, ces brefs communiqués ne disent pas grand-chose, il leur manque tout le contexte, ce qu'on pourrait appeler une couleur locale. Sans doute ai-je plus de facilité à imaginer les professeurs de l'université de Pékin, transis et recroquevillés dans un camion qui les emmène vers une destination inconnue, car il fait froid et la brume recouvre les verres de leurs lunettes.

Tandis que l'Asie traverse une période perturbée, la dame préposée à la distribution des dépêches dans les salles de rédaction vient régulièrement déposer sur mon bureau un lot de nouveaux communiqués. Mais plus le temps passe, plus mon attention est captivée par un autre continent : l'Afrique. Comme l'Inde, l'Afrique est la proie de troubles divers : tourmentes et révoltes, renversements et désordres, mais parce qu'elle est située à proximité de l'Europe (dont elle n'est séparée que par une frontière maritime, la Méditerranée en l'occurrence), les échos de ce continent se font entendre plus directement, comme s'ils se trouvaient à portée de main.

L'Afrique a joué un rôle majeur dans la modification de l'ordre mondial. Elle a aidé le Nouveau Monde à devancer et à dominer l'Ancien en lui fournissant sa main-d'œuvre (contribution qui a duré plus de trois siècles) et en édifiant sa richesse et sa puissance. Puis, après s'être vidé de ses hommes les plus forts et les plus résistants pendant des générations entières, le continent, dépeuplé et exsangue, est devenu la proie facile des colons européens. Or, voilà qu'aujourd'hui l'Afrique se réveille de sa léthargie et rassemble ses forces pour gagner son indépendance.

Je me suis aussi tourné vers l'Afrique pour la bonne raison que, depuis le début, l'Asie me pétrifiait. Les civilisations de l'Inde, de la Chine et de la grande steppe représentaient pour moi des géants auxquels il aurait fallu sacrifier une vie entière pour seulement les approcher, sans parler d'une étude plus approfondie. L'Afrique en revanche me semblait plus fragmentée, diversifiée, dans son immensité elle me semblait plus miniaturisée, et par là plus facilement saisissable, accessible.

L'aura de mystère qui entoure le continent africain explique l'attraction qu'il a de tout temps exercée sur les hommes. Pour eux, l'Afrique devait receler des secrets fabuleux, miroitants, un point rougeoyant enfoui dans ses ténèbres et qu'il était difficile sinon impossible d'atteindre. Et chacun évidemment a voulu y essayer ses forces, chacun a voulu tenter de percer ou de dévoiler ses mystères et ses secrets.

Hérodote n'échappe pas à cette fascination. S'étant adressés à l'oracle d'Ammon, des hommes de la Cyrénaïque lui ont raconté qu'ils avaient à cette occasion lié conversation avec Etéarque, le roi des Ammoniens (les Ammoniens vivaient dans l'oasis de Siwa dans le désert de Libye).

Etéarque leur raconta ceci : un jour, des Nasamons vinrent le voir (les Nasamons sont des Libyens qui habitent la Grande Syrte [golfe de la mer Méditerrannée, entre Tripoli et Benghazi] et les terres qui la bordent à l'est). Le roi leur demanda s'ils savaient quelque chose sur le désert de Libye. « Figure-toi qu'un jour, répondirent-ils, de jeunes téméraires – fils de personnages importants de chez nous – imaginèrent, pour défier sans doute la divinité, de tirer au sort cinq d'entre eux et d'explorer les déserts de Libye, plus loin qu'on ne l'avait jamais fait avant eux. La côte septentrionale de la Libye (de l'Egypte jusqu'au cap de Solonte qui en marque la frontière) est habitée de bout en bout par des Libyens, répartis en peuplades, sauf dans les régions occupées par les Grecs et les Phéniciens. Au-delà de cette bande côtière, la Libye est peuplée de bêtes sauvages et, si l'on poursuit plus loin encore, ce n'est plus qu'un désert de sable. Nos jeunes, bien pourvus d'eau et de vivres, traversèrent d'abord cette bande côtière, arrivèrent dans la zone des bêtes sauvages et, de là, s'enfoncèrent dans le désert, en direction du zéphyr. Pendant plusieurs jours, ils cheminèrent sur d'immenses étendues de sable, puis, un beau jour, aperçurent des arbres dans une plaine. Ils s'approchèrent et en cueillaient les fruits quand surgit une troupe de petits hommes, d'une taille nettement inférieure à la moyenne, qui s'emparèrent d'eux et les emmenèrent. Ni eux ni leurs ravisseurs n'arrivaient à se faire comprendre. Ils traversèrent d'immenses marécages et parvinrent dans une ville où tous les hommes avaient la peau noire et la même taille que les ravisseurs. Un grand fleuve coulait le long de cette ville, du Couchant vers le Levant, où l'on apercevait des crocodiles (L).

Dans cet extrait de l'« Enquête II », Hérodote raconte son voyage en Egypte. Ce texte de plusieurs dizaines de pages nous permet de nous pencher sur l'atelier du notre ami grec.

Comment travaille Hérodote ?
Journaliste professionnel, il voyage, observe, discute, écoute afin de noter par la suite ce qu'il a appris et vu, ou de se souvenir tout simplement.
Comment voyage-t-il ? Par voie terrestre, il se déplace à cheval, à dos d'âne ou de mule, mais le plus souvent il va à pied. Par voie fluviale ou maritime, il se déplace en barque ou en bateau.
Est-il seul ou accompagné d'un esclave ? Nous l'ignorons. Cependant tous les hommes qui pouvaient se le permettre étaient accompagnés d'un esclave. Celui-ci portait les bagages, la calebasse d'eau, le sac de provisions, le matériel pour écrire : un rouleau de papyrus, des tablettes d'argile, des pinceaux, des stylets, de l'encre. Les difficiles conditions de voyage gommant les différences de classe, l'esclave devenait compagnon de route, il lui remontait le moral, le protégeait, demandait la route, prenait des informations. On peut s'imaginer les relations entre, d'un côté, Hérodote, romantique curieux et avide de connaissance pure, observateur méticuleux de phénomènes abstraits et peu pratiques, et de l'autre côté son esclave, chargé de se préoccuper de l'aspect matériel, quotidien, domestique du voyage. En imaginant Hérodote et son esclave sur les chemins, on

ne peut s'empêcher de penser à Don Quichotte et Sancho Pança, version antique du couple castillan.

Outre l'esclave, le voyageur loue aussi les services d'un guide et d'un interprète. L'équipe d'Hérodote compte donc au moins trois personnes en plus de lui. Souvent des voyageurs allant dans la même direction se joignent à eux.

Sous le torride climat égyptien, mieux vaut circuler de bonne heure. Le groupe se lève donc à l'aube, prend son petit déjeuner (galettes de froment, figues et fromage de brebis, accompagnés de vin coupé d'eau puisqu'il est permis de boire – l'islam ne dominera ces contrées que mille ans après), et tout le monde se met en route.

Le but de son voyage est de collecter des informations sur le pays, ses habitants et ses coutumes, ou alors de comparer la crédibilité des données recueillies. Hérodote, en effet, ne se contente pas de ce qu'on lui dit, il s'efforce de vérifier les faits, de confronter les versions entendues, de former sa propre opinion.

Ainsi procède-t-il par exemple quand il arrive en Egypte. Le roi Psammétique est mort depuis cent cinquante ans. Hérodote apprend que, de son vivant, le pharaon égyptien était hanté par une question : *quel peuple est apparu le premier sur Terre (B)* ? (Il se peut qu'Hérodote ait déjà entendu parler de ce débat en Grèce.) Les Egyptiens étaient convaincus que c'étaient eux, mais Psammétique en doutait, tout égyptien qu'il fut. Il ordonna donc à un berger d'élever deux nouveau-nés dans des montagnes désertes. La langue dans laquelle les enfants exprimeraient leur premier mot fournirait la preuve que le peuple parlant cette langue est le plus vieux du monde. Un beau jour, à l'âge de deux ans, les enfants affamés s'écrient « *bécos* ! », ce qui signifie en langue phrygienne « pain ». Psammétique décréta alors que les premiers hommes sur Terre étaient les Phrygiens, et que les Egyptiens n'étaient arrivés qu'après eux.

Grâce à cette expérience, le pharaon mérite une place dans l'histoire. Ses préoccupations intéressent Hérodote, car elles prouvent que le roi égyptien connaissait l'inaltérable principe de l'histoire selon lequel celui qui fait l'important sera rabaissé : ne sois pas avide, ne te mets pas en avant, comporte-toi avec modération et humilité, car la main du Destin te châtiera, elle coupera la tête des vaniteux désireux de dominer les autres. Psammétique voulait préserver les Egyptiens de ce danger en les rétrogradant au second rang : les Phrygiens ont été les premiers, et vous n'êtes que les deuxièmes.

J'ai entendu raconter l'histoire sous cette forme par les prêtres de Vulcain à Memphis... J'ai même été jusqu'à Thèbes et Héliopolis pour voir si les différentes versions s'accorderaient avec ce qu'on me dit à Memphis (L). Il se met donc en route pour vérifier, comparer, préciser. Il écoute ce qu'on lui raconte sur l'Egypte, sur son étendue, sur sa forme, et il commente. *Cette description du pays me parut exacte (L).* Il a sa propre opinion sur tout et, dans les récits des autres, il cherche des preuves.

Hérodote est avant tout fasciné par le Nil, par l'énigme de ce fleuve puissant et mystérieux. Où se trouvent ses sources ? D'où proviennent ses crues ? D'où charrie-t-il le limon dont il fertilise cet immense pays ? *Quant aux sources du Nil, aucun Egyptien, aucun Libyen ni aucun Grec n'a pu me fournir le moindre renseignement (L).* Il décide donc de trouver lui-même une réponse à cette question, et s'enfonce en Haute-Egypte. *Je suis allé moi-même jusqu'à Eléphantine, et voici les informations que j'ai pu recueillir, par ouï-dire, sur les régions qui s'étendent vers le sud, au-delà de cette ville.*

A partir d'Eléphantine, le pays est escarpé. Pour remonter le fleuve, il faut haler le bateau des deux rives, et si la corde casse, mieux vaut lui dire adieu ! Il faut quatre jours de navigation pour traverser cette région où le Nil est aussi sinueux que le Méandre (L). Il voyage encore pendant deux mois, remonte le Nil et finit par arriver *à une grande ville, Méroé, capitale du reste des Ethiopiens... mais, au-delà, nul ne possède de renseignements certains, car le pays, en raison de son climat brûlant, est un véritable désert (L).*

Puis Hérodote quitte le Nil, le mystère de ses sources, l'énigme de ses crues saisonnières, et il se tourne vers les Egyptiens, leur mode de vie, leurs coutumes, leurs habitudes qu'il se met à observer attentivement. Il affirme que *les Egyptiens ont adopté, en toute chose ou presque, des coutumes et des principes inverses de ceux des autres hommes (L).*

Et il enregistre avec attention, scrupuleusement :

> Chez eux, ce sont les femmes qui font le marché et tiennent les boutiques, et les hommes qui restent à tisser à la maison. [...] Les hommes portent les fardeaux sur leur tête, les femmes sur leurs épaules. Les femmes urinent debout, les hommes accroupis. Ils font leurs besoins chez eux, et mangent dans les rues, en vous expliquant qu'il faut satisfaire en secret les besoins honteux et publiquement ceux qui ne le sont pas. Aucune femme ne peut être prêtresse. L'exercice du culte est réservé aux hommes. Rien n'oblige le fils à nourrir ses parents s'il n'en a pas envie, mais la fille y est absolument tenue, que cela lui plaise ou non. Dans tous les pays les prêtres portent les cheveux longs, en Egypte ils se les rasent. [...] Les autres peuples vivent à l'écart de leurs bêtes, les Egyptiens avec elles... Ils pétrissent la pâte avec les pieds, réservant leurs mains pour la glaise et le fumier. Partout ailleurs on laisse les parties sexuelles comme les a faites la nature. En Egypte, et là où sont introduits ses usages, on les circoncit (L).

Et ainsi de suite. Il énumère la longue liste des coutumes et comportements égyptiens qui de l'extérieur surprennent et dont l'étrangeté, la singularité et l'originalité étonnent. Hérodote semble dire : « Regardez, les Egyptiens et les Grecs ont beau être complètement différents, ils vivent très bien ensemble » (l'Egypte de l'époque est parsemée de colonies grecques dont les habitants cohabitent harmonieusement avec la population locale). L'altérité n'offusque jamais Hérodote, il ne la blâme à aucun instant, au contraire il essaie de mieux la connaître, la comprendre et la décrire. Selon lui, les particularités ne sont là que pour souligner l'unité de l'humanité, pour témoigner de sa vitalité et de sa richesse.

Sans cesse il revient à sa grande passion, son obsession dirai-je, qui consiste à reprocher à ses compatriotes leur morgue, leur présomption, leur complexe de supériorité (le mot grec *barbaros* ne désigne-t-il pas un être ne parlant pas le grec ou le bredouillant à peine, et donc un homme inférieur, un moins que rien ?). Par la suite, cette arrogance fut inoculée aux autres Européens par les Grecs. Hérodote, quant à lui, la combat à chaque pas. En comparant les Grecs et les Egyptiens, il ne fait rien d'autre que lutter contre ce complexe, à croire qu'il s'est rendu en Egypte dans l'intention de rassembler de la matière et des preuves afin d'étayer sa philosophie de modération, de modestie et de bon sens.

Il commence par une question fondamentale, transcendantale : d'où les Grecs ont-ils pris leurs dieux ? D'où proviennent leurs divinités ? « Comment ça ? répliquent les Grecs. Ce sont nos dieux à nous ! » Mais Hérodote leur propose une réponse sacrilège : « Détrompez-vous, nos dieux, nous les avons pris aux Egyptiens ! »

Encore heureux qu'il vive dans un monde où ce qu'on appelle aujourd'hui les *mass media* n'existent pas ! Encore heureux qu'il ne soit lu ou entendu que par une poignée de gens ! Car si ses visions devaient être plus largement divulguées, notre ami grec serait illico lapidé, jeté sur le bûcher ! Aussi peut-il se permettre de déclarer en toute impunité que *les Egyptiens furent également les premiers à célébrer de grandes fêtes religieuses avec quantité de rites et de processions. La preuve en est que toutes les fêtes en Egypte portent des signes indiscutables d'ancienneté, alors qu'en Grèce elles semblent plus récentes (L).* A propos du grand héros grec Hercule, il déclare :

> Les Egyptiens, en tout cas, n'ont sûrement pas emprunté ce nom aux Grecs. Ce serait plutôt l'inverse. Bien des indices me le prouvent. Les deux parents de l'Hercule grec – Amphitryon et Alcmène – sont d'ascendance égyptienne... En fait, les Egyptiens doivent avoir quelque ancien dieu du nom d'Hercule. D'après eux, du reste, les douze dieux actuels – dont Hercule – sont nés des huit dieux primitifs, dix-sept mille ans avant le règne d'Amasis.
>
> J'ai cependant voulu en savoir un peu plus long sur cette question auprès de gens compétents, et je suis allé à Tyr, en Phénicie, où se trouvait, me dit-on, un sanctuaire célèbre d'Hercule. Je l'ai vu. Il est réellement magnifique : il est rempli d'offrandes et j'y ai remarqué deux stèles, l'une en or, l'autre en émeraudes brillant la nuit d'un éclat vif. Je me suis mis en rapport avec les prêtres du dieu et leur ai demandé depuis combien de temps ce temple existait. « Depuis la fondation de Tyr », me répondirent-ils, donc depuis deux mille trois cents ans, ce qui n'est pas conforme à l'avis des Grecs (L).

Le plus frappant dans ces enquêtes, c'est leur côté laïque, l'absence de sacré et de la langue solennelle qui généralement l'accompagne. Dans les *Histoires*, les dieux ne sont pas inaccessibles, illimités, supraterrestres. Le débat reste concret, il tourne autour de la question de l'origine des dieux : grecque ou égyptienne ?

Vue du minaret

Le débat mené par Hérodote avec ses compatriotes concerne moins l'existence des dieux (notre ami grec serait sans doute incapable d'imaginer un monde privé de ces Etres Suprêmes), que l'origine de leurs noms et de leurs représentations. Les Grecs prétendaient que leurs dieux faisaient partie de l'univers naturel dont ils étaient issus. Hérodote essaie, quant à lui, de prouver que tout le panthéon, ou du moins sa partie essentielle, provient des Egyptiens.

Pour renforcer son point de vue, il fait appel à un argument qu'il juge irréfutable, l'argument du temps, de l'ancienneté, de l'âge : quelle est la culture la plus ancienne, demande-t-il, la grecque ou l'égyptienne ? Et il répond aussitôt : *Quand Hécatée passa par Thèbes, avant moi, il y exposa sa généalogie et prétendit descendre d'un dieu par son seizième ancêtre. Les prêtres de Jupiter firent avec lui comme ils firent avec moi, qui pourtant ne les ennuyais pas avec ma généalogie, ils me conduisirent à l'intérieur de leur temple – qui est immense – et me dénombrèrent, en les dénommant une à une, de colossales statues en bois, qui atteignent le chiffre de trois cent quarante-cinq (L).* (A titre d'éclaircissement, Hécatée est grec, les colosses égyptiens, symbolisant chacun d'eux une génération.) « Regardez donc, semble dire Hérodote à ses compatriotes grecs, notre généalogie remonte tout juste à seize générations, alors que celle des Egyptiens en compte trois cent quarante-cinq. Par conséquent, qui a emprunté ses dieux à qui ?

Pas de doute, les Grecs, et non les Egyptiens, puisque ces derniers sont bien plus anciens que nous ! » Pour enfoncer le clou et bien montrer l'abîme historique séparant les deux peuples, il ajoute que trois cents et quelque générations recouvrent dix mille ans, puisque trois générations humaines représentent une centaine d'années. Il cite ensuite l'opinion des prêtres égyptiens, selon laquelle aucun nouveau dieu à apparence humaine n'est apparu pendant cette période. Ainsi, semble conclure Hérodote, les dieux que nous considérons comme les nôtres existent en Egypte depuis plus de dix mille ans !

Si Hérodote a raison et que la Grèce (c'est-à-dire l'Europe) a hérité non seulement des dieux mais aussi de toute la culture de l'Egypte (c'est-à-dire de l'Afrique), on est en droit de remettre en question les origines européennes de notre culture (thèse qui suscite des débats depuis deux mille cinq cents ans et qui n'est guère dénuée d'idéologie ni d'émotion). Plutôt que de s'aventurer sur un terrain miné, observons les choses sous un autre angle : dans le monde d'Hérodote, où se côtoient de nombreuses cultures et civilisations, les relations sont très diversifiées. Certaines civilisations sont en conflit, d'autres entretiennent des relations d'échange et d'emprunt, s'enrichissent mutuellement. Il en existe aussi qui jadis ont été en conflit, mais qui maintenant collaborent pour se retrouver peut-être demain sur le pied de guerre. En un mot, pour Hérodote le multiculturalisme du monde est un phénomène vivant, un tissu palpitant, où rien n'est donné ni défini une fois pour toutes, mais où tout se transforme constamment, change, trame de nouvelles relations, établit de nouveaux contacts.

Nous sommes en 1960 quand je vois le Nil pour la première fois. Tout d'abord au crépuscule, au moment où l'avion approche du Caire. A vol d'oiseau, le fleuve évoque à cette heure une souche ramifiée noire et luisante, enguirlandée de la lumière des rues et des places semblables à des rosaces étincelantes jonchant l'immense cité.

A cette époque, la capitale égyptienne est le centre du Mouvement de libération du tiers-monde. Elle est le lieu de résidence de nombreux futurs présidents. Elle est aussi le siège de différents partis anticoloniaux d'Afrique et d'Asie.

Le Caire est également la capitale de la République arabe unie, créée deux ans plus tôt (et regroupant l'Egypte et la Syrie), son président est l'Egyptien Gamal Abdel Nasser, colonel de quarante-deux ans, homme de grande taille, massif, personnalité autoritaire et charismatique. En 1952, à l'âge de trente-deux ans, Nasser a dirigé un coup d'Etat militaire, il a renversé le roi Farouk pour devenir quatre ans plus tard président de l'Egypte. Pendant longtemps il est confronté à une opposition interne puissante : d'un côté les communistes, de l'autre les Frères musulmans, organisation conspiratrice composée de fondamentalistes et de terroristes. Nasser s'appuie sur une police efficace pour lutter contre ces deux adversaires.

Je me suis levé de bonne heure pour me rendre au centre-ville qui se trouve assez loin. Je loge dans un hôtel situé à Zamalek, quartier bourgeois, plutôt riche, construit jadis pour les étrangers mais habité aujourd'hui par une population très différente. Sachant qu'à l'hôtel ma valise sera fouillée, je décide d'emporter avec moi une bouteille de bière tchèque Pilsner vide et de la jeter en chemin (à cette époque, Nasser, fervent musulman, fait campagne contre l'alcoolisme). Je glisse la bouteille dans un sac en papier gris pour que personne ne la voie, et je sors dans la rue. Malgré l'heure matinale, il fait déjà très chaud et l'air est étouffant.

Je cherche des yeux une poubelle. Mon regard croise alors celui d'un vigile assis sur un tabouret devant la porte d'où je viens de sortir. Il me regarde. « Ouh ! là !

là ! me dis-je, je ne vais pas jeter la bouteille devant lui, il risque après de fouiller la poubelle, de la trouver et d'aller la porter à la police de l'hôtel. » Je poursuis ma route et aperçois un cageot vide. Je suis sur le point d'y jeter ma bouteille quand je vois deux hommes debout, vêtus de longues djellabas blanches. Ils discutent tout en me scrutant du regard. Non, décidément, je ne peux pas jeter ma bouteille devant eux, ils la verront à tous les coups ; en plus un cageot, ce n'est pas une poubelle. Sans m'arrêter, je poursuis ma route jusqu'au moment où j'aperçois une poubelle, mais, manque de chance ! juste à côté, assis devant une porte, un Arabe me fixe avec insistance. « Rien à faire, me dis-je, je ne peux pas courir ce risque, il me regarde vraiment avec suspicion. Tenant toujours la bouteille enveloppée dans son sac en papier, je continue comme si de rien n'était.

J'arrive à un carrefour au milieu duquel se tient un policier avec une matraque et un sifflet, et, à un coin de rue, sur un tabouret, un homme est assis, le regard braqué sur moi. Je remarque même qu'il est borgne, mais son œil me dévisage avec une telle insistance, une telle hostilité, que je me sens mal à l'aise, j'ai peur qu'il m'interroge sur le contenu de mon sac. Je presse le pas afin d'échapper à son champ de vision, d'autant plus prestement que j'aperçois au loin une poubelle. Hélas, tout près d'elle, à l'ombre d'un arbuste chétif, un vieil homme est assis, les yeux tournés vers moi.

La rue serpente, mais derrière le virage, rebelote ! Impossible de me débarrasser de ma bouteille ! Où que je me tourne, je tombe toujours sur un regard braqué sur ma personne. Les voitures roulent sans discontinuer, des ânes tirent des chariots chargés de marchandises, un petit troupeau de chameaux, raides et hauts sur pattes, déambule à grandes enjambées, tous semblent toutefois défiler en arrière-plan, comme une toile de fond sur laquelle je poursuis mon chemin, escorté du regard de gens debout, assis (le plus souvent), qui passent, discutent tout en épiant le moindre de mes gestes. Je suis de plus en plus énervé, je sue à grosses gouttes, le sac en papier est tout moite, j'ai peur que la bouteille ne tombe et n'éclate sur le trottoir, attirant encore plus l'attention de la rue. Ne sachant vraiment plus quoi faire, je rentre à l'hôtel et range ma bouteille dans la valise.

La nuit venue, je ressors. A la faveur de l'obscurité, je la fourre dans une poubelle et, avec un soupir de soulagement, je rentre me coucher.

Marchant dans la ville, j'observe maintenant ses rues avec plus d'attention. Toutes sont munies d'yeux et d'oreilles. Quand ce n'est pas un concierge, c'est un gardien, quand ce n'est pas une personne allongée sur une chaise longue, c'en est une autre qui, un peu plus loin, debout, vous scrute sans rien faire. La plupart de ces gens sont désœuvrés, mais leur regard forme un réseau croisé, serré, étanche, qui englobe tout l'espace de la rue où rien ne peut échapper à leur vigilance, où tout est remarqué. Remarqué et rapporté.

Thème intéressant que ces hommes inutiles au service d'un régime fort. Dans une société évoluée, normalisée, organisée, tous les rôles sont nettement définis, fixés. En revanche, dans la plus grande partie des villes du tiers-monde, des quartiers tout entiers grouillent d'une population informelle, fluide, sans hiérarchie, sans position, sans adresse ni objectif précis. A tout moment, au moindre prétexte, ces hommes créent un attroupement, une cohue, une foule ayant une opinion sur tout, disponible à souhait, désireuse de participer à quelque chose, de signifier quelque chose, mais n'attirant l'attention de personne, inutile à tout le monde.

Les grandes dictatures exploitent à fond ce magma oisif. Elles n'ont pas besoin d'entretenir une police d'Etat coûteuse. Il leur suffit de faire appel à ces hommes qui cherchent à se rendre utiles, de leur donner le sentiment qu'ils servent à quelque chose, que l'on compte sur eux, qu'ils ont été remarqués, qu'ils ont de l'importance.

Les avantages d'un tel contrat sont réciproques. En rendant de menus services à la dictature, l'homme de la rue a l'impression de participer au pouvoir, de jouer un rôle, d'avoir de la valeur. Par ailleurs, ayant sur la conscience divers petits larcins, bagarres et escroqueries, il est désormais convaincu de son impunité. De son côté, la dictature trouve en lui un agent, un espion au rabais, pratiquement gratuit, mais néanmoins zélé et omniprésent. Il est parfois difficile de le considérer comme un agent, car il s'agit seulement d'une personne qui veut être remarquée par le pouvoir, qui surveille seulement pour être vue, pour ne pas être oubliée, toujours prête à rendre service.

Un jour, alors que je venais de sortir de l'hôtel, l'un de ces sbires (j'ai conclu qu'il fait partie de cette catégorie de gens, car il se tient toujours au même endroit, sa chasse gardée sans doute) m'arrête et me dit de le suivre : il veut me montrer la vieille mosquée. De nature plutôt confiante, je considère la suspicion plus comme un défaut que comme une manifestation de bon sens, et le fait qu'un « indic » me conduise à la mosquée plutôt qu'au commissariat me soulage, voire me réjouit tellement que j'accepte sans la moindre hésitation. Il est gentil, porte un costume propre et parle assez bien l'anglais. « Je suis Ahmed », se présente-t-il. « Et moi c'est Ryszard, mais tu peux dire Richard, ce sera plus facile. »

Nous parcourons tout d'abord une partie du chemin à pied. Puis nous prenons un autobus. Nous descendons. Nous sommes arrivés dans un vieux quartier avec des ruelles étroites, des impasses étriquées, des places minuscules, des impasses, des murs tordus, des toits ondulés. Si on y pénètre sans guide, on ne peut en sortir. Çà et là on aperçoit des portes dans les murs, mais elles sont fermées, verrouillées à double tour. Un quartier sans âme qui vive. Parfois, telle une ombre, une femme passe à la sauvette, un petit groupe de gosses

surgit mais, mis en fuite par un cri d'Ahmed, ils disparaissent aussitôt.

Nous finissons par arriver devant des portes massives
et métalliques où Ahmed frappe un message codé. On
entend un bruissement de pas à l'intérieur, puis le cli-
quetis sonore de clés dans la serrure. Un gardien d'âge
et d'apparence indéterminés nous ouvre la porte et
échange quelques mots avec Ahmed. Ils nous invite à
traverser une courette fermée, puis nous conduit jusqu'à
la porte du minaret enfoncée dans le sol. Elle est
ouverte, tous deux me prient d'entrer. A l'intérieur
règne une obscurité dense, mais je devine la forme d'un
escalier en colimaçon courant le long du mur intérieur
du minaret semblable à une grande cheminée d'usine.
En regardant en l'air, j'aperçois en haut, tout en haut,
un point lumineux qui, vu d'en bas, ressemble à une
étoile lointaine et pâle. C'est le ciel.

«We go!», lance Ahmed d'une voix mi-encoura-
geante mi-autoritaire, après m'avoir prévenu que, du
sommet du minaret, je pourrai contempler un pano-
rama exceptionnel du Caire. « Great view ! », m'assure-
t-il. Nous nous mettons en route. D'emblée le démar-
rage est mauvais. L'escalier est étroit et glissant à cause
du sable et du gravier qui recouvrent ses marches. Mais
le pire, c'est qu'il n'est protégé d'aucune rampe, appui,
poignée, corde, rien à quoi je puisse m'accrocher.

Tant pis ! Quand faut y aller, faut y aller !

Et nous grimpons toujours et encore.

L'essentiel, c'est de ne pas regarder en bas. Ni en bas
ni en haut. Il faut seulement regarder devant soi, fixer
le point se trouvant le plus près de soi, la marche d'escalier à hauteur des yeux. Il faut débrancher son imagination, car elle engendre toujours la peur. Tous les yogas,
nirvanas, tantras, karmas ou mokshas me rendraient
bien service en ce moment ! Ils me permettraient de ne
pas penser, de ne pas sentir, de ne pas être.

Tant pis ! Quand faut y aller, faut y aller !

Et nous grimpons toujours et encore.

L'escalier est sombre, étroit, abrupt, raide. De là-haut, du sommet du minaret, si la mosquée fonctionne, cinq fois par jour le muezzin appelle les fidèles à la prière. Appels langoureux sous forme de mélodies parfois fort belles, soutenues, émouvantes, romantiques. Rien toutefois ne laisse entendre que le minaret est en service. Le lieu semble abandonné depuis des années, il sent le renfermé et la poussière.

Est-ce l'effet de l'effort ou alors d'une peur diffuse et croissante ? Je l'ignore, mais je commence à fatiguer et à ralentir l'allure, tandis qu'Ahmed me houspille.

« Up ! Up ! »

Comme il me suit, il me bloque le passage et m'empêche de redescendre, de faire marche arrière, de prendre la fuite. Il m'est impossible de faire demi-tour en l'évitant à cause du précipice. Tant pis, c'est dur, pensai-je, mais il faut continuer.

Nous grimpons toujours et encore.

Nous sommes montés très haut sur cet escalier sans rampe ni poignées, le moindre mouvement risquant de nous précipiter tous deux dans le gouffre. Nous n'avons pas le droit de nous toucher, comme deux boxeurs sur un ring, si l'un touche l'autre, il plonge avec lui.

L'équilibre finit toutefois par se rompre, à mon détriment. Au bout de l'escalier, tout en haut, se trouve une minuscule terrasse étroite qui couronne le minaret. Un muret ou une barrière métallique devait jadis la protéger. Manifestement il s'agissait plutôt d'une barrière métallique qui a disparu, mangée par des siècles de rouille, car la plate-forme n'est plus protégée par rien. Ahmed me pousse dehors avec douceur tout en restant confortablement appuyé contre le mur. Il me dit : « Give me your money ! »

Mon argent se trouve dans la poche de mon pantalon. Le simple geste de tendre la main vers elle risque de me précipiter dans le vide. Remarquant mon hésitation,

Ahmed répète, sur un ton plus ferme : « Give me your money ! »

Le regard tourné vers le ciel pour ne pas regarder en bas, prudemment, très prudemment, je mets la main à la poche et lentement, très lentement, je sors mon portefeuille. Il le prend sans dire un mot, se retourne et entreprend la descente de l'escalier.

Pour moi, le plus difficile maintenant consiste à franchir chaque centimètre séparant la terrasse découverte de la première marche, un bout de chemin d'un mètre environ. Puis commence le calvaire de la descente, sur mes jambes lourdes, paralysées, clouées au sol.

Le gardien nous ouvre la porte, puis des enfants, les meilleurs guides dans ce type de quartier, me raccompagnent à un taxi.

J'ai habité quelques jours encore à Zamalek. J'empruntais toujours la même rue pour me rendre en ville. Quotidiennement je rencontrais Ahmed. Il occupait toujours la même place, scrutant son territoire.

Il me regardait sans la moindre expression, comme si nous ne nous étions jamais rencontrés.

Moi aussi je le regardais, sans doute sans la moindre expression, comme si nous ne nous étions jamais rencontrés.

Le concert d'Armstrong

Khartoum, Aba, 1960

A la sortie de l'aéroport de Khartoum, je demande à un chauffeur de taxi de me conduire au Victoria Hotel mais, sans un mot, sans la moindre explication ni justification, il m'emmène à l'hôtel Grand.

« C'est toujours comme ça, m'explique un Libanais que je rencontre à mon arrivée. Tout Blanc débarquant au Soudan est considéré comme anglais, et il ne peut donc descendre qu'au Grand. Mais vous n'aurez rien à regretter, c'est un excellent lieu de rencontre, le soir tout le monde s'y retrouve. »

Sortant ma valise du coffre d'une main et décrivant un large demi-cercle de l'autre, le chauffeur s'exclame avec fierté : « Blue Nile ! » Je vois le fleuve qui coule en contrebas, vert émeraude, large, rapide. La terrasse de l'hôtel, longue et ombragée, donne sur le Nil dont elle est séparée par un immense boulevard bordé de vieux ficus branchus.

Dans la chambre où m'a conduit le portier, ronronne un ventilateur fixé au plafond et dont les ailes brassent l'air brûlant plutôt qu'elles ne le rafraîchissent. « Quelle chaleur ! », pensé-je, et je décide d'aller en ville. Pure inconscience ! Car, à quelques mètres à peine de l'hôtel, je me rends compte que je suis tombé dans un piège. Du ciel s'échappe une fournaise qui me cloue à l'asphalte. Des bourdonnements me martèlent le crâne, je commence à perdre mon souffle. Incapable de poursuivre ma route, je ne me sens guère plus gaillard pour regagner ma chambre. J'ai l'impression que si je ne m'abrite pas à l'ombre immédiatement, le soleil m'achèvera. Pris de panique, je cherche fiévreusement autour de moi, mais je suis l'unique créature vivante de tout le secteur, tout est engourdi autour de moi, barricadé, mort. Pas un homme nulle part, pas un animal

Mon Dieu, que faire ?

Et le soleil qui continue de me cogner sur la tête de son marteau de forgeron dont je sens distinctement chaque coup. L'hôtel est trop loin, je n'aperçois pas le moindre bâtiment, la moindre ombre, le moindre toit, le moindre refuge, à part un manguier vers lequel je me traîne tant bien que mal.

Je finis par atteindre la souche de l'arbre et m'affale au sol. Dans ces moments-là, l'ombre devient une chose matérielle, le corps l'absorbe avec avidité comme des lèvres gercées avalant une gorgée d'eau. Elle soulage, étanche la soif.

L'après-midi, les ombres s'allongent, croissent, se superposent, puis, à la tombée de la nuit, elles s'assombrissent, noircissent. Les gens s'animent, reprennent goût à la vie, se saluent, discutent, tout contents d'avoir résisté au cataclysme, d'avoir survécu à une autre journée d'enfer. La ville se remet en mouvement, sur la chaussée apparaissent des voitures, les magasins et les bars se remplissent.

A Khartoum, j'attends deux journalistes tchèques avec qui je dois me rendre au Congo, pays flambant dans le brasier de la guerre civile. Je suis énervé, car mes collègues tardent à arriver du Caire. Impossible de se promener dans la ville incandescente. Que faire en attendant ? Me promener dans la fournaise de la ville ? Impossible ! Rester dans ma chambre étouffante ? Pas question ! Quant à la terrasse de l'hôtel, j'évite de m'y prélasser, car on m'y bombarde de questions : qui es-tu ? d'où viens-tu ? comment t'appelles-tu ? pourquoi es-tu venu ici ? veux-tu fonder une entreprise ? acheter une plantation ? où as-tu l'intention d'aller ? es-tu seul ? as-tu une famille ? combien d'enfants ? que font-ils ? as-tu déjà visité le Soudan ? Khartoum te plaît-il ? et le Nil ? et ton hôtel ? et ta chambre ?

Des questions à n'en plus finir. Les premiers jours, je réponds avec amabilité. Difficile de dire s'il s'agit d'une forme de courtoisie conforme à la coutume locale ou d'un interrogatoire destiné à la police, auquel cas mieux vaut répondre aimablement. Généralement mes enquêteurs ne se manifestent qu'une fois, le lendemain ils cèdent la place à d'autres, comme s'ils se passaient le relais.

Parmi eux toutefois, deux compères inséparables viennent plus régulièrement. Ils me sont infiniment sympathiques. Ce sont des étudiants, ils sont libres comme l'air, car le chef de la junte militaire au pouvoir, le général Abboud, a fermé leur institut, nid de troubles et de rébellions.

Un jour, ils me demandent d'un air conspirateur quelques livres pour acheter du haschisch et me proposent d'aller avec eux dans le désert.

Comment réagir à une telle invitation ?

N'ayant jamais fumé de haschisch, je suis curieux de voir l'effet que produit cette drogue. D'un autre côté, ce sont peut-être des indicateurs cherchant à m'extorquer de l'argent ou à me faire expulser. Or mon voyage vient juste de commencer et il s'annonce tellement bien ! Plein d'appréhension, j'opte malgré tout pour le haschisch et je leur donne l'argent.

En début de soirée, ils débarquent dans une Land-Rover découverte et toute cabossée. Elle n'est équipée que d'un seul phare aussi puissant qu'un réflecteur antiaérien. Sa lumière perce les ténèbres tropicales plus impénétrables qu'une muraille noire qui s'écarte au passage de la voiture pour se refermer aussitôt. En faisant abstraction de la lumière projetée dans les ornières, on a l'impression de faire du surplace dans un lieu entièrement clos.

Nous roulons près d'une heure. Complètement éventré, l'asphalte de la route a depuis longtemps cédé la place à une piste de désert bordée, çà et là, d'énormes récifs semblables à des blocs de fonte. Juste après l'un d'eux, nous prenons un virage à quatre-vingt-dix degrés, puis nous roulons encore jusqu'au moment où le chauffeur stoppe net. Nous surplombons une vallée au fond de laquelle scintillent les flots argentés du Nil éclairé par la lune. Ce paysage minimaliste – désert, fleuve, lune – vaut bien tout l'or du monde.

L'un des étudiants sort de son sac un flacon plat de whisky White Horse au fond duquel il reste quelques gorgées à nous partager. Puis il roule soigneusement deux cigarettes, m'en donne une, l'autre à son camarade. Dans la flamme de l'allumette, j'entrevois son visage sombre qui se détache dans la nuit et ses yeux étincelants qui me contemplent d'un air pensif. « Peut-être est-ce du poison ? », ai-je le temps de penser avant de plonger dans un monde sans poids ni pesanteur, où tout est en mouvement. Balancement doux, harmonieux, ondulé, tendre. Nulle agitation, nulle violence. Calme et tranquillité. Caresse. Sommeil.

Le plus extraordinaire, c'est cet état d'apesanteur tout en souplesse, adresse, légèreté, et si éloigné de la lourdeur et de la maladresse des cosmonautes.

Je ne me souviens pas comment j'ai été propulsé là-haut, en revanche je me rappelle parfaitement la manière dont je flottais dans une obscurité curieusement lumineuse, dont je planais parmi des cercles multicolores qui s'ouvraient, tourbillonnaient, emplissaient l'espace, semblables aux cerceaux tournoyants et légers que les enfants font pivoter autour de leur taille quand ils jouent au hula-hoop.

Le sentiment d'être libéré de son corps, de la résistance têtue et implacable qu'il nous oppose constamment et qui ne nous lâche jamais, procure un bonheur suprême. Notre corps cesse d'être notre adversaire, devenant l'espace d'un instant et dans un contexte extraordinaire notre ami.

Devant moi, j'aperçois le capot de la Land-Rover et, du coin de l'œil, le miroir brisé du rétroviseur. L'horizon est d'un rose vif, le sable du désert gris anthracite, le Nil bleu foncé. Assis dans la voiture découverte, je grelotte de froid, je suis parcouru de frissons. L'aurore du désert saharien me paraît aussi froide que l'hiver sibérien, un froid qui pénètre jusqu'à la moelle.

Quand nous franchissons les portes de la ville, le soleil se lève et la chaleur s'abat aussitôt sur nous. J'ai horriblement mal à la tête. Je n'aspire qu'à une seule chose : dormir, dormir, seulement dormir. Ne pas remuer. Ne pas être. Ne pas vivre.

Deux jours après, mes deux copains sont venus à l'hôtel prendre de mes nouvelles :

« Comment vas-tu ?

— Ah ! Mes amis, si vous saviez !

— Figure-toi que Armstrong vient d'arriver ! Il donne un concert demain au stade. »

Aussitôt je me suis senti mieux.

Le stade se trouvait loin de la ville, petit, plat, pouvant accueillir cinq mille spectateurs environ. Seule la moitié des places étaient occupées. Au milieu de la pelouse se dressait un podium, faiblement éclairé, mais nous voyions très bien Armstrong et son petit orchestre, car nous nous trouvions près de la scène. La soirée était brûlante, étouffante. En veste avec un nœud papillon, il dégoulinait déjà de sueur en montant sur le podium. Il a salué le public en brandissant sa trompette dorée, puis il a dit dans le micro délabré et grésillant qu'il était heureux, ravi même de jouer à Khartoum, puis il a éclaté de

rire, un rire plein, fluide, contagieux. Un rire qui aurait
dû se communiquer au public, mais le stade gardait un
silence réservé, gêné. Les percussions et la contrebasse
ont retenti et Armstrong a commencé par une chanson
qui se prêtait à merveille au lieu et au moment : *Sleepy
Time Down South*.

Quand ai-je entendu Armstrong chanter pour la première fois ? Je suis incapable de le dire, mais le timbre
particulier de sa voix donne l'impression de la connaître
depuis toujours. Quand il se met à chanter, tout le
monde éprouve la même sensation et se dit : « Mais
voyons, c'est bien lui, c'est Satchmo ! »

Et c'était bien lui ! Il a chanté *Hello Dolly, this is Louis,
Dolly, What a Wonderful World, Moon River, I touch your lips
and all at once the sparks go flying, those devil lips*. Les spectateurs gardaient le silence, ils n'applaudissaient pas. Ne
comprenaient-ils pas les paroles ? Cette musique était-elle
trop explicitement érotique pour des musulmans ?

En jouant, en chantant, et après chaque chanson,
Armstrong s'essuyait le visage avec un grand mouchoir
blanc que changeait régulièrement un homme spéciale-
ment affecté à cette tâche et qui, sans doute, accompa-
gnait le musicien dans sa tournée africaine dans ce but.
Puis j'ai entraperçu un grand sac avec des dizaines et
des dizaines de mouchoirs.

Après le concert, les gens se sont rapidement égaillés
dans la nuit. J'étais bouleversé. J'avais entendu dire que
les concerts d'Armstrong suscitaient l'enthousiasme, la
folie, l'extase. Mais, dans le stade de Khartoum, le public
n'a rien manifesté de tel. Satchmo a pourtant chanté des
chansons d'esclaves noirs du sud des Etats-Unis, de
l'Alabama et de sa Louisiane natale. Mais il ne s'agissait
plus de la même Afrique, les deux mondes s'étaient
séparés, ils ne parlaient plus la même langue, désormais
incapables de se comprendre, de créer une communauté
émotionnelle.

Mes deux amis m'ont raccompagné à mon hôtel. Nous nous sommes installés à la terrasse pour boire une limonade. Peu après, une voiture a ramené Armstrong. Il s'est assis à une petite table avec un soupir, ou plutôt il s'est affaissé sur sa chaise. C'était un homme corpulent, trapu, aux épaules larges et tombantes. Le garçon lui a apporté un jus d'orange. Il l'a bu d'un trait, puis a repris un verre, et encore un verre. La tête baissée, silencieux, il semblait las. Agé à l'époque d'une soixantaine d'années, il souffrait d'une maladie du cœur, chose que j'ignorais. Armstrong pendant le concert et juste après, c'étaient deux hommes totalement différents : le premier rayonnait de joie, de sérénité, de vie, avec une voix puissante et un registre aussi riche que celui de sa trompette ; le second paraissait pesant, exténué, sans forces, avec un visage labouré de rides, éteint.

Quand on s'éloigne des murs paisibles de Khartoum et qu'on s'engage dans le désert, il faut se souvenir qu'on se trouve désormais à la merci de pièges terrifiants. Les tempêtes de sable modifient constamment la configuration du paysage et déplacent les signes d'orientation. Le voyageur, égaré, périt immanquablement. Le désert est mystérieux et il engendre la peur. L'homme ne s'y aventure jamais seul, car il ne peut emporter avec lui assez d'eau pour parcourir la distance entre deux puits.

Au cours de son voyage en Egypte, conscient des dangers du désert, Hérodote a la prudence de ne jamais s'écarter des rives du fleuve, de toujours rester à proximité du Nil. Le Sahara, c'est le feu du soleil, et le feu, c'est un fauve susceptible de tout dévorer : *Pour les Egyptiens le feu est une créature vivante qui se dévore elle-même avec sa propre proie (L).* A titre d'illustration, Hérodote relate l'histoire de Cambyse, roi des Perses se lançant à la conquête de l'Egypte, puis son expédition en Ethiopie. Ses troupes partent donc en guerre contre les

Ammoniens, peuple vivant dans les oasis du Sahara. Après sept jours de marche depuis Thèbes, à travers le désert, elles atteignent une ville qui s'appelle Oasis. Puis leur trace disparaît : *A partir de là, personne ne peut dire ce que son armée est devenue, à part les Ammoniens et ceux à qui ils ont raconté l'histoire. Elle n'est jamais parvenue chez les Ammoniens et elle n'est jamais revenue à Oasis. Les Ammoniens expliquent cette disparition de la façon suivante : en quittant la ville d'Oasis, l'armée s'engagea dans le désert et, à mi-chemin du trajet entre cette ville et le territoire des Ammoniens, un vent du sud, très violent, dut se lever brusquement, pendant que les hommes déjeunaient, et les ensevelir sous des rafales de sable. Ainsi fut engloutie toute l'expédition. Du moins aux dires des Ammoniens (L).*

Duszan et Jarda, mes collègues tchèques, ont fini par arriver. Nous nous sommes aussitôt mis en route pour le Congo. Après avoir passé la frontière, nous sommes arrivés dans un bourg du nom d'Aba situé en bord de la route. Il était blotti à l'ombre de la grande muraille verte de la jungle qui surgissait soudainement, semblable à une montagne escarpée plantée au beau milieu d'une vallée.

A Aba se trouvaient une station d'essence et quelques boutiques sous des arcades en bois pourri. Des hommes désœuvrés et immobiles s'y étaient réfugiés. Ils se sont animés quand nous leur avons demandé où changer nos livres soudanaises contre des francs locaux et quand nous leur avons posé des questions sur la situation dans le pays.

C'étaient des Grecs. Le comptoir qu'ils avaient fondé rappelait les colonies disséminées dans le monde déjà au temps d'Hérodote. Manifestement ce type de colonisation perdurait.

J'avais dans mon sac un exemplaire d'Hérodote et, quand nous nous sommes éloignés, je l'ai montré à l'un des Grecs qui nous faisait ses adieux. Il a regardé le nom sur la couverture et a souri. Je n'ai toutefois pas compris si son sourire exprimait de la fierté ou s'il traduisait la perplexité d'un homme n'ayant jamais entendu parler de son illustre compatriote.

Le visage de Zopyre

A la sortie de la petite ville de Paulis (Congo, province de l'Est), nous sommes bloqués par une panne d'essence. Nous gardons l'espoir qu'une voiture passe et que son chauffeur nous cède un jerricane d'essence. Nous nous sommes arrêtés dans le seul endroit où il était possible de se réfugier : une école dirigée par des missionnaires belges. Son supérieur, l'abbé Pierre, est un homme chétif, maigre, visiblement très malade. Comme la guerre civile règne dans le pays, les missionnaires entraînent les enfants à des exercices militaires. Les gosses portent sur les épaules de longs bâtons, ils défilent par quatre, chantent et poussent des cris. Leurs visages sont si sévères ! Leurs mouvements sont tellement énergiques ! Que de sérieux et d'émotion dans ce jeu à la guerre !

Je dispose d'un lit de camp dans une classe vide tout au bout du baraquement de l'école. L'endroit est paisible, les échos de l'entraînement militaire y parviennent à peine. Devant ma fenêtre flamboie un massif de fleurs, des dahlias, des glaïeuls, des centuries exubérants, géants, tropicaux, et bien d'autres merveilles que je vois pour la première fois et dont j'ignore le nom.

Moi aussi je suis plongé dans une ambiance belliqueuse, mais il s'agit d'une autre guerre, éloignée dans le temps et dans l'espace, celle que Darius, le roi des Perses, mène contre Babylone insurgée et qu'Hérodote nous décrit. Assis sur le balcon ombragé, me défendant contre des nuées de mouches et de moustiques, je dévore son livre.

Darius est un jeune homme d'une bonne vingtaine d'années, le nouveau roi de l'empire le plus puissant de son époque, la Perse. Les uns après les autres, les peuples vivant dans cet Etat multinational redressent la tête, s'insurgent, luttent pour leur indépendance. Ces rébellions et révoltes sont toutes impitoyablement écrasées par les Perses. Or, voilà qu'une menace immense, un terrible danger susceptible de faire basculer le destin de l'empire vient de se déclarer : Babylone, capitale d'un empire voisin, annexée dix-neuf ans plus tôt par le roi Cyrus, s'insurge à son tour.

Nous sommes en 538 et Babylone veut donc déclarer son indépendance. Qu'y a-t-il d'étonnant à cela ? Située à la croisée des routes reliant l'Est à l'Ouest et le Nord au Sud, elle jouit d'une renommée exceptionnelle, celle de la ville la plus grande et la plus dynamique de la planète. Elle est le centre de la culture et de la science mondiales, notamment celui des mathématiques, de l'astronomie, de la géométrie et de l'architecture, place qu'occupera un siècle plus tard Athènes, capitale de la Grèce.

A la cour de l'Empire perse règne un chaos indescriptible : des mages imposteurs se succèdent pour le gouverner, ils finissent par se faire renverser par une clique de notables à l'occasion d'une révolution de palais, à l'issue de laquelle le roi Darius émerge et devient roi. Témoins de ces désordres, les Babyloniens préparent un soulèvement contre les Perses. *Les Babyloniens se soulevèrent, tout étant prêt pour leur rébellion (B)*, note Hérodote qui précise : *ils s'étaient préparés à soutenir un siège et avaient réussi à le faire à l'insu des Perses (B)*.

Hérodote poursuit : *Quand la révolte éclata, ils prirent la mesure suivante : ils mirent à part leurs mères et, en outre, chacun put garder une femme de sa maison, une seule, à son*

choix ; on rassembla toutes les autres et on les étrangla : cha-
cun gardait une femme pour lui préparer sa nourriture et on
étrangla les autres pour économiser les vivres (B).

Hérodote se rendait-il compte de ce qu'il écrivait ? Y
réfléchissait-il ? Car, à cette époque, au VIᵉ siècle, Babylone comptait au moins deux ou trois cent mille habitants. Plusieurs dizaines de milliers de femmes :
épouses, filles, sœurs, grand-mères, cousines, fiancées...
auraient ainsi été condamnées à la strangulation !

Hérodote ne fait aucun commentaire sur ce carnage.
Qui prit cette décision ? Une assemblée populaire ? Les
autorités de la ville ? Le comité de défense de Babylone ? Cette décision fit-elle l'objet de débats, de protes-
tations, de contestations ? Qui décida de la manière
dont ces femmes seraient exterminées ? Qui ordonna de
les étrangler ? Y eut-il d'autres propositions ? Les empaler, par exemple ? Les passer au fil de l'épée ? Les brûler
sur un bûcher ? Les précipiter dans les eaux de
l'Euphrate qui traverse la ville ?

Des questions à n'en plus finir. Que lisent les femmes
sur les visages des hommes rentrant de l'assemblée où
leur sentence a été prononcée ? De la perplexité ? De la
honte ? De la douleur ? De la folie ? Les plus jeunes ne
devinent sans doute rien. Mais les plus âgées ? N'ont-
elles pas l'intuition du sort qui leur est réservé ? Les
hommes observent-ils unanimement la loi du silence ?
Certains sont-ils pris de remords ? Piquent-ils une crise
d'hystérie ? Se mettent-ils à courir dans les rues en hurlant ?

Et après ? Après, elles furent toutes rassemblées et
étranglées. Sans doute y avait-il un point de rassem-
blement où elles durent toutes se présenter pour la
sélection. Puis celles qui devaient rester en vie partirent
d'un côté. Mais les autres ? Qui prit en charge les jeunes
filles et les femmes pour les étrangler les unes après les
autres ? Des sentinelles de la ville ? Leurs maris ou leurs
pères, sous les yeux de juges expressément désignés

pour les surveiller ? Entendait-on des gémissements ? Leurs gémissements ? Leurs supplications au nom de la vie de leurs bébés, de leurs filles, de leurs sœurs ? Que devinrent leurs corps ? Des dizaines de milliers de victimes ! Car, sans ensevelissement digne de leurs dépouilles, il est impossible de vivre dans la paix. L'esprit des femmes exterminées hanta-t-il à jamais le sommeil des hommes ? Les nuits de Babylone les effrayaient-ils désormais ? Se réveillaient-ils sans cesse ? Faisaient-ils des cauchemars ? Ne pouvaient-ils plus se rendormir ? Sentaient-ils des démons les prendre à la gorge ?

Pour économiser les vivres. Les Babyloniens se préparaient en effet à soutenir un siège interminable. Ils connaissaient la valeur de Babylone, forteresse riche et florissante, ville des jardins suspendus et des temples dorés. Ils savaient aussi que Darius ne reculerait pas et qu'il était prêt à les vaincre par l'épée, sinon par la faim.

Le roi des Perses ne perd pas son temps. Aussitôt informé de la rébellion, *Darius réunit ses forces et marcha contre eux ; il vint mettre le siège devant Babylone, ce dont les Babyloniens ne s'inquiétaient guère : ils montaient à leurs créneaux et, par leur mimique et leurs propos, raillaient Darius et son armée. L'un d'eux leur adressa ce sarcasme : « A quoi bon perdre ici votre temps, Perses, au lieu de vous retirer ? Vous prendrez la ville le jour où les mules auront des petits !* » *Le Babylonien qui prononça ces mots était bien loin de penser qu'une mule pût mettre bas (B)* [les mules sont en principe stériles].

Les Babyloniens se moquaient de Darius et de son armée.

Peut-on s'imaginer une scène pareille ? Sous les remparts de Babylone s'étire la plus grande armée du monde. Elle déploie ses campements autour de la cité protégée par des murailles en torchis, hautes de plusieurs mètres et si larges qu'un char tiré par quatre chevaux côte à côte peut y circuler. Ce rempart est percé de huit grandes portes, l'ensemble étant de surcroît protégé par des douves profondes. Face à ces fortifications monumentales, l'armée de Darius se sent désemparée. La poudre ne fera son apparition dans cette partie du monde que mille deux cents ans après. L'arme à feu ne sera inventée que deux mille ans plus tard. Il n'existe même pas à l'époque d'engins de siège. Les Perses ne possèdent manifestement pas de béliers, les Babyloniens se sentent donc invincibles, invulnérables, intouchables. Il n'est donc pas étonnant que, du haut des remparts, ils *raillent Darius et son armée.* Quelle audace !

La distance entre les deux camps est si petite qu'assiégés et assiégeants peuvent discuter, les premiers insultant et provoquant les seconds. Quand Darius s'approche tout près des murailles, il peut entendre les pires injures et invectives à son encontre. C'est insupportablement humiliant, d'autant que le siège s'éternise : *Au bout d'un an et sept mois de siège Darius s'exaspérait, et toute son armée avec lui, de ne pouvoir prendre Babylone (B).*

Toutefois, la situation va finir par évoluer car, *au vingtième mois du siège, il arriva à Zopyre un prodige : une mule de ses équipages mit bas (B).*

Fils du notable Mégabyse, le jeune Zopyre appartient à l'élite perse. Bouleversé par la nouvelle, il y lit un message des dieux, un signal que Babylone peut être conquise. Il se rend donc chez Darius, lui narre l'histoire de la mule qui a mis bas, et lui demande si la prise de Babylone lui tient à cœur.

« Oui, vraiment, répond Darius, mais comment m'y prendre ? »

Cela fait deux ans ou presque qu'ils assiègent la ville. Ils ont mis en œuvre tous les moyens, les stratagèmes, les ruses pour y parvenir sans réussir à faire la moindre brèche dans les remparts de Babylone. Darius est découragé et désemparé : capituler reviendrait à se couvrir de honte et de surcroît à perdre la satrapie la plus importante de l'empire. La perspective de conquérir la ville semble néanmoins improbable.

Le roi hésite, tergiverse, atermoie. Voyant l'état de dépression de son souverain, Zopyre réfléchit au *moyen de prendre lui-même la ville et d'être le seul auteur de ce succès (B).* Il se retire dans un lieu qu'Hérodote ne précise pas, où, avec un couteau en fer ou en laiton, il se coupe le nez et les oreilles, se rase le crâne – signe distinctif des criminels – et se fait lacérer le dos à coups de fouet. C'est dans cet état, blessé, mutilé et ruisselant de sang qu'il se présente à Darius. A la vue de Zopyre, Darius est vivement choqué. *Il bondit de son trône, se récria et voulut savoir qui l'avait mutilé, et pour quel motif (B).*

Ces cartilages coupés qui ruissellent de sang doivent lui causer des souffrances atroces ; sa lèvre supérieure, ses joues et tout son visage doivent être tuméfiés, ses yeux injectés de sang. Il répond toutefois :

« *Il n'est pas un homme, excepté toi, qui puisse se permettre de me traiter ainsi, et nulle main étrangère, seigneur, ne m'a touché : je me suis mutilé moi-même, indigné que je suis de voir des Assyriens se moquer des Perses (B).* »

Et Darius de rétorquer :

« *Malheureux ! A l'acte le plus affreux tu prétends donner le nom le plus beau, si tu dis t'être infligé cet outrage irrémédiable à cause des Assyriens que nous assiégeons ! Insensé ! A quoi bon cette mutilation ? Les ennemis s'en rendront-ils plus vite ? Tu devais être hors de ton bon sens quand tu t'es ainsi défiguré (B) !* »

La réplique de Zopyre nous dévoile la mentalité d'un homme héritier d'une culture millénaire. L'homme blessé dans sa dignité, humilié, rabaissé ne peut se libérer de ce sentiment brûlant de honte et d'ignominie que par un acte d'autodestruction. La sensation d'être marqué l'empêche de vivre. La mort, plutôt que le déshonneur d'une tache, d'un stigmate. Zopyre n'aspire qu'à se débarrasser de cette flétrissure. Et il le fait en changeant son visage, en le défigurant, certes, mais en effaçant le visage du Perse honni et raillé par les Babyloniens.

De manière significative, Zopyre ne considère pas l'affront des Babyloniens comme un préjudice individuel dirigé contre lui. Au lieu de dire : « Ils m'ont outragé », il dit : « Ils nous ont outragés, nous, l'ensemble des Perses. » Mais pour échapper à cette situation humiliante, il n'envisage pas d'entraîner tous les Perses dans une guerre, il entreprend un acte isolé, individuel d'autodestruction (ou d'automutilation), acte qui, pour lui, représente une libération.

Darius, il est vrai, désapprouve le geste de Zopyre qu'il considère comme irresponsable et aventurier, mais il l'utilise immédiatement, s'en empare comme de sa dernière planche de salut afin d'éviter que l'opprobre ne soit jeté sur son peuple, sur son empire, sur la grandeur de son pouvoir monarchique.

Il accepte donc le plan suggéré par Zopyre : Zopyre ira chez les Babyloniens en feignant de fuir les persécutions et les tortures infligées par Darius. Ses blessures n'en sont-elles pas la preuve flagrante ? Il est persuadé de convaincre les Babyloniens, de gagner leur confiance, d'obtenir le commandement de leur armée et, ensuite, d'introduire les Perses dans Babylone.

Un beau jour, perchés sur leurs murailles, les Babyloniens aperçoivent une silhouette humaine vêtue de guenilles et tout ensanglantée se traîner vers leur forteresse. L'homme ne cesse de se retourner pour voir s'il n'est pas poursuivi. *Du haut des remparts les soldats de garde à cet endroit le virent approcher ; ils descendirent en hâte et entrouvrirent l'un des battants de la porte pour lui demander son nom et ce qu'il voulait. Il leur dit qu'il s'appelait Zopyre et venait leur demander asile. Sur ce, les gardiens des portes le conduisirent aux autorités de la ville : devant elles, il se mit à gémir, accusa Darius de lui avoir fait subir les outrages qu'il s'était lui-même infligés, et se prétendit maltraité pour lui avoir conseillé de lever le siège, puisqu'on ne trouvait aucun moyen de s'emparer de la ville (B).*

Les autorités de la ville prêtent crédit à ses paroles et lui confient l'armée afin qu'il puisse exercer sa vengeance. C'est exactement ce que Zopyre attend. Comme convenu, le dixième jour après sa fuite simulée vers Babylone, Darius expédie un millier de soldats de deuxième ordre aux portes de la ville. Les Babyloniens leur tombent dessus et les exterminent jusqu'au dernier. Sept jours plus tard, conformément au plan de Darius et de Zopyre, Darius envoie cette fois deux mille soldats de deuxième catégorie aux portes de la ville, et les Babyloniens, à la commande de Zopyre, les massacrent également jusqu'au dernier. Parmi les Babyloniens, la gloire de Zopyre ne cesse de croître, pour eux il est devenu un héros, leur sauveur. Vingt jours s'écoulent et, suivant leur stratégie, Darius envoie quatre mille soldats. Les Babyloniens en viennent également à bout. Pleins de reconnaissance, ils nomment Zopyre général et commandant en chef de la ville forte.

Zopyre détient les clés de toutes les portes de la cité. Le jour convenu, Darius lance un assaut général sur Babylone, et Zopyre lui ouvre les portes. La ville est conquise : *Maître de la ville, Darius en fit abattre les remparts et enlever toutes les portes... il fit de plus empaler ses notables, au nombre de trois mille environ (B).*

Une fois de plus, Hérodote ne s'arrête pas à ces événements et enchaîne. Faisons l'impasse sur le travail colossal que dut représenter la destruction des remparts ! Mais empaler trois mille hommes ? Comment ce châtiment se déroula-t-il ? Fabriqua-t-on un seul pal devant lequel les hommes attendaient leur tour pour se faire embrocher les uns à la suite des autres ? Chacun assista-t-il au supplice de son prédécesseur ? Pouvaient-ils fuir ou étaient-ils enchaînés ? Paralysés par la peur, pouvaient-ils bouger ? Babylone était le centre mondial des sciences, la ville des mathématiciens et des astronomes ; ces derniers furent-ils aussi empalés ? Pendant combien de générations, voire de siècles, le développement du savoir fut-il freiné ?

Darius pensait néanmoins à l'avenir de la ville et de ses habitants. *Il prit également des mesures pour leur procurer des femmes afin d'assurer leur descendance (car, nous l'avons dit au début, les Babyloniens avaient étranglé les leurs pour ménager leurs vivres) : il prescrivit aux peuples voisins d'envoyer chacun à Babylone un nombre déterminé de femmes, de façon qu'il y en eût cinquante mille en tout. Les Babyloniens d'aujourd'hui sont leurs descendants (B).*

En récompense, le souverain accorda à Zopyre l'administration de la cité jusqu'à la fin de ses jours. Mais *Darius, dit-on, déclara souvent qu'il donnerait Babylone, et vingt autres Babylones encore, pour que Zopyre ne se fût pas si cruellement traité (B).*

Le lièvre

Ses flèches sont aiguisées
et tous ses arcs sont tendus ;
on prendrait les sabots de ses chevaux pour de la pierre
et ses roues pour un tourbillon.
ISAÏE V, 28[1]

Le roi perse enchaîne conquête sur conquête : *Après
la prise de Babylone, Darius décida de s'attaquer aux Scythes
(L).*

Babylone, puis la Scythie ! Ce n'est pas la porte à côté !
La moitié de la planète, du moins celle que connaissait
Hérodote, séparait ces deux mondes ! Pour se rendre
d'un lieu à l'autre, il fallait marcher pendant des mois !
A l'époque, une armée mettait plusieurs semaines pour
parcourir de cinq à six cents kilomètres, or la distance
était dix fois plus importante.

Même pour Darius, qui ne manquait pas de vigueur,
le voyage devait être une sacrée épreuve ! Il avait beau
voyager dans un char royal, son équipage restait à la
merci des cahots, comme les autres. En ce temps-là, on
ne connaissait ni les ressorts ni les amortisseurs, encore
moins les pneus et les jantes en caoutchouc. De plus, les
routes n'existaient pratiquement pas.

La passion était sans doute à ce point puissante

---

1. *La Bible, Ancien Testament*, Bibliothèque de la Pléiade, Paris,
Gallimard, 1959, traduction de Jean Koenig.

qu'elle était capable d'atténuer les sensations d'incon-fort, de fatigue, de douleur physique occasionnées par la route. Dans le cas de Darius, il s'agissait d'élargir son empire et, par là, son pouvoir sur le monde. Mais à l'époque où les cartes, les atlas, les globes n'existaient pas, que pouvait bien représenter le mot « monde » pour les gens ? Ptolémée devait naître seulement quatre siècles plus tard, Mercator deux millénaires plus tard. Il n'était pas possible non plus de contempler notre pla-nète à vol d'oiseau. Cette notion existait-elle d'ailleurs ? Non, car la connaissance du monde passait exclusi-vement par l'expérience de l'altérité.

Nous nous appelons les Giligames. Et à côté de nous vivent les Asbystes. Et vous, les Asbystes, qui sont vos voisins ? Nous ? Les Auschises, qui habitent tout près des Nasamons. Et vous, les Nasamons ? Au sud, nous avons pour voisins les Garamantes, à l'ouest, les Maces. Et les Maces ? Eh bien, les Maces, eux, voisinent avec les Gindanes. Et vous alors ? Nous, nous vivons à côté des Lotophages. Et eux ? Ce sont les voisins des Auses. Et qui habite plus loin, tout là-bas ? Les Ammoniens. Et après eux ? Les Atlantes. Et au-delà des Atlantes ? Là, plus personne ne le sait et n'essaie même de se l'ima-giner.

Il ne suffit donc pas de jeter un œil sur une carte (qui du reste n'existe pas) pour vérifier ce qui a été appris à l'école (qui n'existe pas encore), que la Russie est par exemple frontalière de la Chine. A l'époque, pour parve-nir à ce savoir, il faut interroger des dizaines de tribus sibériennes les unes à la suite des autres (en s'orientant toujours vers l'est), pour tomber enfin sur celle qui voisi-nera avec des tribus chinoises. Néanmoins, en entrepre-nant sa campagne contre les Scythes, Darius disposait déjà d'une masse d'informations à leur sujet, et il savait plus ou moins vers où se diriger pour les trouver.

Dans sa conquête du monde, le Maître procède un peu à la manière d'un collectionneur, exalté mais méthodique. « J'ai déjà sous ma coupe les Ioniens, les Cariens et les Lydiens, se dit-il. Qui me manque-t-il ? Les Trauses, les Gètes, et les Scythes. » Et aussitôt son cœur s'enflamme du désir de posséder ceux qui se trouvent hors de sa portée, ceux qui, toujours libres et indépendants, sont loin de se douter que, en attirant l'attention du Maître Suprême, ils ont attiré sur eux sa sentence et que ce n'est plus qu'une question de temps. Car la sentence est rarement exécutée dans la précipitation, la légèreté, l'irresponsabilité. Le Roi des Rois rappelle un rapace aux aguets gardant dans son champ de vision sa future proie, et attendant patiemment le moment propice à l'attaque.

Certes, dans l'univers des hommes, il reste à trouver un prétexte. Il est important de donner à son entreprise l'envergure d'une mission humanitaire ou divine. Le choix reste d'ailleurs limité : il s'agit soit d'un cas de légitime défense, soit d'un devoir d'assistance, soit de l'exécution d'une volonté céleste, l'idéal consistant bien évidemment à associer les trois alibis. Il est bon en effet que l'agresseur agisse dans une auréole de solennité, qu'il intervienne dans le rôle de l'élu couvert par l'œil de Dieu.

Darius opte quant à lui pour le prétexte suivant : un siècle auparavant, les Scythes ont envahi les terres des Mèdes (autre peuple iranien voisin des Perses) qu'ils ont dominés pendant vingt-huit ans. Se vengeant maintenant de cet épisode oublié, Darius se lance à l'assaut des Scythes. Nous trouvons là l'illustration d'un des principes énoncés par Hérodote : est responsable celui qui a commencé et, comme il a mal agi, il doit être châtié, même des années après.

Qui sont les Scythes ?

Ils sont apparus on ne sait d'où, ont existé pendant mille ans puis ont disparu, laissant derrière eux de merveilleux objets en métal et des kourganes où ils ensevelissaient leurs morts. Les Scythes ont formé un groupe, puis une confédération de tribus agraires et pastorales peuplant les territoires de l'Europe orientale et des steppes asiatiques. Leur élite et leur avant-garde étaient constituées par les Scythes royaux, hordes guerrières de cavaliers mobiles et agressifs, basées au nord de la mer Noire entre le Danube et la Volga.

Les Scythes représentent le mythe du danger. Ils ont la réputation de tribus étrangères et mystérieuses, sauvages et cruelles, susceptibles à tout moment d'attaquer, piller, enlever ou massacrer.

Leurs territoires, leurs demeures et leurs troupeaux ne sont guère faciles à voir de près, car ils sont voilés par un rideau de neige : *Quand on avance vers le nord, au-delà des dernières terres habitées, il arrive un moment où l'on ne peut plus continuer ni rien distinguer devant soi, à cause d'innombrables duvets qui tombent du ciel, recouvrent le sol et bouchent l'horizon (L)*, phrase qui inspire à Hérodote le commentaire suivant : *Quant à ces duvets qui obscurcissent littéralement l'air en Scythie, qui empêchent d'avancer et bouchent tout l'horizon, en voici la cause : au nord de ce pays, il neige sans arrêt, avec quelques interruptions pendant l'été. Quiconque a jamais vu de la neige tomber dru reconnaîtra que ces flocons ressemblent à s'y méprendre à des duvets. Quand les Scythes parlent de duvets, ce n'est donc, pour eux, qu'une façon imagée de désigner la neige (L).*

Darius se dirige maintenant vers ces terres comme Napoléon le fera à son tour vingt-quatre siècles plus tard. On lui déconseille toutefois de se lancer dans cette expédition : *Artaban, le frère de Darius, supplia bien ce dernier de renoncer à cette entreprise insensée (L).* Mais Darius n'écoute personne et, après de gigantesques préparatifs, il se met en route à la tête d'une immense armée constituée *de tous les peuples qu'il dominait.* Le nombre avancé par Hérodote paraît astronomique pour l'époque : *le nombre total des effectifs (marine non comprise) se montait à sept cent mille hommes, avec la cavalerie, et à plus de six cents navires (L).*

Il fait construire un premier pont sur le Bosphore. Perché sur son trône, il regarde son armée traverser le détroit. Puis il fait jeter un deuxième pont par-dessus le Danube, qu'il ordonne de démolir après le passage de ses troupes. Mais l'un de ses généraux, un certain Coes, fils d'Erxandros, le supplie de renoncer à cette entreprise :

> « Seigneur, dit-il, tu vas marcher contre un pays où l'on ne verra ni champs labourés ni villes habitées : laisse donc subsister ce pont à la place où il est... Si nous trouvons les Scythes et si nous réussissons dans notre entreprise, la route du retour nous est ouverte ; et si par hasard nous ne pouvons les joindre, le retour nous est quand même assuré – non que j'aie jamais redouté la défaite pour nous si nous les combattons : je crains plutôt les malheurs qui pourraient nous arriver, si nous errons dans ce pays sans pouvoir les joindre (L). »

Les paroles de Coes devaient se révéler prophétiques.

Pour l'instant, Darius ordonne de ne pas toucher au pont et poursuit son expédition.

Entre-temps, les Scythes apprennent qu'une grande armée est sur le point de se lancer à leur assaut. Ils convoquent les souverains voisins à une assemblée. Parmi eux se trouve le roi des Boudines, *peuple nombreux et puissant, dont les hommes ont tous les yeux très bleus et les cheveux très roux [...] (B), le seul peuple scythe à manger des poux (L).* Est également présent le roi des Agathyrses chez qui *les femmes sont communes à tous.* « *Grâce à cela, disent-ils, nous sommes tous frères, nous formons comme une grande famille, et cela évite les haines et les jalousies (L).* »

A l'assemblée participe également le roi des Taures qui traitent leurs prisonniers de la manière suivante : *Quant aux ennemis qu'ils font prisonniers, ils sont emmenés dans la maison du vainqueur qui leur coupe la tête, la fiche au bout d'une perche qu'il installe sur son toit, au-dessus du trou de la cheminée.* « *Ainsi, déclarent-ils, nous avons des gardiens pour veiller sur nos maisons (L).* »

Les délégués scythes s'adressent à l'assemblée des rois et les informent de l'invasion imminente de Darius. Ils les exhortent à se joindre à eux : *Allons-nous le laisser détruire notre pays sans réagir ? Non. Unissons-nous et marchons contre lui (L).*

Pour les convaincre de s'unir dans la lutte, ils disent que les Perses ne marchent pas seulement contre les Scythes mais veulent conquérir tous les peuples : « *Le Perse en veut à toute la Scythie et vous anéantira en même temps que nous (L).*

D'après le récit d'Hérodote, les rois écoutent les discours des Scythes, mais leurs avis sont partagés. Les uns reconnaissent la nécessité de leur porter aide et renfort, les autres préfèrent se tenir à l'écart, estimant que les Perses n'en veulent vraiment qu'aux Scythes et qu'ils laisseront les autres peuples en paix.

Face à ce manque de solidarité, les Scythes, qui sont conscients de la force de l'adversaire, *décident alors de n'engager aucun combat en rase campagne et de se retirer ou au besoin de s'enfuir, en comblant les puits et les sources et en brûlant toutes les cultures (L)*, plutôt que de lui livrer une guerre ouverte. Ils décident également de se partager en deux camps et, tout en se tenant à un jour de marche des troupes perses, de reculer sans cesse afin de les attirer de plus en plus à l'intérieur de leurs terres en les désorientant par des déplacements incessants.

Et ils mettent leur plan à exécution.

Les meilleurs des cavaliers scythes partirent en éclaireurs à la rencontre de Darius, tandis que tout le reste, femmes, enfants et troupeaux, fuyait en désordre vers le nord (L).

Vers le nord, où le froid et la neige les mettront à l'abri des envahisseurs venus des torrides terres du Sud. L'armée de Darius qui pénètre en pays scythe ne se heurte à aucune résistance. Désormais, la tactique des Scythes, leur arme, se réduit à la feinte, l'esquive, l'embuscade. Où sont-ils ? Rusés, rapides, mystérieux comme des fantômes, ils apparaissent soudain dans la steppe pour disparaître aussitôt.

Darius aperçoit leurs cavaliers surgir çà et là, il voit des hordes filant à toute allure qui se volatilisent derrière la ligne de l'horizon. Un jour, on lui signale la présence de l'ennemi au nord, et aussitôt il dirige son armée dans cette direction, mais, arrivés sur place, les soldats se rendent compte qu'ils sont arrivés dans un désert. *Aux confins du pays, ils tombèrent en plein désert. Ce désert s'étend au nord du pays des Boudines, sur sept jours de marche environ (L).* Etc. Hérodote s'étend largement sur le sujet. Zigzaguant en permanence de manière à contraindre leurs voisins récalcitrants à se joindre à la bataille, les Scythes entraînent les troupes de Darius à leurs trousses sur les terres des tribus ayant préféré se tenir à l'écart. Désormais attaquées elles aussi par les Perses, elles sont contraintes de se battre contre Darius aux côtés des Scythes.

En proie à un désarroi croissant, le roi des Perses finit par envoyer au roi des Scythes un émissaire le sommant de cesser de fuir et d'engager une bataille sinon de le reconnaître comme maître. Le roi des Scythes répond alors : « Nous ne nous dérobons pas, mais, n'ayant ni villes ni cultures, nous n'avons rien à défendre. Nous n'avons donc aucune raison de nous battre. Cela étant, sache que tu paieras cher de t'être prétendu notre maître et d'avoir cherché à nous soumettre. »

A ce seul mot de maître, tous les rois scythes faillirent s'étouffer de rage (L). Ils aimaient la liberté. Ils aimaient la steppe. Ils aimaient les espaces infinis. Outrés par la manière dont Darius les avait traités en les rabaissant et les humiliant, ils modifièrent leur tactique. Ils décidèrent de continuer de zigzaguer, de tournicoter, de faire des nœuds et des boucles, mais en même temps d'attaquer les Perses quand ceux-ci chercheraient à ravitailler leurs troupes ou à trouver du fourrage pour leurs chevaux.

L'armée de Darius se trouve dans une situation de plus en plus pénible. Nous assistons à la confrontation de deux styles, de deux structures s'affrontant dans l'immensité de la steppe : l'une compacte, rigide, monolithique, l'autre souple, mobile, insaisissable. Une armée régulière contre des troupes faites de petites unités tactiques, d'ombres, de spectres, d'air et de transparence.

« Montrez-vous ! » s'écrie Darius dans le vide. Mais seul lui répond le silence de cette terre étrangère, incommensurable, infinie. A la tête d'une armée puissante au cœur de la steppe, Darius ne peut exploiter sa puissance, car celle-ci n'a de sens que si l'adversaire lui accorde de l'importance. Or cet adversaire refuse de pointer son nez.

Voyant que Darius s'est embourbé dans une impasse, les Scythes lui envoient un cadeau par l'intermédiaire d'un héraut : un oiseau, une souris, une grenouille et cinq flèches.

Dans la vie, chacun dispose de son propre réseau lui permettant de reconnaître et d'interpréter la réalité qui l'environne et qu'il reproduit le plus souvent de manière instinctive et machinale. Cette réalité toutefois ne correspond pas toujours au code de ce réseau ; elle est alors déchiffrée de façon erronée et, au bout du compte, faussement interprétée. L'homme se déplace de ce fait dans une réalité trompeuse, dans un univers de notions et de signes faux et mensongers.

C'est ce qui se produit avec le cadeau des Scythes.

Les Perses commencèrent à s'interroger sur le sens de ces étranges cadeaux. Darius pensait qu'ils représentaient la terre et l'eau, symboles de la reddition : « Le rat vit dans la terre, dit-il, où il se nourrit des mêmes produits que l'homme. La grenouille vit dans l'eau, l'oiseau ressemble au cheval par sa rapidité, et les flèches signifient sûrement que les Scythes vont nous remettre leurs armes. » Mais Gobyras, un Perse de l'entourage de Darius, les interpréta tout autrement : « A mon avis, ces cadeaux signifient ceci : si vous n'êtes pas capables de vous envoler dans le ciel comme cet oiseau, de vous cacher sous la terre comme ce rat, ou de disparaître au fond des marais comme cette grenouille, vous ne reviendrez jamais vivants chez vous, car vous serez frappés par ces flèches (L). »

Sur ces entrefaites, *les Scythes demeurés sur place se rangèrent en face des Perses avec leur infanterie et leur cavalerie pour leur livrer bataille (B).* Le tableau devait être impressionnant. Toutes les fouilles archéologiques, tout ce qui a été trouvé dans leurs kourganes où ils enterraient leurs morts avec leurs tuniques, leurs chevaux, leurs armes, leurs outils et leurs bijoux indiquent qu'ils possédaient des vêtements couverts d'or et de bronze, que leurs chevaux étaient harnachés de métaux minutieusement travaillés, qu'ils utilisaient des épées, des haches, des arcs et des carquois soigneusement ciselés et abondamment ornés.

Deux armées face à face. L'une perse, la plus grande du monde, l'autre scythe, petite, défendant les portes d'une contrée dont les profondeurs sont voilées par un rideau de neige blanc.

« La tension devait être extrême », pensé-je au moment où je suis interrompu dans ma lecture par l'arrivée d'un garçon : l'abbé Pierre m'attend à l'autre bout de la cour où, à l'ombre d'un manguier branchu, se dresse la table du déjeuner.

« Tout de suite ! Une petite seconde ! », m'écrié-je en

m'essuyant le front trempé par l'émotion et en poursuivant ma lecture :

> Les Scythes étaient tous à leurs postes lorsqu'un lièvre passa entre les deux armées ; et chacun d'eux, en l'apercevant, de se lancer à sa poursuite. Désordre et clameurs furent tels que Darius demanda ce qui provoquait un pareil tumulte dans les rangs ennemis. Quand il sut qu'ils pourchassaient le lièvre, il dit à ses confidents habituels : « Ces hommes nous tiennent en grand mépris et je crois maintenant que Gobyras avait raison, au sujet de leurs présents. Je suis désormais de son avis ; et nous avons bien besoin d'un bon conseil, si nous voulons nous tirer d'ici sains et saufs (B). »

Un lièvre ? Son rôle historique ? Les historiens s'accordent tous pour dire que ce sont les Scythes qui stoppèrent l'avancée de Darius sur l'Europe. Dans le cas contraire, l'histoire du monde aurait pris un cours différent. En fin de compte, la retraite de Darius fut décidée par l'histoire d'un lièvre : les Scythes, en le chassant avec insouciance sous les yeux des Perses, leur signifièrent qu'ils ignoraient leur armée, qu'ils la dédaignaient, qu'ils la tenaient en mépris. Et ce mépris, cette humiliation fut pour le roi des Perses un coup plus rude encore qu'une défaite à l'issue d'une grande bataille.

La nuit est tombée.

Conformément à l'habitude, Darius ordonne d'allumer des feux devant lesquels doivent rester les soldats trop épuisés pour poursuivre leur route : lambins, vagabonds, malades. Il ordonne d'attacher les ânes afin qu'ils braient et pour faire croire que la vie suit son cours dans le camp perse. Et, à la faveur de la nuit, il se retire à la tête de son armée.

Parmi les rois défunts et les dieux oubliés

Mon désir de rester encore un peu en compagnie de Darius explique la rupture chronologique de mon récit de voyages ; du Congo, en 1960, je me déplace donc vers l'Iran, en 1979, pays en pleine révolution islamique dirigée par un vieillard croulant sous les ans, sombre et inflexible, l'ayatollah Khomeiny.

Ce saut d'une époque à l'autre correspond à une tentation permanente chez l'homme de se sentir, ne serait-ce que provisoirement et de manière illusoire sans doute, maître et souverain du temps dont il est l'esclave et la victime, de le dominer, d'en regrouper et associer à sa guise différentes étapes, stades et périodes ou, au contraire, de les dissocier et de les déplacer.

Mais pourquoi Darius ? Il se trouve que, sous la plume d'Hérodote, presque tous les souverains orientaux se rendent coupables de crimes horribles. Parmi eux, pourtant, certains se distinguent par « autre chose », par des comportements parfois positifs et bons. C'est précisément le cas de Darius. D'un côté, il se conduit comme un assassin. A titre d'exemple, on peut citer le passage où il se lance avec son armée à l'assaut des Scythes : *Au moment même où l'armée s'ébranlait, un Perse, Oiobase, père de trois fils, tous trois mobilisés pour la campagne de Scythie, supplia Darius de lui en laisser au moins un. « Ta demande me semble raisonnable, répondit Darius. Pour la peine, je te les laisse même tous les trois ! » Le père, fou de joie, se voyait déjà chez lui, au milieu de ses trois fils. Hélas ! « Je vais lui laisser ses trois fils, dit Darius, mais pas au sens où il l'entend !* » Et il ordonna de les faire égorger tous les trois (L) !

D'un autre côté, en bon gestionnaire, il veille à la construction des routes, au bon fonctionnement des communications, bat la monnaie et soutient le commerce. Et surtout, dès qu'il ceint le diadème royal, il entreprend l'édification d'une ville magnifique, Persépolis, qui, par son importance et son éclat, peut être comparée à La Mecque ou à Jérusalem.

A Téhéran, je couvre les dernières semaines du shah. Immense, déployée sur un désert de sable, chaotique, la ville est totalement désorganisée. Des manifestations quotidiennes, interminables, paralysent la circulation. Des hommes – tous avec des cheveux noirs –, des femmes – toutes avec des tchadors – défilent sur des colonnes de plusieurs dizaines de kilomètres de long, scandant de leur poing les paroles de leurs chansons et de leurs slogans. Régulièrement, les rues et les places sont envahies par des blindés qui ouvrent le feu sur les manifestants. Ils tirent pour de bon, faisant des morts et des blessés qui s'effondrent au sol tandis que, poussée par une peur panique, la foule se disperse et se réfugie dans les maisons.

Des snipers tirent des toits. Un manifestant qui a été touché semble trébucher et pique du nez, mais il est aussitôt retenu par ses voisins et emporté sur le bord du trottoir, la manifestation poursuit sa route en agitant le poing en cadence. Parfois, en tête, défilent des jeunes filles et des jeunes gens vêtus de blanc, le front ceint de bandeaux blancs sur lesquels des inscriptions indiquent qu'ils sont des martyrs prêts à se sacrifier. Avant que le cortège s'ébranle, je m'approche d'eux pour essayer de lire l'expression de leurs visages. Ils n'expriment rien, rien en tout cas que je puisse décrire, rien que je puisse exprimer avec mes mots.

L'après-midi, les manifestations ont cessé, les commerçants ont ouvert leurs boutiques, les bouquinistes, qui pullulent ici, ont déployé dans les rues leurs collections. J'ai acheté deux albums sur Persépolis. Le shah s'enorgueillissait de cette ville où il organisait de grandes fêtes et festivals et conviait des hôtes du monde entier. Je suis, pour ma part, très motivé par cette visite, puisque Darius en est le fondateur.

Heureusement, le ramadan vient de commencer et le calme est revenu à Téhéran. J'ai trouvé la gare routière où j'ai acheté un billet pour Chirāz qui se trouve tout près de Persépolis. Je n'ai pas eu de difficulté à obtenir un billet, pourtant au départ le car est bondé, un Mercedes luxueux, climatisé, qui glisse sans bruit sur la chaussée. Des étendues de désert fauve, pierreux défilent, parfois ce sont des villages misérables, en argile, sans la moindre trace de verdure, des groupes d'enfants qui jouent, des troupeaux de chèvres et de moutons.

Aux arrêts, on nous sert toujours le même menu : une assiette de semoule de sarrasin friable, une brochette de mouton brûlante, un verre d'eau et, en guise de dessert, un gobelet de thé. Ne connaissant pas le farsi, je suis incapable de communiquer avec eux, mais l'atmosphère demeure agréable, les hommes sont aimables et sourient. Les femmes en revanche évitent mon regard. Je sais qu'elles n'ont pas le droit de regarder les hommes, mais, quand on s'attarde un peu parmi elles, il arrive que l'une d'elles ajuste son tchador de manière à laisser apparaître un œil, toujours noir, immense, brillant, serti de longs cils.

Dans l'autobus, j'occupe une place près de la fenêtre, mais, comme le paysage est monotone, je sors mon Hérodote et poursuis ma lecture sur les Scythes.

Tout Scythe qui a abattu son premier ennemi doit boire son sang. Il doit aussi rapporter au roi les têtes de ceux qu'il a tués, sous peine d'être privé du butin. La plupart du temps ces têtes sont scalpées : on incise le crâne en faisant le tour des oreilles, on le secoue de toutes ses forces jusqu'à ce que seule la peau vous reste dans les mains, on la récure soigneusement avec une côte de bœuf, on la pétrit pour l'assouplir, et on s'en sert comme essuie-mains. Chaque Scythe prend soin de l'attacher aux rênes de son cheval pour bien la montrer, la bravoure, en Scythie, étant proportionnelle au nombre de ses « essuie-mains ». D'autres confectionnent des manteaux en cousant ces peaux bout à bout, manteaux qu'ils portent sur les épaules à la façon des bergers. [...] Il faut dire que la peau de l'homme est d'un excellent effet, si blanche, si lustrée, si brillante (L) !

J'interromps ma lecture car soudain, derrière la fenêtre, surgissent des palmeraies, d'immenses champs verts, des immeubles, et plus loin des rues et des réverbères. Au-dessus des toits scintillent les coupoles des mosquées. Nous sommes à Chirāz, la ville des jardins et des tapis.

A la réception de l'hôtel, on m'a dit qu'il n'était possible de se rendre à Persépolis qu'en taxi et qu'il valait mieux partir juste avant l'aube afin de contempler le lever du soleil et les premiers rayons éclairant les ruines royales.

Un chauffeur m'attend devant l'hôtel et nous démarrons aussitôt. Le clair de lune me permet de voir que nous nous trouvons dans une plaine aussi plate que le fond d'un lac desséché. Après avoir roulé pendant une demi-heure sur une route déserte, Jafar – c'est le nom du chauffeur – s'arrête et sort du coffre de la voiture une bouteille d'eau. L'eau est glacée, à cette heure il fait un froid abominable, et je tremble tellement qu'il prend pitié de moi et m'enveloppe d'une couverture.

Nous nous comprenons par gestes. Il me montre que

je dois me laver le visage. Je m'exécute, puis je m'apprête à m'essuyer, mais il me fait comprendre que non : c'est interdit, un visage mouillé doit être séché par le soleil. Comprenant qu'il s'agit d'un rituel, j'attends patiemment que mon visage sèche.

Un lever de soleil sur le désert est toujours un spectacle lumineux, mystique parfois, durant lequel le monde, celui qui nous a quittés la veille pour sombrer dans la nuit, ressurgit subitement. Le ciel revient, la terre revient, les hommes reviennent. Tout se met à exister de nouveau, tout redevient visible : l'oasis toute proche, le puits. A cet instant émouvant, les musulmans tombent à genoux et récitent leur première prière du jour : Salat al-Subh. Mais leur ferveur se communique aux non-croyants, nul ne peut échapper à l'émotion suscitée par le retour du soleil sur la terre. Instant de fraternité œcuménique, unique et sincère !

Quand le jour commence à poindre, Persépolis surgit dans sa royale majesté. C'est une ville de temples et de palais en pierre, située sur une gigantesque esplanade creusée dans le versant d'une montagne qui se dresse brusquement, sans transition, juste là où se termine la plaine où nous nous tenons en ce moment. Le soleil me sèche le visage. Quel est le sens de ce rite ? A l'instar de l'homme, le soleil a besoin d'eau pour vivre. Si, en se réveillant, il voit qu'il peut puiser quelques gouttes sur un visage, il manifestera à l'égard de son propriétaire une plus grande clémence à l'heure où ses rayons seront le plus cruels, à midi notamment. Sa bienveillance se traduira par un cadeau sous forme d'ombre qu'il donnera par l'intermédiaire d'un arbre, d'un toit, d'une grotte... Nul n'ignore que, sans soleil, ces éléments ne recèlent aucune ombre. Ainsi, tout en nous frappant de ses rayons, le soleil nous fournit un bouclier protecteur.

Le même lever du jour devait accueillir Alexandre le Grand qui, deux siècles après la fondation de Persépolis par Darius, à la fin du mois de janvier de l'an 330 avant notre ère, se mit en route vers la cité, à la tête de sa puissante armée. Sans avoir jamais vu ses constructions, il connaissait leur splendeur et les richesses infinies qu'elles contenaient. Sur la plaine où nous nous trouvons en ce moment avec Jafar, Alexandre rencontra un groupe insolite : « Juste au-delà du fleuve, ils tombèrent sur une première délégation. Mais ces silhouettes déguenillées ne rappelaient en rien celles des opportunistes et collaborateurs élégants auxquels Alexandre avait eu affaire jusqu'à présent. Les cris de salutation qu'ils poussaient et les rameaux de doléance qu'ils agitaient prouvaient qu'ils étaient grecs : des hommes d'âge moyen ou avancé, peut-être des mercenaires jadis engagés du mauvais côté contre le terrible monarque Artaxerxés Ochos. Ils avaient une allure pitoyable, abominable, chacun d'eux étant horriblement mutilé : conformément à une méthode perse, ils avaient tous le nez ou les oreilles tranchés net, certains n'avaient plus de mains, d'autres plus de pieds. Tous avaient le visage défiguré par une tache. »

« Il s'agissait, explique Diodore, d'artistes ou d'artisans habiles et compétents ; on les avait amputés pour ne leur laisser que les extrémités dont ils avaient besoin pour exercer leur spécialité. »

Ces malheureux imploraient Alexandre de ne pas les rapatrier en Grèce, mais de les laisser sur place, à Persépolis, qu'ils avaient par ailleurs construite : en Grèce, avec leur apparence, « ils se seraient sentis exclus, tous sans exception, ils auraient fait l'objet de la pitié générale, ils auraient été les rebuts de la société ».

Nous arrivons à Persépolis.

Un escalier long et large mène à la ville. D'un côté, il est bordé par un bas-relief creusé dans un marbre gris sombre parfaitement poli, représentant des vassaux venus rendre hommage au roi et faire acte d'allégeance.

A chaque marche est affecté un vassal. Ils sont donc plusieurs dizaines à nous accompagner dans notre ascension et, après nous avoir remis entre les mains de leur voisin supérieur, ils demeurent sur place afin de surveiller leur propre marche. Ce qui est époustouflant, c'est la parfaite similarité de leurs figures, que ce soit dans l'aspect, les proportions ou la forme. Ils sont vêtus de riches tuniques descendant jusqu'au sol, portent des coiffes ondulées, un carquois décoré sur l'épaule, et tiennent devant eux une longue lance. L'expression de leur visage est grave et, bien qu'ils soient en position d'infériorité, ils marchent tous droit, dans une attitude empreinte de dignité.

La similitude des vassaux qui nous escortent dans notre escalade crée une sensation paradoxale de mouvement dans l'immobilité, car en montant, comme nous voyons constamment le même vassal, nous avons l'impression de faire du surplace, prisonniers d'un miroir invisible et trompeur. Nous finissons par atteindre le sommet et nous pouvons nous retourner. La vue est splendide : à nos pieds s'étend une plaine sans bornes, baignée à cette heure de la journée dans un soleil aveuglant, coupée par une seule route, celle qui mène à Persépolis.

Le décor induit deux situations psychologiques totalement opposées et contradictoires :

– du point du vue du roi : debout tout en haut de l'escalier, il contemple la plaine. A l'horizon, loin, très loin, il aperçoit des points, des grains de poussière, de minuscules graines, des miettes à peine visibles et identifiables. Le roi regarde, essaie de comprendre qui cela peut bien être. Les petits grains et les petites graines approchent, grossissent et prennent forme lentement. « Ce sont certainement des vassaux », pense le roi, mais la première impression étant toujours la plus importante, il assimile les vassaux à de petits grains et à de petites graines. Le temps passe, il aperçoit leurs silhouettes, le contour de leurs corps. « C'est bien ce que j'avais dit, déclare le roi, ce sont des vassaux, je dois me rendre au plus vite à la salle des Audiences pour m'installer sur le trône avant qu'ils arrivent (le roi ne s'adresse pas à ses sujets autrement que perché sur son trône) ;

– du point de vue opposé, c'est-à-dire de celui de tous les autres, y compris des vassaux : surgissant au fin fond de la plaine, ils aperçoivent au loin les bâtiments merveilleux, éblouissants de Persépolis, ses dorures et ses céramiques. Muets d'admiration, ils tombent à genoux (attitude sans aucun rapport avec l'islam qui ne pénétrera ici que mille ans plus tard). L'émotion passée, ils se relèvent, secouent la poussière de leur tunique, les mêmes grains que le roi a aperçus au loin. Au fur et à mesure qu'ils avancent et s'approchent de la cité, leur enthousiasme augmente parallèlement à un sentiment croissant de soumission, de misère, de vanité, de néant. « Oui, nous ne sommes rien, le roi peut faire de nous ce que bon lui semble, même s'il nous condamne à mort, nous accueillerons sa sentence sans dire un mot. » En revanche, s'ils en sortent sains et saufs, quelle promotion ! Leurs compatriotes s'exclameront en les regardant : « C'est l'homme qui a été reçu par le roi ! » Et plus tard : « C'est le fils de l'homme qui a été reçu par le roi ! » Et plus tard encore : « C'est le petit-fils... ! » « L'arrière-petit-fils... ! » Toute une famille à l'abri, sur des générations !

On peut marcher dans Persépolis pendant des heures entières. La ville est déserte et calme. Il n'y a ni guides, ni gardiens, ni commerçants, ni racoleurs. Jafar est resté en bas, je suis seul au milieu d'un immense cimetière de pierres. De pierres en forme de colonnes et de pilastres, de pierres sculptées dans des bas-reliefs et des portails. Aucune n'a de forme naturelle, pas une seule ne ressemble à une roche fichée dans le sol ou dans la montagne. Toutes sont soigneusement taillées, polies, équarries. Que d'efforts investis dans ce travail interminable ! Que de peine et de tourments subis par des milliers d'hommes ! Combien sont-ils à avoir péri pour avoir traîné ces rocs gigantesques ? Combien sont-ils à être tombés d'épuisement et de soif ?

En contemplant ces palais, ces temples, ces cités sans vie, on ne peut s'empêcher de s'interroger sur le destin de leurs bâtisseurs, sur leur douleur, leurs colonnes vertébrales brisées, leurs yeux crevés par des éclats de pierre, leurs rhumatismes, leurs vies gâchées, leurs souffrances. A leur tour, ces questions engendrent une autre interrogation : ces merveilles auraient-elles pu naître sans ces supplices ? Sans le bâton du surveillant ? Sans la peur qui hante l'esclave ? Sans la morgue qui habite le maître ? En un mot, les penchants négatifs et mauvais de l'homme ne sont-ils pas à l'origine du grand art du passé ? Mais, d'un autre côté, tout cela ne prouve-t-il pas que seuls la beauté, l'effort et la volonté de création sont susceptibles de vaincre le mal et la faiblesse humaine ? Tout cela ne prouve-t-il pas que la seule chose qui soit immuable, c'est la forme de la beauté et le besoin impérieux qu'elle suscite en nous ?

Je traverse encore une fois les propylées, la salle des Cent Colonnes, le palais de Darius, le harem de Xerxès, le grand Trésor. La chaleur étant insupportable, je n'ai plus de forces pour visiter le palais d'Artaxerxés, la salle des Conseils ainsi que les dizaines de monuments et ruines formant cette cité de rois défunts et de dieux oubliés. Je redescends le grand escalier en longeant le cortège de vassaux sculptés dans la pierre et venus rendre hommage à leur roi.

Nous rentrons à Chirāz avec Jafar.

Je me retourne : Persépolis devient de plus en plus petite. Peu à peu voilée par la poussière que soulève la voiture, elle finit par disparaître définitivement derrière un virage au moment où nous pénétrons dans la ville.

Retour à Téhéran.

Je retrouve ses foules de manifestants, ses chants et ses cris, les bruits de tirs et la puanteur des gaz, ses snipers et ses bouquinistes.

Je suis en compagnie d'Hérodote qui me raconte comment Mégabase, un général de Darius resté en Europe, se lance à la conquête de la Thrace, sur ordre de Darius. Parmi les habitants de cette contrée, il existe un peuple, écrit Hérodote, appelé les Trauses.

> Les Trauses ont en général les coutumes du reste de la Thrace, mais voici comment ils se comportent devant la naissance et la mort : la famille du nouveau-né se rassemble autour de lui et se lamente sur les maux qu'il devra subir puisqu'il est né, en rappelant toutes les calamités qui frappent les malheureux mortels ; mais le mort est mis en terre au milieu des plaisanteries et de l'allégresse générale, puisque, disent-ils, il jouit désormais de la félicité la plus complète, à l'abri de tant de maux (B).

Hommage à la tête d'Histiée

Après Persépolis et Téhéran, je regagne l'Afrique (en faisant un bond en arrière de vingt ans), mais, durant le trajet, je m'arrête en pensée dans le monde gréco-perse d'Hérodote, au-dessus duquel commencent à s'accumuler de lourds nuages.

De quoi s'agit-il ?

Darius ne parvient pas à vaincre les Scythes qui l'ont arrêté, lui, l'Asiate, aux portes de l'Europe. Le roi perse est désormais conscient qu'il ne pourra venir à bout de l'ennemi. Il est soudain pris de panique à l'idée d'être rattrapé et anéanti. C'est pourquoi il fuit, se retire à l'abri de la nuit, obnubilé par une seule pensée : quitter la Scythie et rentrer au plus vite en Perse. Il bat en retraite à la tête de son énorme armée aux trousses de laquelle les Scythes se lancent aussitôt.

Pour Darius, il n'existe qu'un seul chemin de retour : le pont sur le Danube, qu'il a lui-même fait bâtir au début de sa campagne et qui est gardé par des Ioniens (des Grecs d'Asie Mineure qui, à l'époque d'Hérodote, se trouvait sous domination perse).

Or voici comment vont évoluer les destinées du monde : les Scythes, qui connaissent tous les chemins de traverse et disposent de chevaux rapides, atteignent le pont avant les Perses et s'apprêtent à leur couper la route de retour. Ils exhortent les Ioniens à détruire le pont, afin d'en finir avec Darius et de recouvrer leur liberté.

La proposition devrait convenir aux Ioniens qui, aussitôt informés, réunissent un conseil. Le premier à prendre la parole est Miltiade qui s'exclame : « C'est merveilleux ! Faisons sauter le pont ! » Et tous de le soutenir (en fait, les membres du conseil ne sont pas des Ioniens, mais des tyrans, des mercenaires imposés par Darius à la population). Juste après l'intervention de Miltiade, Histiée de Milet prend la parole : *Histiée de Milet soutint l'avis contraire : chacun d'eux, déclara-t-il, exerçait chez lui la tyrannie grâce à Darius et, la puissance de Darius disparue, ils ne pourraient conserver leurs pouvoirs, ni lui à Milet, ni personne nulle part ; car chaque cité voudrait être une démocratie plutôt que d'obéir à un tyran. L'avis d'Histiée rallia aussitôt tous les suffrages, quand l'opinion de Miltiade avait d'abord prévalu (B).*

Ce revirement d'opinion est évidemment compréhensible : les tyrans se rendent bien compte que si Darius perd son trône (et sa tête, bien sûr), eux-mêmes perdront dès le lendemain leur siège (et leur tête, bien sûr). Aussi feignent-ils de détruire le pont, mais en réalité ils le préservent et aident Darius à regagner la Perse en toute sécurité.

Darius apprécie le rôle historique joué par Histiée à ce moment décisif et lui promet en récompense ce qu'il veut, sans toutefois l'autoriser à reprendre son poste de tyran à Milet. Il l'emmène finalement avec lui à Suse, capitale de la Perse, comme conseiller. Histiée étant cynique et ambitieux, mieux vaut le garder à l'œil, d'autant qu'il s'est acquis la réputation de sauveur de l'empire qui, sans sa voix devant le pont du Danube, n'existerait peut-être plus aujourd'hui.

Mais Histiée n'a pas joué sa dernière carte. En effet, le poste de tyran de Milet, principale ville de Ionie, est occupé par Aristagoras, son fidèle gendre. Lui aussi est ambitieux et avide de pouvoir. Tout cela se passe dans un contexte de mécontentement croissant parmi la population ionienne sous domination perse, voire de résistance à cette domination. Le beau-père et le gendre sentent instinctivement que le temps est venu d'exploiter ce terreau.

Mais comment se mettre d'accord, comment mettre au point un plan d'action ? Pour parcourir la route de Suse (où séjourne Histiée) jusqu'à Milet (où règne Aristagoras), un messager doit marcher trois mois durant à un rythme soutenu à travers des déserts et des montagnes. C'est l'unique moyen de communication entre les deux villes. C'est donc cette route qu'Histiée va emprunter : *Au même moment survint l'homme qu'Histiée lui envoyait de Suse, porteur d'un message tatoué sur son crâne par lequel Histiée, qui voulait le pousser à la révolte, n'avait trouvé qu'un seul moyen sûr de le prévenir, puisque les routes étaient surveillées : il fit raser la tête de son esclave le plus fidèle, lui tatoua son message sur le crâne et attendit que les cheveux eussent repoussé ; quand la chevelure fut redevenue normale, il fit partir l'esclave pour Milet et lui donna pour toute instruction d'inviter Aristagoras, comme je viens de le dire, à se révolter. Histiée agissait ainsi parce qu'il n'appréciait nullement son séjour forcé à Suse (B).*

Aristagoras fait part de l'appel d'Histiée à ses partisans. Tous l'écoutent et se prononcent pour l'insurrection. Il se met donc en quête d'alliés, car la Perse est beaucoup plus puissante que les Ioniens. Il commence par se rendre en navire à Sparte. Le roi de la ville s'appelle Cléomène qui, comme le note Hérodote, n'est pas en possession de toutes ses facultés mentales et manque de discernement. Quand il comprend qu'il est question d'une guerre contre le roi qui domine l'Asie entière et réside à Suse, il demande toutefois avec bon sens à quelle distance se trouve la capitale de l'empire. *Aristagoras s'était montré habile jusqu'alors et avait adroitement abusé son hôte, mais il commit ici une erreur : il aurait dû taire la vérité, puisqu'il voulait attirer les Spartiates en Asie ; or il répondit franchement qu'il fallait compter trois mois de route. Cléomène l'interrompit tout net, sans vouloir entendre le reste des explications qu'il s'apprêtait à lui donner* : « *Etran-ger de Milet, lui dit-il, sors de Sparte avant le coucher du soleil. Tes paroles n'ont rien qui puisse plaire aux Lacédémoniens, puisque tu veux les entraîner à trois mois de distance de la mer.* » *Sur ces mots, Cléomène se retira dans sa demeure (B).*

Après ce premier échec, Aristagoras se rend à Athènes, la ville la plus puissante de Grèce. Il change de tactique et, au lieu de discuter avec un chef, il s'adresse à la foule (conformément à la règle d'Hérodote selon laquelle *une multitude est sans doute plus facile à leurrer qu'un seul homme (B)*). Il exhorte les Athéniens à soutenir les Ioniens. *Les Athéniens l'écoutèrent et décidèrent d'en-voyer vingt navires au secours des Ioniens.* [...] *Avec ces navires commencèrent les malheurs et des Grecs et des Bar-bares (B)* (c'est-à-dire le début de la grande guerre gréco-perse).

Mais, au début, les opérations restent de modeste envergure. Elles commencent par le soulèvement des Ioniens contre les Perses, qui durera plusieurs années et sera réprimé dans le sang. En voici quelques scènes :

Scène 1 : Soutenus par les Athéniens, les Ioniens occupent et brûlent Sardes (deuxième ville de Perse après Suse).

Scène 2 (célèbre) : Au bout de deux ou trois mois, la nouvelle de l'insurrection finit par arriver aux oreilles de Darius, roi de Perse. *A cette nouvelle, dit-on, le roi, sans tenir compte des Ioniens, qu'il était bien sûr de châtier de leur révolte, demanda tout d'abord qui étaient ces Athéniens ; quand il le sut, il demanda son arc, le prit en main, le tendit, décocha une flèche vers le ciel et s'écria, en envoyant sa flèche dans les airs : « O Zeus, puissé-je me venger des Athéniens ! » Puis il donna l'ordre à l'un de ses serviteurs de lui répéter trois fois à chaque repas ces mots : « Maître, souviens-toi des Athéniens (B) ! »*

Scène 3 : Darius convoque Histiée dont il commence à se méfier, car c'est tout de même le gendre de ce dernier qui a provoqué la rébellion ionienne. Histiée nie et ment effrontément : « *Seigneur, que dis-tu là ? Moi, conseiller une action qui pourrait te nuire peu ou prou (B) !* » Et il reproche au roi de l'avoir entraîné à Suse : si lui, Histiée, était resté en Ionie, personne ne se serait révolté contre Darius. « *Laisse-moi maintenant partir au plus vite pour l'Ionie, afin d'y rétablir l'ordre et de remettre entre tes mains l'homme à qui j'ai confié Milet, le responsable de ces troubles (B).* » Darius se laisse convaincre, envoie Histiée à Sardes et lui demande de revenir à Suse après avoir accompli sa tâche.

Scène 4 : Entre-temps, Ioniens et Perses se partagent succès et revers, mais, plus nombreux et plus forts, les Perses prennent progressivement le dessus. Conscient du rapport de force, le gendre d'Histiée, Aristagoras, décide de se retirer de l'insurrection et de quitter l'Ionie. Hérodote manifeste à son égard un mépris souverain : *Aristagoras de Milet – un homme sans grand courage, on le vit bien –, après avoir soulevé l'Ionie et causé de si grands troubles, ne songeait plus qu'à fuir en voyant les événements ; il lui semblait d'ailleurs impossible de triompher du Grand Roi (B).* Dans cette scène, il convoque une assemblée de ses partisans et déclare que *le mieux était de prévoir quelque refuge au cas où ils seraient chassés de Milet... Il tint conseil avec ses partisans. Finalement Aristagoras s'embarqua pour la Thrace avec tous ceux qui voulurent le suivre et s'installa dans la région qu'il avait choisie. Il en sortit pour une expédition dans laquelle il périt avec toute son armée sous les coups des Thraces (B).*

Scène 5 : Libéré par Darius, Histiée arrive à Sardes et se présente au satrape Artaphrénès, neveu de Darius. Ils discutent : « *D'après toi, lui demande le satrape, pourquoi les Ioniens se soulèvent-ils ?* » Essayant de louvoyer, Histiée lui répond qu'il n'en a aucune idée. Mais Artaphrénès n'est pas né de la dernière pluie : « *Eh bien, Histiée, voici l'exacte vérité : Aritagoras a chaussé la sandale que tu avais confectionnée (B).* »

Scène 6 : Voyant que le satrape n'est pas dupe et que l'intervention de Darius ne serait d'aucun secours (trois mois pour que le messager se rende à Suse et obtienne de Darius un blanc-seing, trois pour revenir, six mois en tout), Histiée a le temps de se faire égorger cent fois par Artaphrénès. Histiée préfère donc fuir Sardes pendant la nuit en direction de l'ouest, vers la mer. Il faut plusieurs jours à Histiée pour gagner la côte. On peut l'imaginer mort de peur, se retournant sans cesse pour voir si les sbires d'Artaphrénès ne sont pas à ses trousses. Où dort-il ? De quoi se nourrit-il ? Nous l'ignorons. Une chose est sûre : il cherche à prendre la direction des opérations dans la guerre contre Darius. Histiée trahit donc pour la seconde fois : il a commencé par trahir la cause des Ioniens pour sauver Darius, puis il a trahi Darius pour prendre le commandement des Ioniens contre le roi.

Scène 7 : Histiée débarque sur l'île de Chios habitée par les Ioniens (une île magnifique dont je ne me lassais pas d'admirer la baie et les montagnes bleues se détachant sur la ligne de l'horizon. En général le drame se déroule dans un décor splendide.). Mais à peine a-t-il mis pied à terre que les Ioniens l'arrêtent et le jettent en prison. Soupçonné d'être au service de Darius, Histiée jure ses grands dieux que c'est faux, qu'il n'a qu'un seul désir : diriger une insurrection contre les Perses. Il finit par convaincre les Ioniens de Chios qui le libèrent, mais refusent de lui prêter appui. Conscient de son isolement et du caractère utopique de ses plans de grande guerre contre Darius, Histiée ne se donne pas pour vaincu, et surtout il garde ses espoirs. Assoiffé de pouvoir, obsédé par la manie de diriger, il demande aux habitants de Chios de l'aider à regagner le continent, Milet dont il fut naguère le tyran. Mais *les Milésiens, enchantés d'être délivrés d'Aristagoras, n'avaient pas la moindre envie de voir arriver chez eux un nouveau tyran, eux qui avaient goûté de la liberté. Aussi, au cours d'une tentative nocturne pour rentrer de force à Milet, Histiée fut-il blessé à la cuisse par un*

*Milésien. Repoussé de sa propre cité, il revint à Chios et,
comme il ne put décider les gens de Chios à lui fournir des
vaisseaux, il gagna Mytilène* [dans l'île de Lesbos] *où il en
obtint des Lesbiens (B).* Le grand Histiée, naguère gouverneur de l'illustre cité de Milet, récemment encore
conseiller de Darius, le Roi des Rois, erre maintenant
d'île en île à la recherche d'un refuge, d'un mot de ral-
liement, d'un appui. Quand il n'est pas contraint de fuir,
il est jeté dans une cellule, quand il n'est pas repoussé
des portes d'une ville, il est battu et blessé.

Scène 8 : Histiée ne capitule toujours pas, il veut garder la tête au-dessus de l'eau. Peut-être voit-il toujours
des spectres dans ses songes ? Peut-être fait-il des rêves
de puissance ? Toujours est-il qu'il fait encore assez
bonne impression pour se voir confier huit navires par
les habitants de Lesbos. A la tête de cette flotte, il se
dirige vers Byzance. *Ils armèrent huit trières et firent voile
avec lui vers Byzance ; établis là, ils s'emparaient des navires
en provenance du Pont, sauf de ceux dont les équipages se
disaient prêts à servir Histiée (B).* Sa déchéance se poursuit
puisque le voilà peu ou prou transformé en pirate de
mer.

Scène 9 : Histiée est informé que Milet, flambeau de
la rébellion ionienne, a été prise par les Perses. *Vainqueurs sur mer des Ioniens, les Perses assiégèrent Milet par
terre et par mer ; ils minèrent les remparts, employèrent des
machines de toutes sortes, et finalement ils prirent la ville,
cinq ans après la révolte d'Aristagoras, et réduisirent en esclavage ses habitants (B).*

Pour les Athéniens, la déroute de Milet est un coup
terrible. *Lorsque Phrynicos fit jouer son drame,* La Prise de
Milet, *l'auditoire tout entier fondit en larmes (B).* Le drama-
turge fut sanctionné par une amende draconienne de
mille drachmes et mis à l'index, car les autorités de la
ville d'Athènes estimaient que le but de l'art consistait à
remonter le moral du public tout en le distrayant et non
pas à raviver ses blessures.

La nouvelle de la chute de Milet provoque chez Histiée une réaction étonnante. Renonçant à la flibusterie, il vogue en compagnie d'habitants de Lesbos vers l'île de Chios. Veut-il se rapprocher de Milet ? Fuir encore plus loin ? Mais où ? Pour l'instant il organise un massacre dans l'île. *La garnison de l'île ne voulut pas le recevoir, et il lui livra bataille. [...] Il tua un bon nombre de gens et soumit le reste de la population (B).*

Mais ce massacre, qui ne résout rien, est seulement l'expression d'un réflexe de désespoir, de fureur, de folie. Il quitte l'île agonisante et fait voile vers Thassos, île de mines d'or située à proximité de la Thrace. Il assiège Thassos qui ne veut pas de lui et ne se rend pas. Abandonnant ses rêves d'or, il embarque pour Lesbos où les habitants lui réservent un meilleur accueil. Mais l'île est ravagée par la famine, et Histiée doit nourrir ses troupes. Il met donc le cap sur l'Asie afin de moissonner le blé en Mysie et donner une pitance à ses soldats. L'anneau se resserre, il ne sait plus où se réfugier. Il se trouve pris au piège, emprisonné au fond du gouffre. Mais la bassesse humaine ne connaît point de limites. L'homme médiocre s'enfonce, s'empêtre de plus en plus dans sa médiocrité, jusqu'au moment où il succombe.

Scène 10 : *Or le hasard fit qu'un Perse, Harpage, se trouvait dans cette région à la tête d'une armée fort importante : il attaqua Histiée à son débarquement, le fit prisonnier et lui massacra la plus grande partie de ses troupes (B).* Mais avant, juste au moment où il met pied à terre, Histiée tente de fuir : *arrêté dans sa fuite par un Perse qui s'apprêtait à le percer de son glaive, il s'écria en langue perse qu'il était Histiée de Milet (B).*

Scène 11 : Histiée est emmené à Sardes où Artaphrénès et Harpage le font empaler sous les yeux de la ville entière (la douleur doit être abominable !). Il est ensuite décapité, sa tête embaumée et expédiée au roi Darius à Suse (à Suse ! Après trois mois de route, à quoi pouvait bien ressembler sa tête, tout embaumée qu'elle fût ?).

Scène 12 : Darius est informé de toute l'histoire et reproche à Artaphénès et Harpage de ne pas lui avoir livré Histiée vivant. Après avoir fait laver les restes qu'on vient de lui porter, il les fait envelopper dignement et enterrer avec les honneurs.

Une manière pour Darius de rendre hommage à cette tête dans laquelle, des années plus tôt, face à un pont sur le Danube, était née une idée qui avait permis de sauver la Perse et l'Asie et, par la même occasion, son royaume et sa vie.

Chez le docteur Ranke

Les histoires décrites par Hérodote me captivaient à tel point que la menace croissante de conflit entre les Grecs et les Perses me bouleversait parfois plus que la guerre congolaise que j'étais censé couvrir. Néanmoins le pays du *Cœur des ténèbres* se rappelait constamment à mon bon souvenir : fusillades éclatant à droite et à gauche, menaces d'arrestation, bastonnades, morts, bref, partout régnait un douloureux climat d'incertitude, de confusion et d'imprévisibilité. Il fallait s'attendre au pire à chaque instant et dans chaque lieu. Plus aucun pouvoir, plus aucune autorité n'existait. Le système colonial s'était désintégré, les administrateurs belges avaient fui en Europe, et à leur place était apparue une force obscure, folle, le plus souvent sous la forme de gendarmes congolais ivres morts.

Preuve s'il en faut que la liberté sans ordre ni hiérarchie ou plus exactement l'anarchie sans éthique ni harmonie sont synonymes de péril. Dans un tel contexte, le mal, l'agressivité, la lâcheté, l'abrutissement, la bestialité prennent d'emblée le dessus. Le Congo n'échappait pas à cette règle. Toute rencontre avec un gendarme comportait un risque potentiel.

Ainsi, par exemple, je marche dans une ruelle de la bourgade de Lisali.

Le soleil brille, il n'y a personne, tout est calme.

Deux gendarmes marchent à ma rencontre. Je deviens blême, mais fuir n'a aucun sens, car je ne saurais pas où me réfugier. D'autre part, il fait une chaleur torride, je me traîne à peine sur mes jambes. Les gendarmes sont vêtus d'uniformes de combat, ils sont coiffés de casques qui leur couvrent la moitié du visage, ils sont armés jusqu'aux dents : arme automatique, grenades, couteau, lance-roquettes, matraque – panoplie du combattant modèle. Pourquoi tout cet attirail ? pensé-je en lorgnant leurs silhouettes puissantes, harnachées de surcroît de ceinturons et de courroies enguirlandées d'anneaux, de boucles, de crochets et de crampons.

En short et en chemisette, ces deux gars auraient sûrement l'air sympathique, ils me salueraient gentiment et m'indiqueraient la route avec amabilité. Mais leur uniforme et leur accoutrement assument une fonction bien précise, celle qui consiste à modifier leur nature, leur caractère et leur comportement, et surtout à rendre difficile, voire impossible, tout contact humain. En face de moi se tiennent non pas des êtres normaux, mais des créatures déshumanisées, des extraterrestres, des martiens.

Ils s'approchent et moi, je me couvre de sueur, mes jambes deviennent plus lourdes que le plomb. Le problème, c'est qu'eux et moi sommes parfaitement au courant des règles du jeu ; en l'absence de toute instance supérieure, de tout tribunal, leur verdict est sans appel. S'ils décident de me rouer de coups, ils me roueront de coups, s'ils décident de me tuer, ils me tueront. Le seul moment dans la vie où j'éprouve un sentiment de profonde solitude, c'est bien quand je me retrouve face à la violence gratuite. Le monde devient vide et silencieux, il se dépeuple et disparaît.

Par ailleurs, les protagonistes de cette scène jouée dans une ruelle d'une bourgade congolaise ne sont pas seulement deux gendarmes et un reporter. Dans cette pièce intervient tout un chapitre de l'histoire mondiale, qui les a jadis opposés l'un contre l'autre. Entre eux se dressent des générations de marchands d'esclaves, les sbires du roi Léopold qui ont tranché les mains et les oreilles aux aïeux de ces deux Congolais, des gardiens de plantations de coton et de sucre armés de gourdins et de bâtons. Des années durant, la mémoire de ces souffrances leur a été transmise par l'intermédiaire de récits et de légendes dont la fin ne manquait pas d'annoncer la venue d'un jour vengeur. Tous deux le savent aussi bien que moi.

Que va-t-il se passer ? La distance qui nous sépare ne cesse de se réduire.

Finalement ils s'arrêtent.

Je m'immobilise moi aussi. Sous l'arsenal de ferraille perce soudain une voix que je n'oublierai jamais à cause de sa tonalité humble, suppliante même :

« Monsieur, auriez-vous une cigarette, s'il vous plaît[1] ? »

Inutile de décrire l'empressement, le zèle, l'amabilité voire la serviabilité avec lesquels je plonge ma main dans ma poche pour m'emparer de mon paquet de cigarettes, le dernier, mais qu'importe, prenez-le donc, mes amis, prenez-les toutes, asseyez-vous et fumez-les tout de suite et jusqu'à la dernière !

Le docteur Ranke est heureux de l'issue de mon aventure, car ces rencontres se terminent souvent fort mal. Il arrive que les gendarmes ligotent leurs proies, qu'ils les rossent et les rouent de coups de pied. Sans parler des innombrables cas de décès ! Des Blancs et des Noirs viennent se faire soigner à son cabinet, quand il n'est pas obligé d'aller lui-même les chercher tant ils ont été maltraités. Les gendarmes n'épargnent aucune race, ils massacrent même les leurs, plus souvent même que les Européens. Occupants de leur propre pays, ces gens ne connaissent aucune mesure, aucune limite. S'ils ne me touchent pas, dit le docteur, c'est parce que je leur suis

---

1. En français dans le texte original (*N.d.T.*).

utile. « Quand ils sont ivres et qu'ils n'ont personne sous la main pour se défouler, ils se battent entre eux, puis ils viennent chez moi se faire recoudre la tête ou remettre les os en place. » Dostoïevski a décrit ce phénomène de cruauté gratuite, que l'on retrouve chez ces gendarmes, se souvient le docteur Ranke ; ils sont cruels sans aucune raison ni aucune nécessité.

Le docteur Ranke est autrichien et il vit à Lisali depuis la fin de la Seconde Guerre mondiale. Petit, fragile, mais alerte et infatigable malgré ses quatre-vingts ans ou presque. S'il garde la santé, selon lui, c'est parce que chaque matin, quand le soleil est encore bienveillant, il sort dans sa courette verdoyante et fleurie, s'assoit sur un tabouret et se fait frictionner le dos avec une brosse et une éponge par un domestique. Ce dernier y met tant de cœur que le médecin en gémit de douleur à moins que ce ne soit de satisfaction. Je suis réveillé par ces geignements, ces ébrouements et le rire joyeux des enfants assistant à la toilette du docteur, car les fenêtres de ma petite chambre donnent sur la scène.

Le docteur dirige un petit hôpital privé, une baraque peinte en blanc à côté de la villa où il demeure. Il n'a pas fui avec les Belges, car, dit-il, il est trop âgé et n'a plus de famille nulle part. De plus, étant connu de la population locale, il espère être défendu par elle. Il m'a accueilli chez lui, « à titre de protection », pour reprendre son expression. En tant que correspondant, je n'ai rien à faire, car la liaison avec le pays n'existe pas. Sur place, aucun journal ne sort, aucune station radio ne fonctionne et aucun pouvoir ne règne. Je voudrais bien partir d'ici, mais comment ? L'aéroport le plus proche, à Stanleyville, est fermé, les routes (c'est la saison des pluies) sont transformées en marais, le bateau ne circule plus depuis longtemps sur le fleuve Congo. Sur quoi puis-je compter ? Je me le demande ! Un peu sur la chance, un peu plus sur les gens qui m'entourent,

mais mon plus grand espoir repose sur une amélioration
de la situation dans le monde. Il s'agit certes d'une abstraction, mais il faut bien croire en quelque chose ! Je
suis néanmoins démoralisé, énervé, miné par la rage et
le désarroi, états fréquents dans notre profession où l'attente, vaine et désespérée, d'être enfin relié au pays ou
au monde absorbe souvent la majeure partie de notre
temps.

Quand, selon la rumeur, les gendarmes sont absents
de la ville, on peut partir en expédition dans la jungle.
Elle enserre le bourg de toutes parts, dresse ses remparts
dans toutes les directions, pareille à un épais rideau voi-
lant l'horizon. Seule une piste en latérite percée dans
l'épaisseur de ses murs permet de s'y aventurer. Il
n'existe aucun autre moyen de pénétrer dans cette forteresse imprenable – imbroglio de branches, de lianes, de
feuilles hérissées, marais puant et collant où l'on ne
manquerait pas de s'engluer dès le premier pas, sans
parler de la pluie d'araignées, de coléoptères et de che-
nilles qui s'abattrait immanquablement sur votre tête. Si
l'idée de pénétrer dans la forêt vierge effraie le profane,
elle n'effleure à aucun instant l'indigène. La jungle rappelle la mer ou des montagnes rocheuses, un monde
clos, séparé, indépendant.

Personnellement elle m'emplit toujours de terreur.

La peur qu'un rapace ne bondisse soudain de ses
entrailles, qu'un serpent venimeux ne m'attaque à la
vitesse de l'éclair ou que des flèches ne me sifflent aux
oreilles me paralyse.

En général, quand je me dirige vers le monstre de
verdure, je suis rattrapé par une troupe de gosses désireux de m'accompagner. Ils sont joyeux, ils rient, ils folâ-
trent. Mais, dès que la piste s'engage dans la forêt, ils
deviennent silencieux, graves. Peut-être s'imaginent-ils
des fantômes, des spectres, des sorcières surgissant des
ténèbres de la jungle, prêts à les enlever parce qu'ils

n'ont pas été sages. Aussi préfèrent-ils rester tranquilles et prudents.

Parfois, nous nous arrêtons au bord du chemin, à la lisière de la forêt. Il y règne une semi-obscurité, l'air est saturé de parfums étourdissants. Là, en bordure, on n'aperçoit aucun animal, on n'entend aucun oiseau. Seuls le clapotement de gouttes tombant sur les feuilles, de mystérieux murmures résonnent dans le silence. Les enfants aiment venir ici, ils se sentent chez eux et connaissent tout : les plantes que l'on peut arracher et mordiller, celles qu'il est interdit de toucher, les fruits que l'on peut manger et ceux qu'il ne faut cueillir pour rien au monde. Ils savent que les araignées sont dangereuses alors que les lézards sont inoffensifs. Ils savent aussi qu'il faut marcher la tête levée vers les branches, car un serpent peut s'y nicher. Ayant observé le comportement des filles, je recommande aux garçons de leur obéir, car elles sont plus sérieuses et prudentes. La petite expédition que nous formons se déplace dans une gigantesque cathédrale dans laquelle nous nous sentons des lilliputiens.

La villa du docteur Ranke se trouve au bord de la route qui traverse le nord du Congo, parallèlement à l'équateur, et qui mène au golfe de Guinée, *via* Bangui et Duala, pour s'arrêter plus ou moins à hauteur de Fernando Po, à plus de deux mille kilomètres. Naguère partiellement asphaltée, la route n'est plus que lambeaux de bitume. Je l'emprunte souvent par une nuit sans lune (les ténèbres tropicales sont denses et impénétrables), mais je me déplace avec lenteur, en traînant des semelles pour bien sentir le terrain.

Mes semelles frottent le macadam : chchchchchch.

Avec vigilance, avec prudence, car les trous, les creux, les renfoncements, les fondrières sont innombrables. Quand des colonnes de réfugiés y passent pendant la nuit, un cri retentit soudain : l'un d'eux s'est effondré dans une fosse profonde et s'est cassé la jambe.

A propos des réfugiés : tous sont devenus des réfugiés. Depuis l'indépendance en 1960 et les troubles, les luttes tribales et la guerre qui l'ont accompagnée, les routes ont été submergées par un flot de réfugiés. Qui dit conflit, dit gendarmes, armée et milices qui se battent. Les civils quant à eux, essentiellement des femmes et des enfants, fuient. Leurs itinéraires sont difficiles à suivre. En général, il s'agit de s'éloigner au maximum du théâtre des opérations, pas trop toutefois pour éviter de se perdre et pouvoir rentrer à la maison le cas échéant. Par ailleurs, il est important que sur la route de la fuite on puisse trouver de quoi se nourrir. Car ce sont des gens misérables, qui ne possèdent que deux ou trois bricoles : les femmes une robe en percale, les hommes une chemise et un pantalon, ainsi qu'une toile pour se couvrir la nuit, une casserole, un gobelet, une assiette en plastique. Le tout dans une bassine.

Ce qui prime dans le choix de l'itinéraire, ce sont les relations intertribales : le chemin traverse-t-il un territoire ami ou, hélas, mène-t-il chez l'ennemi ? Tous ces villages de bord de route et ces clairières sont en effet habités par divers clans et tribus dont les relations complexes et embrouillées exigent un savoir subtil que chacun emmagasine depuis l'enfance. Il permet de vivre dans une sécurité relative, d'éviter des conflits. La région où je me trouve actuellement est habitée par des dizaines de tribus qui forment des unions et des confédérations, chacune avec des coutumes et des règles connues d'elles seules. L'étranger que je suis est incapable de s'y retrouver, de les regrouper, de les classer. Comment pourrais-je connaître les relations existant entre les Mwaka et les Pande ? Les Bandja et les Baya ?

Mais eux les connaissent. Leur vie dépend de ce savoir.

Ils connaissent le sentier sur lequel Untel a planté des épines empoisonnées, ils savent où est enterrée une hache.

Nota bene : d'où vient cette multitude de tribus ? Il y a encore cent cinquante ans, l'Afrique en comptait dix mille. Sur la même route, le premier village sur lequel on tombe est habité par la tribu Tulama, puis un deuxième par les Arusi. D'un côté du fleuve vivent les Murle, de l'autre les Topota. Au sommet de telle montagne vit telle tribu, au pied de la même montagne, une tribu complètement différente.

Chacune parle sa langue, possède ses coutumes, ses dieux.

Comment en est-on arrivé là ? Comment une diversité aussi incroyable, une richesse aussi invraisemblable a-t-elle pu éclore ? Par quoi cela a-t-il commencé ? Quand ? A quel endroit ? Selon les anthropologues, tout a démarré par un ou plusieurs groupes de trente à cinquante individus environ. Plus petit, il n'aurait pas pu se défendre, plus grand il aurait été incapable de subvenir à ses besoins. Personnellement, j'ai rencontré en Afrique de l'Ouest deux tribus dont chacune ne comptait guère plus de cent personnes.

Soit. Trente ou cinquante individus, l'embryon de la tribu. Mais pourquoi ce noyau doit-il avoir sa propre langue ?

Comment l'esprit humain a-t-il pu inventer une quantité aussi inouïe de langages ?

Chacune avec son propre lexique, sa propre morphologie, sa propre syntaxe, etc. Je comprends parfaitement qu'un peuple d'un million d'habitants fasse l'effort de créer son propre mode d'expression. Mais, dans le bush africain, on a affaire à de petites tribus qui survivent à peine, qui vont nu-pieds, éternellement affamées. Pourtant elles manifestent suffisamment d'ambition, de compétence, d'imagination, de sensibilité artistique et de mémoire pour concevoir une langue particulière, propre, pour eux tout seuls.

Ils ne s'inventent d'ailleurs pas seulement une langue ; dès le début de leur existence, ils se créent des dieux personnels, uniques, irremplaçables. Pourquoi ne commencent-ils pas par un seul dieu au lieu de s'en choisir tout un panthéon ?

Pourquoi l'humanité doit-elle vivre des milliers et des milliers d'années pour finir par aboutir à l'idée d'un dieu unique ?

Cette idée ne devrait-elle pas s'imposer d'emblée ?

Revenons à la thèse des anthropologues : au début, il n'y a qu'un petit groupe, à la rigueur quelques petits groupes qui avec le temps croissent et se multiplient. Il est tout de même curieux que ce groupe qui ne cesse de grandir, ne songe pas à regarder autour de lui, à observer la situation qui l'environne, à écouter la langue avec laquelle les hommes communiquent ! Non, dès le départ, ce petit groupe arrive avec sa propre langue, avec sa propre cohorte de dieux, avec son propre univers de coutumes. Dès le départ, il manifeste de manière ostentatoire sa différence.

Avec les ans, les siècles, ces groupes embryonnaires ne cessent de grossir. Et les hommes, les langues et les dieux commencent à se sentir à l'étroit sur ce continent.

Où qu'il se trouvât, Hérodote s'efforçait toujours de noter le nom des tribus, leur localisation et leurs coutumes. Qui ? Où ? A côté de qui ? Telles étaient les questions qu'il se posait sans cesse, car, à l'époque, la connaissance du monde en Libye et en Scythie, à l'instar de ce qui se passe aujourd'hui au nord du Congo, se pratiquait horizontalement, et non pas verticalement, à vol d'oiseau, synthétiquement. Je connais mes voisins les plus proches, rien de plus. Quant à eux, ils connaissent leurs propres voisins qui, eux, connaissent les leurs, et ainsi de suite jusqu'à ce que nous arrivions au bout du monde. Mais qui est là pour rassembler et classer toutes les pièces du puzzle ?

Personne.

Elles sont impossibles à réunir.

En lisant ces listes de tribus et coutumes qui s'étendent sur des pages entières du livre d'Hérodote, on s'aperçoit que les voisins cohabitent selon le principe de la contradiction. D'où la quantité d'hostilités et de luttes opposant tous ces peuples. Dans le petit hôpital du docteur Ranke, j'observe le même phénomène. Etant donné que toute la famille reste au chevet du malade jour et nuit, les clans ou les tribus occupent des chambres différentes, l'essentiel étant que chacun se sente chez soi et qu'ils ne se jettent point des sortilèges les uns sur les autres.

J'essaie discrètement de définir leurs singularités. En me promenant dans l'hôpital, je jette un œil dans les chambres, ce qui n'est pas difficile car, dans ce climat brûlant et humide, les portes restent grandes ouvertes. A première vue, les gens se ressemblent, ils sont pauvres et apathiques, mais, en prêtant l'oreille, on remarque qu'ils parlent des langues différentes. Si on leur sourit, ils répondent, mais au lieu d'illuminer leur visage, leur sourire est fugace.

L'atelier du maître

Puisque l'occasion se présente, je quitte Lisali. L'occasion ! C'est ainsi qu'on voyage en Afrique ; sur la piste, déserte pendant des jours et des jours, surgit soudain une voiture. A sa vue, notre cœur se met à battre la chamade. Quand elle s'approche, on l'arrête d'un geste de la main : « Bonjour, monsieur[1] !, disons-nous aimablement au chauffeur. Avez-vous une place, s'il vous plaît ? lui demandons-nous avec espoir. Non, bien évidemment, car la voiture est toujours bourrée. Déjà entassés comme des sardines, les passagers se serrent instinctivement encore plus, sans mot dire, docilement, et nous voilà repartis, installés dans les positions les plus invraisemblables ! Lorsque la voiture reprend la route, nous demandons à notre voisin le plus proche s'il connaît la destination de notre équipée. Cette question reste sans réponse précise, car tout le monde l'ignore. Nous allons là où nous pourrons aller !

Bien vite on se rend compte que chacun semble vouloir aller le plus loin possible. La guerre ayant surpris la population dans les recoins les plus reculés du Congo, énorme pays privé de voies de communication, tous ceux qui sont partis à perpète chercher du travail ou rendre visite à leur famille souhaitent désormais rentrer chez eux, mais ils ne savent comment s'y prendre. Le seul moyen consiste à profiter des voitures qui se

---

1. En français dans le texte original (N.d.T.).

présentent et se dirigent plus ou moins dans la direction où se trouve leur maison. Du moment qu'on avance !

On rencontre beaucoup de gens qui sont sur les routes depuis des semaines, voire des mois. Ils ne disposent pas de cartes, mais quand bien même ils en consulteraient une, ils seraient sans doute bien en peine d'y repérer le nom de leur village ou de leur petite ville, car la plupart ne savent pas lire ! Ce qui surprend chez ces vagabonds égarés, c'est leur apathie, leur passivité face à tout ce qu'ils rencontrent sur leur chemin. L'occasion de partir se présente, ils partent. Elle ne se présente pas, ils s'assoient sur une pierre en bord de route et attendent. J'ai été particulièrement frappé par l'absence totale de sens de l'orientation chez certains et leur incapacité à faire le lien entre les noms de lieux qu'ils rencontraient. Perdus, ils allaient dans la direction opposée à celle de leur maison. Mais comment auraient-ils pu connaître l'itinéraire à suivre ? Dans la localité où nous nous trouvions, nul n'avait entendu parler de leur village natal.

A ce stade d'égarement et de détresse, mieux vaut rester ensemble, en groupe, en tribu. Certes, il devient impossible dès lors de compter sur une voiture de fortune, et il ne reste plus qu'à marcher des jours et des semaines durant, marcher toujours et encore. Spectacle banal que ces clans et tribus qui défilent ensemble, colonnes qui s'étirent en longueur. Sur la tête ils portent tout leur patrimoine, dans des balluchons, des bassines ou des seaux. Ils gardent toujours les mains libres, car elles sont indispensables au maintien de l'équilibre et utiles pour chasser les mouches et les moustiques, pour essuyer aussi la sueur du visage.

Lors d'une halte au bord du chemin, on peut entamer la conversation avec eux. Ils répondent volontiers s'ils le peuvent. Si on leur demande où ils vont, il disent : « A Kindu, à Kongolo, à Lusambo. » Si on leur demande où se trouvent ces villages, ils sont embarrassés, car comment expliquer à un étranger où se trouve Kindu ? Parfois certains montrent la direction, vers le sud. Si on leur demande si c'est loin, ils sont encore plus embarrassés, car ils n'en savent rien. Si on leur demande qui ils sont, ils disent qu'ils font partie de la tribu des Yeke, des Tabwa, ou alors des Lunda. Sont-ils nombreux ? De nouveau la question les laisse perplexes : si on interroge des jeunes, ils disent de s'adresser à de plus vieux ; si on interroge des vieux, ils se mettent à se quereller.

D'après la carte dont je dispose (*Afrique. Carte générale*, Berne, éditée par la société Kummerly & Frey, sans date), je me trouve entre Stanleyville et Irunu, cela signifie donc que je me dirige peu ou prou vers l'Ouganda, pays encore calme, plus précisément vers Kampala où je compte me connecter avec Londres et, de là, envoyer mes dépêches à Varsovie. Dans notre profession, le plaisir et la fascination du voyage cèdent en effet toujours le pas à un élément essentiel : la connexion avec l'agence centrale et l'envoi d'informations courantes et essentielles. Quoi qu'il advienne, nous devons remplir notre mission. De Kampala, j'espère me rendre à Nairobi, puis à Dar es-Salaam et Lusaka d'où je gagnerai Brazzaville, Bangui, Fort-Lamy, etc. Des plans, des intentions, des rêves que mon doigt trace sur une carte déployée sur la table à laquelle je suis installé, dans la véranda d'une splendide villa noyée sous les bougainvilliers, les sauges et les géraniums grimpants, qu'un Belge, propriétaire d'une scierie désormais désaffectée, a abandonnée. Des enfants debout autour de la maison scrutent le Blanc avec attention et en silence. Il s'en passe des choses bizarres sur Terre ! Les anciens viennent de nous dire que les Blancs avaient fait leurs bagages, or les voilà de retour !

Le voyage africain n'en finit pas de durer, les lieux et les dates finissent par s'embrouiller tant le continent foisonne, tourbillonne, déborde d'événements. Je voyage et j'écris, avec le sentiment qu'autour de moi se déroulent des choses importantes et uniques qui méritent d'être écrites, même sous forme de notes.

A mes moments de liberté, si j'en ai encore la force, j'essaie de lire *West African Studies* que Mary Kingsley, voyageuse perspicace et efficace, écrivit en 1901, *Bantu Philosophy*, livre intelligent de l'abbé Placide Tempels publié en 1945, ou le livre profond et réfléchi de l'anthropologue Georges Balandier, *Afrique ambiguë* (Paris, 1957). Sans oublier bien sûr Hérodote.

J'ai pourtant délaissé pour un temps ses histoires sur les hommes et les guerres pour me pencher sur son atelier. Comment travaille-t-il ? Qu'est-ce qui le captive ? Comment s'adresse-t-il aux gens ? Que leur demande-t-il ? Comment écoute-t-il leurs récits ? Pour moi, c'est important, car je traverse une période où je tente de percer le mystère de l'art du reportage. Or Hérodote représente pour moi une référence utile et précieuse. Hérodote et les hommes qu'il rencontre m'intriguent dans la mesure où le contenu de nos reportages provient essentiellement des hommes, la qualité de notre texte est tributaire de notre relation à autrui, de la nature et de la température de cette relation. Nous dépendons des hommes, et le reportage est peut-être le genre littéraire le plus collectif.

Néanmoins, en lisant des livres sur Hérodote, je remarque que les spécialistes étudient exclusivement son texte, sa concision et sa solidité. La manière dont il a rassemblé toute la matière première qui lui a servi à écrire ses enquêtes et dont il a par la suite tissé sa gigantesque tapisserie ne semble guère les intéresser.

Mais, au fur et à mesure que je lis les *Histoires*, ma sympathie, voire mon amitié pour son auteur ne cessent de s'amplifier. J'éprouve plus de mal à me passer de lui que de son livre. Sentiment complexe que je ne saurais décrire avec précision. Car il s'agit d'une amitié pour un homme que je ne connais pas, mais qui m'envoûte et m'attire par sa relation aux autres, par sa manière d'être, sa faculté de faire naître, de créer, de souder une communauté humaine grâce à sa seule présence.

Hérodote est l'enfant de sa culture et du climat favorable au sein duquel celle-ci s'est développée. Culture des longues tables d'hôtes où les convives viennent s'asseoir en grand nombre par une douce soirée afin de déguster des fromages et des olives, boire du vin frais, discuter. Cet espace ouvert qu'aucun mur ne vient limiter, en bord de mer ou sur un versant montagneux, libère l'imagination humaine. Ces rencontres offrent aux conteurs l'occasion de participer à des joutes, des tournois spontanés où l'emportent ceux dont les récits sont les plus captivants, les plus extraordinaires. Les faits s'y mêlent à la fantaisie, les temps et les lieux se mélangent, les légendes naissent, les mythes se développent.

En lisant Hérodote, on sent qu'il participait volontiers à ces banquets dont il était un auditeur attentif et fervent. Il devait avoir une mémoire phénoménale. Déformés par le progrès technique, les hommes contemporains que nous sommes souffrons d'un terrible handicap, nous paniquons dès que nous n'avons plus sous la main un livre ou un ordinateur pour suppléer à notre mémoire défaillante. Fort heureusement, certaines sociétés sont encore là pour démontrer la prodigieuse capacité de la mémoire humaine. Hérodote faisait partie de cet univers. Le livre y était extrêmement rare, les inscriptions sur les pierres et les murs plus exceptionnelles encore.

Il n'y avait que les hommes, ainsi que les messages qu'ils se communiquaient directement, de personne à personne. Pour vivre, l'homme devait sentir à ses côtés la présence d'un autre homme, il devait le voir et l'entendre. Il n'existait pas d'autre forme de communication, et par conséquent d'autre possibilité de vivre. Cette civilisation de transmission orale les rapprochait, ils savaient que l'Autre n'est pas seulement celui qui les aide à se nourrir et à se défendre contre l'ennemi, il est aussi l'être unique et irremplaçable qui peut expliquer le monde et en être le guide.

Cette langue antique, celle de Socrate, du contact direct, est d'une richesse incroyable comparée à la nôtre ! Les mots n'en sont pas les seuls composants, les éléments non-verbaux y jouent un rôle parfois plus important : une expression du visage, un geste de la main, un mouvement du corps. Hérodote le comprend et, en reporter ou ethnologue qui se respecte, il s'efforce de rester en contact avec ses héros afin non seulement d'écouter leur récit, mais aussi d'observer leur manière de raconter et leur comportement.

La conscience d'Hérodote est dédoublée, déchirée : il sait que la mémoire de ses interlocuteurs est la source la plus importante et pratiquement exclusive du savoir, mais, d'un autre côté, il est conscient que la mémoire est une matière fragile, instable, volatile, fuyante. Aussi travaille-t-il dans la hâte, car les hommes finissent par oublier, partir dans la nature ou mourir. Or il souhaiterait collecter le maximum de données fiables.

Conscient d'avancer sur un terrain incertain et instable, il reste prudent dans sa narration, émet constamment des réserves, s'entoure de précautions rhétoriques :

> Gygès fut le premier roi barbare qui ait, à ma connaissance, envoyé des offrandes à Delphes (L).
> Il voulut gagner, d'après ce que l'on raconte, l'Ithaque.
> Venons-en à présent aux coutumes des Perses, à celles du moins que j'ai pu observer.
> Personne n'a jamais rapporté sur ces régions de renseignements précis. [...] J'indiquerai tout de même ce que j'ai recueilli sur ces régions, limites extrêmes où ont pu s'étendre mes enquêtes (L).
> D'après les informations que j'ai pu obtenir.

Je rapporte ce qui m'a été raconté sur ces pays lointains.

Est-ce la vérité ? Je l'ignore, j'écris seulement ce que j'ai entendu.

Je suis incapable de dire précisément qui parmi les Ioniens fit preuve de lâcheté et qui au contraire se distingua par sa bravoure au cours de cette bataille, car ils s'accusent mutuellement.

Hérodote sait que le monde qui l'environne est constitué d'éléments incertains et de connaissances fragiles. Aussi justifie-t-il souvent ses lacunes, les explique-t-il, s'en excuse-t-il :

Quant à celui qui fait appel au merveilleux et invoque l'Océan pour expliquer les crues, il nous dispense de le réfuter ! Je n'ai jamais entendu parler d'un fleuve Océan. Ce doit être, à coup sûr, une invention d'Homère ou de quelque poète antérieur (L).

Qu'y a-t-il au-delà de cette terre... nul ne le sait précisément : je n'ai en effet pas réussi à rencontrer de témoin oculaire.

Quant au nombre exact des Scythes, je l'ignore car les avis à ce sujet sont totalement contradictoires.

Dans la mesure du possible, il s'efforce toujours de vérifier, de remonter à la source, de confronter les faits, ce qui, pour l'époque, exige des efforts gigantesques et une totale abnégation :

Malgré tous mes efforts, je n'ai rencontré personne ayant vu de ses propres yeux s'il y a une mer au nord de l'Europe.

Apparemment, ce temple est le plus ancien des temples consacrés à Aphrodite, du moins d'après les informations que j'ai recueillies.

J'ai cependant voulu en savoir un peu plus long sur cette question auprès de gens compétents, et je suis allé à Tyr en Phénicie, où se trouvait, dit-on, un sanctuaire célèbre d'Hercule. [...] Je me suis mis en rapport avec les prêtres du dieu et leur ai demandé [...] « Depuis la fondation de Tyr », me répondirent-ils, donc depuis deux mille trois cents ans, ce qui n'est pas conforme à l'avis des Grecs (L).

Je suis allé aussi dans une région d'Arabie, aux environs de la ville de Bouto, pour y avoir des précisions sur les serpents volants. J'y vis effectivement des ossements et des vertèbres de serpents, en telle quantité qu'il était impossible de les dénombrer (L).

[Au sujet de l'île Chemmis.] D'après les Egyptiens, il s'agirait d'une île flottante. Je ne l'ai jamais vue personnellement flotter ni bouger un tant soit peu, et... (L).

Mais de mon avis, ces récits sont un pur délire, car j'ai vu moi-même que...

D'où détient-il son savoir ? De ce qu'il a entendu, de ce qu'il a vu :

Je ne raconte que ce que les Libyens eux-mêmes m'ont rapporté.

S'il faut en croire les Thraces, les abeilles sont maîtresses de toutes les régions qui s'étendent au-delà de l'Istros (B).

Tout ce que j'ai dit jusqu'à présent provient de mes enquêtes et de mes témoignages personnels, de ce que j'ai pu voir et juger par moi-même. A partir de maintenant, je me contenterai de transcrire ce que m'ont dit les Egyptiens et de rapporter le plus fidèlement possible leurs récits (L).

Libre à qui trouve la chose croyable d'accepter ce récit : moi, je ne fais que transcrire fidèlement, comme je l'ai déjà expliqué, ce que j'entends dire de tous côtés (L).

Je demandai alors aux prêtres si ce que l'on raconte en Grèce sur la guerre de Troie est ou non sans fondement. Voici leur réponse, d'après, me dirent-ils, les informations données par Ménélas en personne (B).

Ces Colchidiens des bords du Phase sont, en effet, manifestement de race égyptienne. C'est une chose que je pensais depuis longtemps, et que d'autres témoignages sont venus confirmer. [...] Je l'avais supposé moi-même, en voyant leur teint foncé et leurs cheveux crépus (ce qui, à vrai dire, n'est pas une preuve absolue...) et surtout parce qu'ils sont le seul peuple, avec les Egyptiens et les Ethiopiens, à pratiquer la circoncision (L).

J'adopterai dans mon récit l'opinion de certains Perses, qui cherchent moins à glorifier Cyrus qu'à dire la vérité, bien que je connaisse trois autres versions de cette histoire (B).

Hérodote s'étonne, s'émerveille, s'enthousiasme ou s'effraie. Mais quand certains faits lui paraissent invraisemblables, il le dit, car il connaît la propension de l'homme à se laisser emporter par son imagination :

> Les mêmes prêtres affirment que Dieu lui-même fréquente le sanctuaire, ce qui ne me paraît pas vraisemblable.
> Le roi [Rhampsinite] se résolut à placer sa fille dans une maison close – ce que je trouve vraiment peu croyable – avec ordre d'accepter sans distinction tous les clients (L).
> Les Chauves prétendent – mais je n'en crois rien – que des hommes aux pieds de chèvre habitent ces montagnes et que, plus loin encore, on trouve des hommes qui dorment pendant six mois de l'année : ce sont des fables que je rejette entièrement (B).

> [Au sujet des Neures qui parviennent à se transformer en loups.] Pour ma part, je n'en crois rien, mais ils vous soutiennent la chose avec insistance, et au besoin par des serments (L).

> [Au sujet de statues tombées à genoux devant des hommes.] Cette histoire ne me semble guère plausible, mais peut-être certains y croient.

> [Le premier mondialiste de notre histoire se gausse de l'ignorance de ses contemporains.] Et je ris quand je vois ces innombrables *Descriptions de la Terre* dont aucune ne contient une seule description censée. Ces gens décrivent froidement que la Terre est entourée entièrement par l'océan, qu'elle est ronde, comme façonnée

au tour, que l'Asie et l'Europe ont la même étendue, etc. Je crois donc utile de résumer brièvement les dimensions de chaque continent et leur configuration globale (L).

Et après avoir présenté l'Asie, l'Europe et l'Afrique, il clôt sa description du monde par une constatation empreinte de perplexité : *Mais je ne puis comprendre ce qui a fait donner à la Terre, qui est une, trois noms différents, des noms de femmes (B).*

Déchiré par les oiseaux et par les chiens

En Ethiopie, où je suis arrivé par des chemins détournés – *via* l'Ouganda, la Tanzanie et le Kenya –, je suis souvent véhiculé par un chauffeur qui s'appelle Negusi. Il est petit et mince. Son cou maigre et gonflé de veines supporte une tête grosse mais bien faite. Voilés par une taie brillante, ses immenses yeux noirs de jeune fille romantique fascinent. Negusi est d'une propreté maniaque ; à chaque arrêt, il frotte soigneusement ses vêtements avec une brosse qu'il porte toujours sur lui. Ce n'est vraiment pas un luxe car, pendant la période sèche, le pays est submergé de sable et de poussière.

Mes voyages avec Negusi (nous avons parcouru ensemble des milliers de kilomètres dans des conditions difficiles et risquées) me montrent une fois de plus la richesse du langage humain. Il suffit de savoir observer et de déchiffrer. Nous sommes habitués à réduire la communication au verbe, écrit ou parlé, oubliant qu'il ne s'agit là que d'un mode d'expression parmi d'autres. En effet, tout parle : le visage et les yeux, les gestes des mains et les mouvements du corps, les ondes qu'il envoie, les vêtements et la manière dont ils sont portés, ainsi que des dizaines d'autres émetteurs, transmetteurs, amplificateurs et amortisseurs qui constituent l'être humain et sa chimie, pour reprendre une définition des Anglais.

La technique, qui réduit les échanges humains au

signal électronique, appauvrit et éteint ce riche langage non-verbal par lequel Negusi et moi communiquons constamment sans même nous en rendre compte, assis tout près l'un de l'autre. Cette langue basée sur des expressions du visage et des gestes subtils est beaucoup plus sincère et vraie que la langue écrite ou parlée, car elle tolère difficilement le mensonge et l'hypocrisie. La culture chinoise a sans doute élaboré l'art du visage immobile, du masque impénétrable et du regard vide afin que l'homme puisse dissimuler des pensées dangereuses et se mettre à l'abri derrière ce rempart.

Negusi ne connaît que deux mots anglais : « problem » et « no problem ».

Mais, dans les situations les plus difficiles, ces deux mots nous permettent de nous comprendre. Ajoutés à la langue non-verbale que tout être humain porte en lui, à condition toutefois d'être capable de bien observer l'autre et de le sonder, ils nous suffisent pour ne pas nous sentir perdus et étrangers, pour pouvoir voyager ensemble.

Dans le désert de Goba, une patrouille militaire nous arrête. Ici, les soldats sont sans foi ni loi, avides, souvent ivres. Autour se dressent des montagnes rocheuses, un désert mort et inhabité. Negusi se lance dans les négociations. Je vois qu'il donne des explications, il met la main sur son cœur. Les militaires répliquent, ajustent leurs mitraillettes, enfoncent leurs casques sur le front, deviennent encore plus menaçants. « Negusi, problem ? » Ma question peut susciter deux réponses : soit il me répond sur un ton léger « no problem » et, tout content, il reprend la route, soit il me dit d'un ton grave voire effrayé « problem ! » et je dois sortir dix dollars qu'il donne aux soldats en guise de laissez-passer.

Brusquement, sans raison apparente, car la route et ses environs sont déserts et morts, Negusi paraît inquiet, il gigote et se retourne sans cesse. « Problem, Negusi ? »

« No », répond-il en continuant de se retourner. Mais je vois bien qu'il est énervé. Dans la voiture, l'atmosphère devient tendue, il m'a communiqué sa peur. Sur quoi allons-nous tomber ? Une heure passe, et tout à coup, juste après un virage, Negusi se détend et, tout heureux, se met à tapoter le rythme d'une chanson amharique sur le volant de la voiture. « Negusi, no problem ? » « No problem ! », répond-il aux anges. Plus tard, dans la première bourgade où nous nous arrêtons, j'apprends que nous avons parcouru un tronçon de route infesté de bandes de pillards et d'assassins.

Ici, les gens vivent complètement refermés sur eux-mêmes, ils ne connaissent pas l'Afrique, ils ne connaissent même pas leur propre pays, en revanche ils connaissent le moindre sentier, le moindre arbre, le moindre caillou de leur minuscule patrie, des terres de leur propre tribu. Ces lieux n'ont pour eux aucun secret, car, depuis leur enfance, ils ont appris à les connaître en les parcourant à pied en long et en large dans les ténèbres, tâtant de la main les rochers et les arbres dressés le long du chemin, cherchant de leurs pieds nus les méandres des sentiers.

Negusi me fait traverser la terre des Amhares comme s'il s'agissait de son coin. Il est pauvre, mais l'immensité des espaces dont il est seul à connaître les limites lui procure une immense fierté.

J'ai soif. Negusi s'arrête au bord d'un petit ruisseau et m'invite à puiser son eau fraîche et cristalline.

« No problem ! », s'écrie-t-il en voyant mes hésitations à boire cette eau, et il y plonge sa grande tête.

Je m'apprête à m'asseoir sur des rochers qui se dressent non loin de là, mais Negusi m'en empêche :

« Problem ! », me met-il en garde en me montrant d'un zigzag de la main que des serpents peuvent s'y nicher.

Toute expédition au fin fond de l'Ethiopie est bien évidemment un luxe. En général, mon quotidien consiste en effet à réunir des renseignements, à écrire des dépêches et à me rendre à la poste d'où le télégraphiste de service expédie mon courrier à l'agence PAP de Londres (cela revient moins cher que de l'envoyer directement à Varsovie). La collecte d'informations me prend beaucoup de temps. Pénible et incertaine, c'est une chasse dont on revient souvent bredouille. Ici, il n'existe qu'un seul journal de quatre pages, le *Ethiopian Herald* (en province, j'ai souvent assisté à la scène suivante : un car arrive d'Addis-Abeba avec à son bord des passagers et un exemplaire de l'*Ethiopian Herald*, puis les gens se rassemblent sur la place du marché et le maire ou l'instituteur du coin lit à voix haute des articles en langue amharique ou résume leur contenu en anglais. Tout le monde tend l'oreille, l'ambiance est à la fête : le journal de la capitale est arrivé !).

L'Ethiopie est gouvernée par un empereur, les partis politiques, les syndicats, l'opposition parlementaire sont inexistants. Certes, il y a la résistance érythréenne, mais elle est lointaine, au nord, dans des montagnes inaccessibles. Il y a aussi le mouvement d'opposition somalien, mais il est loin lui aussi, dans l'inaccessible désert de l'Ogaden. On peut bien sûr se rendre dans ces deux endroits, mais le voyage durerait plusieurs mois ; par ailleurs, étant le seul correspondant polonais à couvrir l'Afrique entière, je ne peux pas me permettre de disparaître dans les fins fonds du continent.

Où prendre les informations ? Les collègues des agences riches – Reuters, AP ou AFP – engagent des interprètes, mais je n'en ai guère les moyens. Dans leur bureau ils disposent tous d'une radio puissante : des postes américains Zenith, Transoceanic, d'où ils peuvent recevoir des informations de la planète entière. Mais ces postes coûtent une fortune, et je ne peux qu'en rêver. La seule chose qui me reste à faire, c'est marcher, interroger, écouter, engranger, grappiller et enfiler les informations, les opinions, les histoires comme les perles d'un collier. Mais je ne me plains pas, car cette approche me permet de connaître beaucoup de gens et d'apprendre des choses que ni la presse ni la radio ne racontent.

Quand le continent africain est calme, je m'entends avec Negusi pour aller sur le terrain. Nous ne pouvons pas nous permettre de nous aventurer trop loin, car il est facile de disparaître pendant des jours ou des semaines entières. Nous pouvons néanmoins nous enfoncer sur cent ou deux cents kilomètres, juste avant les grandes montagnes. Par ailleurs, à l'approche des fêtes de Noël, l'Afrique entière, y compris les musulmans, connaît une immense trêve. Que dire de l'Ethiopie, pays chrétien depuis seize siècles ! « Va à Arba Minch ! », me conseille-t-on sur un ton de conspiration et avec une telle conviction que le nom même du lieu prend dans mon esprit un sens magique.

En effet, l'endroit est extraordinaire. Sur une plaine plate et déserte, dans un défilé profond entre les lacs Abaya et Chamo, se dresse un baraquement peint en blanc, Bekele Mole Hotel. Chaque chambre donne sur une longue varangue dont le seuil touche les rives du lac et d'où l'on peut plonger dans ses eaux vert émeraude qui, selon l'orientation des rayons du soleil, passent du bleu azur au verdâtre ou au violet pour virer le soir au bleu foncé et au noir.

Le matin, un garçon vêtu d'une tunique blanche installe sur la véranda un fauteuil et une table massive sculptés dans le bois. Tout est calme, l'eau, les acacias, et au loin les imposants monts Amaro vert sombre. Ici, l'homme se sent roi.

J'ai emporté avec moi un paquet de journaux avec des articles sur l'Afrique, mais, de temps à autre, pour me soustraire aux tensions et à la nervosité de mon travail de journaliste, je tends la main vers mon inséparable Hérodote qui me sert d'échappatoire, de tremplin vers un univers de paix, de sérénité et de silence émanant d'événements passés, de personnages absents et parfois imaginaires, fictifs, fugaces. Mais, en ce moment, mon espoir de vivre une trêve n'est qu'un mirage, car le monde de mon ami grec est balayé par des péripéties graves et menaçantes, à l'horizon s'accumulent les nuages d'une tempête historique, d'un ouragan funeste.

Jusqu'à présent, Hérodote m'a emmené très loin dans ses voyages, aux confins de son monde, chez les Egyptiens et les Massagètes, les Scythes et les Ethiopiens. Suspendant pour un temps ses expéditions et abandonnant ces frontières lointaines, il déplace le théâtre des opérations vers la partie orientale du Bassin méditerranéen, là où la Perse et la Grèce, et plus largement l'Asie et l'Europe se rencontrent, autrement dit là où se trouve le centre de la Terre.

Dans la première partie de son œuvre, Hérodote a édifié une sorte d'amphithéâtre gigantesque à ciel ouvert dans lequel il a fourré des dizaines, voire des centaines de nations et tribus d'Asie, d'Europe et d'Afrique, toute l'espèce humaine qu'il connaissait, puis il dit : « Maintenant, regardez bien, car sous vos propres yeux va se jouer le plus grand drame de la planète ! » Tout le monde a donc les yeux rivés sur la scène où, effectivement, dès le premier acte, l'action prend une tournure dramatique.

Le vieux Darius, roi des Perses, prépare une grande guerre contre la Grèce afin de venger les terribles défaites de Sardes et de Marathon (Hérodote sait bien que, si l'homme est humilié, il ne vivra plus que du désir de se venger). Il entraîne l'empire tout entier, l'Asie tout entière dans ces préparatifs. Mais il n'a pas le temps d'aller au bout de son entreprise, car il meurt en 485 (année présumée de la naissance d'Hérodote), après trente-six ans de règne. A l'issue de moult disputes et intrigues, c'est son jeune fils, Xerxès, qui monte sur le trône, le favori de son épouse et désormais sa veuve,

Atossa, dont Hérodote dit qu'elle ébranla l'empire tout entier.

Xerxès poursuit l'œuvre paternelle (préparatifs de guerre contre les Grecs), mais d'abord il envisage d'attaquer l'Egypte, puisque les Egyptiens se sont insurgés contre l'occupation perse et veulent déclarer leur indépendance. Le Perse considère que l'écrasement du soulèvement égyptien est plus urgent que l'expédition contre les Grecs, qui, elle, peut attendre. Tel est l'avis de Xerxès, que ne partage pas le très influent Mardonios, un cousin plus âgé et neveu du défunt Darius. Selon lui, mieux vaut conquérir en premier lieu la Grèce (Hérodote soupçonne Mardonios de vouloir en devenir le satrape) : « *Maître, il est inadmissible que les Athéniens, après tout le mal qu'ils ont fait aux Perses, jouissent de l'impunité (B) !* »

Hérodote nous explique qu'avec le temps Mardonios parvient à convaincre Xerxès. Pourtant le roi des Perses se lance d'abord à l'assaut de l'Egypte, il écrase la rébellion, réduit de nouveau le pays à l'esclavage, et c'est seulement après qu'il décide de partir à la conquête de la Grèce. Conscient toutefois de la gravité de la situation, il *réunit les principaux personnages de son royaume pour les consulter et les mettre officiellement au courant de ses projets (B).* Il leur fait part de son plan de conquête du monde : « *Perses [...] les peuples que Cyrus, Cambyse et mon père Darius ont vaincus et ajoutés à leurs terres, on n'a pas à les rappeler à qui les connaît bien. Pour moi, du jour où je suis monté sur ce trône, j'ai songé à ne pas être inférieur aux rois qui m'ont précédé, à ne pas étendre moins qu'eux la puissance des Perses... Voilà pourquoi je vous ai réunis en ce jour, pour vous faire part de mes desseins. J'ai l'intention de joindre par un pont les deux rives de l'Hellespont et de mener mes armées contre la Grèce, en traversant l'Europe, pour châtier les Athéniens du mal qu'ils ont fait aux Perses et à mon père [...] et je ne m'arrêterai pas avant d'avoir pris et réduit en cendres*

Athènes. [...] Si nous soumettons ce peuple et ses voisins [...], nous donnerons pour bornes à la terre des Perses le firmament de Zeus : le soleil ne verra plus une seule terre limiter la nôtre... Telle est la situation, à ce que l'on m'apprend : il n'est pas de cité humaine, il n'est pas de peuple au monde qui puisse engager la lutte avec nous lorsque nous serons débarrassés de ceux que j'ai dits. [...] Ainsi, les nations coupables envers nous tomberont sous notre joug, et les autres aussi (B). »

Mardonios prend à son tour la parole. Afin de s'attirer les bonnes grâces de Xerxès, il commence par des flatteries : « *Maître, tu es au-dessus de tous les Perses qui aient jamais existé, et des générations futures aussi (B).* » Après cette introduction rituelle, il tente de démontrer à Xerxès que la victoire sur les Grecs ne présente pas la moindre difficulté : « No problem ! », semble dire Mardonios convaincu. Il prétend notamment que « *les Grecs ont l'habitude de se lancer dans les guerres les plus folles, sans réflexion ni prudence. [...] Contre toi, seigneur, qui donc va résister et batailler, quand tu mèneras toutes les forces de l'Asie et tous ses navires ? A mon avis, l'audace des Grecs ne va pas si haut (B).* »

Un silence de plomb fait suite à son intervention : *les Perses, muets, n'osaient exprimer un avis contraire à celui qu'ils venaient d'entendre (B).*

C'est compréhensible ! Essayons de nous représenter la situation : nous nous trouvons à Suse, capitale de la Perse. Dans la salle du palais royal, fraîche et aérée, trône le jeune Xerxès et, autour de lui, sur des bancs de pierre, les *principaux personnages de son royaume* qu'il a convoqués. L'ordre du jour de l'assemblée porte sur une bataille décisive pour le monde : si cette guerre est gagnée, la planète entière appartiendra au roi des Perses.

Seulement, le champ de cette bataille se trouve loin de Suse ; trois mois de marche accélérée sont nécessaires pour parcourir la distance entre la capitale de l'empire et Athènes. Difficile pour les Perses réunis en assemblée de s'imaginer le déroulement des opérations. Mais ce n'est pas pour cette raison qu'ils ne se risquent pas à exprimer un point de vue contraire. En effet, malgré leur importance, leur influence, leur statut d'élite de l'élite, ils sont parfaitement conscients de vivre dans un Etat autoritaire et despotique et qu'il suffit d'un geste de Xerxès pour que leur tête tombe. Ils restent donc assis sans broncher en s'essuyant la sueur du front. Ils ont peur de prendre la parole. L'ambiance doit rappeler celle des séances du Politburo dirigé par Staline. Les enjeux sont les mêmes : la carrière, mais surtout la vie.

L'un d'eux cependant peut se risquer à s'exprimer sans crainte. C'est le vieil Artabane, le frère du défunt Darius, l'oncle de Xerxès. Il commence néanmoins en s'entourant de précautions rhétoriques : « *Seigneur, si l'on n'entend le pour et le contre, on ne peut choisir le parti le meilleur (B).* » Il rappelle alors qu'il a naguère déconseillé au père de Xerxès et à son frère Darius l'expédition contre les Scythes de crainte qu'elle ne se termine mal. Et ces avertissements se sont avérés. Concernant les Grecs, la situation est encore pire ! « *Toi, seigneur, tu veux attaquer des hommes bien supérieurs encore aux Scythes, qui passent pour les meilleurs combattants sur mer et sur terre (B).* »

Il recommande donc au roi de réfléchir, de bien peser le pour et le contre de cette conquête. Il critique Mardonios qu'il taxe de va-t-en-guerre, et il lui propose : « *Que le roi demeure, lui, sur la terre des Perses et mettons en gage, nous, la vie de nos enfants : toi, Mardonios, prends le commandement de l'expédition, choisis tes soldats à ton gré, toutes les troupes que tu voudras. Si tu donnes au roi la victoire que tu lui promets, mes enfants seront exécutés et moi aussi, mais si mes prévisions se réalisent, tes enfants subiront cette peine, et toi avec eux si tu en reviens. Si tu n'acceptes pas mes conditions, et si néanmoins tu conduis nos armées contre la Grèce, un jour, je l'affirme, l'un des Perses demeurés dans cette ville entendra dire que Mardonios a jeté les Perses* dans un terrible malheur et gît, déchiré par les oiseaux et par les chiens, quelque part sur la terre des Athéniens (B). »

La tension monte dans l'assemblée, tous saisissent l'importance de l'enjeu. Xerxès entre dans une fureur noire, traite Artabane de *misérable lâche*, le punit en lui interdisant de l'accompagner à la guerre. « *Reculer n'est plus possible, ni d'un côté, ni de l'autre ; frapper ou être frappé, voilà toute la question, et l'enjeu, c'est tout ce pays soumis aux Grecs, ou le leur là-bas soumis aux Perses : la haine entre nous n'admet pas d'autre solution (B)* », se justifie-t-il.

Et il dissout l'assemblée.

La nuit vint, et Xerxès alors se sentit troublé par l'avis d'Artabane ; il demanda conseil aux ténèbres et comprit clairement qu'il n'avait aucun intérêt à marcher contre la Grèce ; cette nouvelle résolution prise, il s'endormit profondément. Or, cette nuit-là, disent les Perses, il eut une vision : il crut voir devant lui un homme de haute taille et de belle figure qui lui adressait ces mots : « Eh quoi ! tu changes d'avis, Perse, tu renonces à ton expédition contre la Grèce ?... Allons ! garde les décisions que tu as prises à la lumière du jour, et ne change pas de route. » Sur ce, Xerxès crut voir l'homme s'envoler (B).

Au lever du jour il convoque une autre assemblée : il déclare alors qu'il a changé d'avis et qu'il n'y aura pas de guerre. *Quand les Perses entendirent ces paroles, au comble de la joie ils se prosternèrent devant lui.*

Mais la nuit suivante le même songe revint hanter le sommeil de Xerxès : « Fils de Darius, lui dit l'apparition, voilà donc comment aux yeux des Perses tu renonces à ton projet et tu te moques de mes paroles, comme si je n'étais rien ? Entends-moi bien : si tu ne te mets pas en route immédiatement, voici ce qui t'arrivera : tu as obtenu grandeur et puissance en peu de temps, mais il n'en faudra pas davantage pour te rabaisser (B).

Impressionné par cette vision nocturne, Xerxès bondit de son lit et envoie un messager à Artabane. Il lui fait part des cauchemars qui lui ont fait suspendre sa décision d'attaquer la Grèce : « *Maintenant que j'ai fait volte-face et changé d'avis, un songe me hante et s'oppose absolument à mes projets ; il me quitte à l'instant, et il m'a adressé de terribles menaces. S'il me vient d'un dieu qui se réjouit tout particulièrement de voir une expédition attaquer la Grèce, le même songe ira te visiter, toi aussi, pour te donner les mêmes ordres qu'à moi (B).* »

Artabane tente de calmer Xerxès : « *Mais il n'y a rien là, mon enfant, qui vienne du ciel !... Ce que l'on voit en rêve, c'est d'ordinaire ce qui nous préoccupe dans la journée. Or, les jours précédents, nous nous sommes occupés, nous, de cette expédition, et n'avions pas autre chose en tête (B).* »

Xerxès ne parvient pas à se calmer toutefois, la vision le harcèle, lui ordonne de se lancer dans la guerre. Puisque Artabane ne le croit pas, il lui propose de revêtir la tenue royale, de s'asseoir sur son trône, puis, la nuit, de se coucher dans son lit royal. Artabane s'exécute... *et, dans son sommeil, l'apparition qui avait visité Xerxès vint le trouver et lui dit, planant sur sa tête : « C'est donc toi qui veux détourner Xerxès de marcher contre la Grèce, et pour son bien, dis-tu ? Tu n'échapperas pas au châtiment, pas plus à l'avenir qu'aujourd'hui, si tu essaies d'empêcher ce qui doit être.* »

Ces menaces, Artabane crut les entendre de la bouche de l'apparition qui, lui sembla-t-il, s'apprêtait à lui brûler les yeux avec un fer rouge. Il poussa un hurlement, bondit hors de son lit et alla s'asseoir au chevet de Xerxès pour lui conter tous les détails de son rêve. [...] « Mais puisque la volonté d'en haut se manifeste, puisque le ciel veut, semble-t-il, perdre la Grèce, moi aussi je modifie mon attitude et je change d'avis... »

Xerxès, bien résolu désormais à faire cette campagne, eut alors en son sommeil une troisième vision ; il consulta les Mages et ceux-ci jugèrent qu'elle concernait la terre tout entière : tous les hommes, déclarèrent-ils, deviendraient ses esclaves. Voici son rêve : il s'était vu couronné d'une branche d'olivier, et les rameaux nés de cet olivier avaient embrassé la terre entière ; puis la couronne placée sur sa tête avait disparu (B).

« Negusi, dis-je, le matin, en commençant à faire mes bagages. Nous rentrons à Addis-Abeba.

— No problem ! », me répondit-il de bon gré, avec un sourire découvrant ses merveilleuses dents blanches.

Xerxès

« Le bout du chemin ne se voit qu'à la fin. »
HÉRODOTE.

De retour à Addis-Abeba, la scène de la vision nocturne m'a longtemps hanté. Son message est pessimiste,
fataliste : l'homme n'est pas libre de ses actes. Il porte
en lui son destin comme un code génétique, il doit aller
là où sa prédestination lui commande d'aller, faire ce
qu'elle lui a dit de faire. Existence supérieure, omnipo-
tente et omniprésente, elle se situe au-dessus de tout,
même du Roi des Rois, même des dieux. La vision nocturne qui apparaît à Xerxès n'a pas une apparence
divine. Avec un dieu encore, on peut pactiser, on peut
ne pas lui obéir, on peut même essayer de le tromper,
alors que, avec le destin, c'est impossible. Apparaissant
sous une forme anonyme, sans nom ni traits précis, le
destin se contente de mettre en garde, de donner des
consignes ou de menacer.
Quand intervient-il ?
L'homme dont le destin est écrit une fois pour toutes
doit seulement déchiffrer le scénario de son existence et
l'exécuter point par point. S'il l'interprète mal ou s'il
essaie de le modifier, le destin lui apparaîtra dans une
vision et commencera par le menacer du doigt ; si sa
mise en garde n'est guère suivie d'effet, le destin se
charge d'attirer le malheur sur la tête du vaniteux et de
le châtier.

La soumission au destin est donc une condition essentielle de survie. Xerxès commence par accepter son rôle qui consiste à se venger des Grecs qui ont méprisé les Perses et son père. Il leur déclare la guerre, jure qu'il n'aura point de cesse qu'il n'ait conquis et brûlé Athènes. Mais, après avoir écouté la voix de la raison, il change d'avis, réfrène ses élans guerriers, remet à plus tard ses plans d'invasion, recule. C'est justement le moment que la vision choisit pour refaire son apparition : « Fou que tu es, semble-t-elle lui dire, n'hésite pas ! Ton destin est d'attaquer les Grecs ! »

Au début, Xerxès tente d'ignorer cet incident nocturne, de le considérer comme une illusion, de le maîtriser. Mais son attitude irrite et indigne la vision qui, désormais furieuse et menaçante, le hante de nouveau sur son trône, dans son lit. Xerxès cherche une issue de secours, car il craint que le poids des responsabilités ne le rende fou. En effet, la décision qu'il doit prendre présidera aux destinées du monde et aura des répercussions sur des milliers d'années comme le montrera la suite des événements. Il fait donc appel à son oncle Artabane : « Aide-moi ! », le supplie-t-il. Celui-ci commence par lui conseiller d'ignorer le songe : nos rêves sont hantés par les pensées qui nous ont occupés pendant la journée, c'est tout. Autrement dit, tout cela n'est que superstition, semble-t-il lui dire.

Les arguments d'Artabane ne convainquent toutefois pas le roi ; la vision ne le quitte pas, au contraire, elle devient de plus en plus persistante et inconciliable. Pour finir, même Artabane, homme raisonnable et sage, rationnel et sceptique, s'incline devant la vision ; non seulement il s'incline, mais de l'incrédule inconditionnel qu'il était, il se transforme en défenseur et exécutant zélé des ordres du destin : « Puisqu'il faut attaquer les Grecs, attaquons-les ! Sans tarder ! » Le pouvoir des esprits l'emporte donc sur le pouvoir des choses.

Les cauchemars nocturnes de Xerxès peuvent inspirer

au Perse ou au Grec moyen toutes sortes de pensées :
« Dieux du ciel ! Si une personnalité aussi importante
que le Roi des Rois, le maître du monde, n'est qu'un
pion entre les mains du destin, qui suis-je donc moi-
même, petit homme de rien du tout, vanité des vanités,
minuscule grain de poussière ! » Au fond, cette histoire
ne peut que le réjouir, le soulager, voire le rendre opti-
miste.

Xerxès est une étrange personnalité. Bien qu'il soit
le maître du monde pendant une certaine période
(Athènes et Sparte cependant lui résistent, ce qui l'empêche de dormir), nous ne savons pas grand-chose sur
lui. Il monte sur le trône à l'âge de trente ans. Il est avide
de pouvoir, de pouvoir absolu, sur tout et sur tous (le
titre d'un reportage, dont j'ai malheureusement oublié
le nom de l'auteur, me revient à l'esprit : « Maman, un
jour aurons-nous tout ? »). Tel est précisément l'état
d'esprit de Xerxès : il veut tout posséder. Personne ne
s'oppose à lui, toute résistance est passible de mort.
Dans un tel climat de consentement tacite, il suffit d'une
voix contradictoire pour que le souverain éprouve de
l'inquiétude, qu'il hésite. C'est ce qui arrive avec l'intervention d'Artabane. Xerxès a tant perdu de sa superbe
qu'il écoute son oncle et décide de reculer. Tant que ces
problèmes, ces débats, ces tergiversations se déroulent
au niveau humain, tout va bien. Mais dès que cet univers terrestre est visité par une force supérieure, déter-
minante, tout le monde suit cette voix. Le destin doit
être exécuté, il est impossible de le modifier ou de l'éviter même s'il doit tous les précipiter dans le gouffre.
Conformément aux ordres du destin, Xerxès part en
guerre. Il est conscient que sa force, sa force majeure, la
force de l'Orient, la force de l'Asie, consiste dans le
nombre, l'énorme masse humaine qui, par son seul
poids et sa seule fougue, va écraser et broyer l'ennemi
(des scènes de la Première Guerre mondiale me

reviennent à l'esprit : en Mazurie, les généraux russes envoyaient à l'assaut des positions allemandes des régiments entiers dont seulement une partie étaient armés de fusils, sans munitions de surcroît).

Pendant quatre ans, il se consacre à lever son armée, une armée internationale qui recrute dans ses rangs tous les peuples, les tribus et les clans de l'empire. Leur seule énumération occupe plusieurs pages du livre d'Hérodote selon lequel cette armée (infanterie, cavalerie et flotte) compte plus de cinq millions d'hommes. Sans doute exagère-t-il. Quoi qu'il en soit, l'armée est énorme. Comment la nourrir ? Comment l'abreuver ? Ces hommes et ces bêtes devaient boire sur leur chemin des fleuves desséchés. Fort heureusement, il paraît que Xerxès ne mangeait qu'une fois par jour. Si le roi et, avec lui, toute son armée avaient dû manger deux fois par jour, toute la Thrace, la Macédoine et la Grèce auraient été transformées en désert, les populations locales auraient péri, décimées par la faim.

Hérodote est fasciné par ce cortège militaire, ce fleuve vertigineux d'hommes, de bêtes et de matériel, de costumes et d'armes, car chaque peuple porte son propre uniforme. Le pittoresque et la variété de cette foule gigantesque est difficile à décrire : *Après ces dix chevaux paraissait le char sacré de Zeus tiré par huit chevaux blancs ; le cocher marche à pied, en arrière des bêtes dont il tient les rênes, car nul mortel ne peut prendre place sur le char. Ensuite venait Xerxès lui-même sur un char traîné par des chevaux néséens... ensuite, un autre corps de cavaliers, mille Perses d'élite ; après la cavalerie, dix mille hommes d'élite encore, choisis dans le reste des Perses, qui formaient un corps d'infanterie : mille d'entre eux, dont les lances portaient à leur extrémité inférieure une grenade d'or, au lieu d'une pointe de fer, encadraient les autres, et les neuf mille hommes encadrés avaient à leurs lances des grenades d'argent. Les soldats qui tenaient leurs armes renversées avaient aussi des grenades d'or à leurs lances, et ceux qui venaient immédiatement après Xerxès avaient des pommes d'or (B).* A leur suite se traînait la masse multiethnique et désordonnée de la piétaille.

Mais ne nous laissons pas leurrer par l'aspect bariolé de ces troupes partant en guerre ! Pour elles, cette expédition n'est ni un festin ni une fête. Bien au contraire. Hérodote note à leur propos *qu'il faut sans cesse houspiller à coups de bâton ces hommes qui se traînent en silence.*

Il suit attentivement le comportement du roi des Perses. Xerxès est un être déséquilibré, imprévisible, un nœud de contradictions. A cet égard, il rappelle Stavroguine, le héros des *Démons* de Dostoïevski.

Tandis qu'il chemine avec son armée en direction de Sardes, il est ébloui par un platane auquel *il octroie pour sa beauté une parure d'or et commet à sa garde l'un de ses Immortels (B).*

Encore en proie à l'émotion suscitée par le charme d'un arbre, la beauté d'un platane sur le bord d'une route, il apprend que, dans un défilé de l'Hellespont, une violente tempête a brisé et détruit les ponts qu'il avait fait construire pour permettre le passage de son armée d'Asie en Europe. A cette nouvelle, Xerxès entre dans une terrible fureur. *Indigné il ordonna d'infliger à l'Hellespont trois cents coups de fouet et de jeter dans ses eaux une paire d'entraves. J'ai entendu dire aussi qu'il avait envoyé d'autres gens encore pour marquer l'Hellespont au fer rouge. En tout cas, il enjoignit ses gens de dire, en frappant de verges l'Hellespont, ces mots pleins de l'orgueil insensé d'un Barbare :* « *Onde amère, notre maître te châtie, parce que tu l'as offensé quand il ne t'a jamais fait de tort. Le roi Xerxès te franchira, que tu le veuilles ou non ; et c'est justice que personne ne t'offre de sacrifices, car tu n'es qu'un courant d'eau trouble et saumâtre.* » *Ainsi fit-il châtier la mer – et couper la tête aux ingénieurs qui avaient dirigé les travaux (B).*

Nous ignorons combien de têtes furent tranchées. Nous ignorons si les bâtisseurs condamnés tendirent docilement leur nuque, s'ils tombèrent à genoux pour implorer la pitié de leurs bourreaux. Le massacre dut être horrible car des ponts de cette envergure devaient être construits par des milliers et des milliers de gens. Ces sentences apaisèrent néanmoins Xerxès et lui permirent de retrouver un équilibre intérieur. Ses hommes jetèrent de nouveaux ponts à travers l'Hellespont, et les mages annoncèrent d'heureux augures pour les événements à venir.

Réjoui, le roi décide de poursuivre la route quand le Lydien Pythios, un de ses alliés, vient à sa rencontre et le supplie de lui rendre un service : « *Maître, j'ai cinq fils, et tous se trouvent enrôlés dans les troupes qui marchent avec toi contre la Grèce. Eh bien, seigneur, aie pitié de mon grand âge, libère de ton service l'un de mes enfants, laisse-moi l'aîné pour qu'il veille sur moi et sur mes biens, emmène les quatre autres, et que le ciel t'accorde de revenir pleinement triomphant (B)* ».

Ces paroles enflamment de nouveau la fureur de Xerxès : « *Misérable ! Tu oses, quand je pars moi-même en guerre contre la Grèce, quand mes enfants, mes frères, mes parents, mes amis m'accompagnent, tu oses parler de ton fils, toi, mon esclave, toi qui devrais me suivre avec tous les tiens, y compris ta femme ? »... Telle fut sa réponse, et aussitôt il donna l'ordre aux gens chargés de cette besogne de trouver le fils aîné de Pythios, de le couper en deux, puis d'exposer les deux moitiés du cadavre, l'une à droite, l'autre à gauche de la route, et de faire passer l'armée par cet endroit (B)*.

Aussitôt dit, aussitôt fait.

L'interminable fleuve de l'armée se traîne sous les sifflements des fouets, et les soldats contemplent la dépouille sanglante du fils aîné de Pythios gisant de part et d'autre de la route. Où se trouve Pythios à ce moment-là ? Se tient-il devant les restes de son enfant ?

Lesquels ? Le droit, le gauche ? Comment se comporte-t-il à l'approche du char de Xerxès ? Quelle est l'expression de son visage ? Nous n'en savons rien, car son statut d'esclave l'oblige à rester à genoux, le visage baissé.

Xerxès est constamment accompagné par un sentiment d'incertitude, ver qui le ronge en permanence. Il cache sa faiblesse en faisant mine d'être fier et hautain. Pour se donner du cœur au ventre, pour se sentir plus solide intérieurement et plus sûr de son pouvoir, il passe en revue ses troupes et sa flotte. L'énormité de son armée doit être impressionnante, époustouflante. La nuée de flèches décochées à l'unisson est si immense que le soleil s'en trouve voilé. La quantité de navires est à ce point illimitée que les eaux du golfe demeurent invisibles : *Quand l'armée fut dans Abydos, Xerxès voulut l'avoir tout entière sous les yeux. Une tribune de marbre blanc l'attendait, bâtie sur un tertre à son intention (c'était l'œuvre des Abydéniens, auxquels le roi l'avait commandée à l'avance) ; il s'y installa et vit à ses pieds, sur le rivage, son armée de terre et ses navires. En les contemplant, il souhaita voir ses vaisseaux lutter entre eux ; la joute eut lieu, les Phéniciens de Sidon furent vainqueurs, et Xerxès fut enchanté du spectacle et de ses troupes.*

Sous ses yeux, l'Hellespont tout entier disparaissait sous les vaisseaux, la rive tout entière et les plaines d'Abydos étaient couvertes de soldats : alors Xerxès se félicita de son bonheur, puis il se prit à pleurer (B).

Le roi pleure ?

Voyant son neveu en larmes, son oncle Artabane s'exclame : « *Seigneur, quelle différence entre cette attitude et celle que tu avais tout à l'heure ! Tu te félicitais de ton bonheur, et tu pleures maintenant ! – Oui, répondit Xerxès, car la pitié m'a saisi lorsque j'ai pensé au temps si court de la vie des hommes, puisque, de cette multitude sous nos yeux, pas un homme ne sera en vie dans cent ans (B).* »

La conversation entre les deux hommes se prolonge,

puis, après avoir renvoyé son vieil oncle à Suse, le roi attend l'aube pour diriger le passage de ses troupes de l'autre côté de l'Hellespont, en Europe : *Aux premiers rayons du soleil Xerxès, avec une coupe d'or, versa des libations dans la mer et pria le soleil, pour que rien ne lui advînt qui pût l'arrêter dans sa conquête avant d'avoir atteint les limites de l'Europe (B).*

Asséchant l'eau des rivières, raflant tout sur son passage, l'armée de Xerxès longe les côtes septentrionales de la mer Egée traversant la Thrace, la Macédoine, la Thessalie pour finir par atteindre les Thermopyles.

Les Thermopyles sont étudiées dans toutes les écoles, elles font généralement l'objet d'une leçon entière, les élèves les représentent sur de petites cartes, rédigent des devoirs à leur sujet et préparent même des antisèches pour le bac.

Les Thermopyles sont un défilé étroit, un passage situé entre la mer et une montagne élevée au nord-ouest d'Athènes. La conquête de ce défilé ouvre la voie vers l'actuelle capitale grecque. Les Perses le comprennent fort bien. C'est pourquoi une bataille acharnée s'y déroule, au cours de laquelle périssent tous les Grecs qui y prennent part, mais les pertes du côté perse ne sont pas moins terribles.

Dès le début, Xerxès espère que la petite poignée de Grecs défendant les Thermopyles va prendre la fuite à la vue de la gigantesque armée perse. Il attend donc paisiblement la déroute de l'ennemi. Mais les Grecs, sous le commandement de Léonidas, ne reculent point. Perdant patience, Xerxès envoie un espion en reconnaissance. *Le cavalier s'approcha du camp, et regarda, sans tout découvrir, car les hommes postés derrière le mur relevé par les Grecs qui le défendaient échappaient à sa vue ; mais il put observer les soldats placés devant le mur, et leurs armes disposées au pied du rempart. Or le hasard fit que les Lacédémoniens occupaient ce poste pour l'instant ; l'homme les vit occupés les uns à faire de la gymnastique, les autres à peigner leur chevelure : il les regarda faire avec surprise et prit note de leur nombre, puis, après avoir tout examiné soigneusement, il se retira en toute tranquillité : personne ne le poursuivit et personne ne fit même attention à lui. De retour auprès de Xerxès, il lui rendit compte de ce qu'il avait vu.*

Xerxès en l'entendant ne pouvait concevoir la vérité, comprendre que ces hommes se préparaient à mourir et à tuer de leur mieux (B).

La bataille dure plusieurs jours, mais un traître indique aux Perses un sentier à travers les montagnes et fait pencher la balance en faveur de ces derniers. Les Grecs sont encerclés, tous périssent. Après la bataille, Xerxès parcourt le champ de bataille jonché de cadavres à la recherche de celui de Léonidas. *Xerxès traversa le champ de bataille, au milieu des cadavres [...], il fit décapiter le corps de Léonidas et fixer la tête au sommet d'un pieu (B).*

Xerxès perd toutes les batailles suivantes : *Lorsque Xerxès eut mesure de sa défaite, il craignit qu'un Ionien ne proposât aux Grecs, à moins que l'idée ne leur en vînt spontanément, de faire voile vers l'Hellespont pour y couper ses ponts de bateaux : il eut peur d'être enfermé en Europe et d'y trouver sa perte, et il se résolut à fuir (B).*

Et effectivement il prend la tangente, abandonnant le champ de bataille bien avant la fin de la guerre. Il rentre à Suse. Il est alors âgé d'une trentaine d'années. Il restera encore sur le trône de la Perse une quinzaine d'années dont nous ne savons pas grand-chose, à part qu'il fait reconstruire son palais à Persépolis. Se sent-il détruit intérieurement ? Est-il déprimé ? En tout cas il disparaît aux yeux du monde. Ses rêves de puissance, de domination sur les choses et les hommes s'éteignent. On raconte qu'il ne s'intéresse plus qu'aux femmes : il fait construire un harem immense et somptueux dont j'ai visité les ruines.

Il avait cinquante-six ans quand, en 465, il fut assassiné par Artabane, le chef de sa garde, qui plaça sur le trône le plus jeune frère de Xerxès, Artaxerxès, qui, à son tour, assassina Artabane, dans un corps à corps à l'intérieur même du palais. Le fils d'Artaxerxès, Xerxès II, fut lui-même assassiné en 425 par son frère Sogdanius, qui fut lui-même assassiné par Darius II, et ainsi de suite...

Le serment d'Athènes

Avant le repli de Xerxès d'Europe en Asie, avant sa défaite, avant la déroute de ses troupes tombant d'épuisement, de maladies et de faim, avant son retour à Suse, bref, avant la débâcle, que de péripéties, que de sang encore ! *Sur leur chemin, qu'ils fussent chez des amis ou des ennemis, les soldats s'emparaient de toutes les récoltes pour se nourrir ; s'ils n'en trouvaient pas, ils mangeaient l'herbe des champs, dépouillaient les arbres cultivés ou sauvages de leur écorce ou de leurs feuilles dont ils se repaissaient, et ils ne laissaient rien derrière eux, tant la faim les pressait. De plus une épidémie se déclara dans l'armée, qui, avec la dysenterie, fit périr beaucoup d'hommes en cours de route. Les malades, Xerxès les laissait au passage (B).*

La guerre, où la Perse est censée conquérir la Grèce, l'Asie maîtriser l'Europe, le despotisme anéantir la démocratie, l'esclavage régler son compte à la liberté, dure toujours.

Au début, tout laisse croire qu'une telle issue est inéluctable. L'armée perse parcourt l'Europe sur des centaines de kilomètres sans rencontrer la moindre résistance. Par ailleurs, une kyrielle de petits Etats grecs qui redoutent la victoire inexorable de l'immense armée perse se rendent sans même combattre et passent du côté de l'ennemi. Aussi, à mesure de son avancée, l'armée de Xerxès ne cesse de grandir, de se renforcer. Après avoir vaincu l'obstacle des Thermopyles, Xerxès arrive à Athènes. Il occupe la ville et la brûle. Mais la cité grecque a beau être en ruines, la Grèce, elle, existe toujours. Elle sera sauvée par un génie, Thémistocle.

Thémistocle a été choisi pour commander les flottes athéniennes. Cette élection se déroule à un moment critique, dans une atmosphère tendue, car on sait que Xerxès s'apprête à envahir la ville. A cette époque, Athènes s'enrichit considérablement grâce à ses mines d'argent de Laurion. Les populistes et les démagogues saisissent l'opportunité et lancent le slogan : « Partageons le pactole "équitablement" ! » Que chacun possède enfin quelque chose ! Que tout le monde se sente fort et content !

Mais Thémistocle garde la tête froide et fait preuve de courage : « Athéniens, s'écrie-t-il, retrouvez vos esprits ! Vous rendez-vous compte que nous sommes menacés d'extermination ? Notre seul salut est d'utiliser cet argent à la construction d'une flotte puissante, capable de contenir l'invasion perse, plutôt que de le distribuer entre nous ! »

Hérodote brosse le tableau de cette grande guerre de l'Antiquité sur un contraste : d'un côté, venu de l'est, un énorme et puissant rouleau compresseur, une force aveugle dans des tenailles de fer et soumise au pouvoir despotique d'un roi-seigneur, d'un roi-dieu ; de l'autre, le monde grec fait de dispersions, de querelles, de conflits internes et de rancunes, un univers de tribus et de villes indépendantes privées d'Etat fédérateur. A la tête de ce chaos, deux centres : Athènes et Sparte, dont les relations et les négociations conjuguées vont devenir l'axe de l'histoire de la Grèce antique.

Dans cette guerre, deux hommes se trouvent face à face : le jeune Xerxès, sûr de son pouvoir absolu, et son aîné Thémistocle, convaincu de son bon droit, courageux dans ses pensées et dans ses actes. Leurs situations respectives sont incomparables : Xerxès gouverne seul en distribuant des ordres anarchiques, Thémistocle, lui, avant de lancer un ordre, doit obtenir l'accord des commandants subalternes et l'approbation du peuple tout entier. Le rôle joué par les deux chefs est également différent : l'un dirige une armée sûre de sa victoire qui, telle une avalanche, déferle sur l'ennemi, l'autre n'est qu'un *primus inter pares* qui passe son temps à convaincre, argumenter et discuter à tout propos avec les Grecs qui n'en finissent pas de se rassembler et de se quereller.

Les Perses n'ont aucun état d'âme ; leur seul but est de satisfaire le roi. Ils ne sont pas sans évoquer les soldats russes de *La Redoute d'Ordon* de Mickiewicz.

> *Déferlent les troupes qui ne croient qu'au Tsar.*
> *Le Tsar est courroucé : « Mourons, réjouissons le Tsar. »*

La nature des Grecs est quant à elle double : d'un côté, ils sont attachés à leurs petites patries, à leurs cités-Etats dont chacun tire profit et ambition, de l'autre, ils sont unis par une langue commune et des dieux ainsi que par un vague patriotisme qui se manifeste parfois avec virulence.

La guerre se déroule sur deux fronts : sur terre et sur mer. Sur terre, après la conquête des Thermopyles, les Perses ne rencontrent aucune opposition pendant longtemps. En revanche leur flotte subit de plus en plus souvent des revers dramatiques. Tout d'abord, les orages et les tempêtes lui infligent d'innombrables pertes. Des bourrasques violentes refoulent les navires perses sur les récifs des rives contre lesquels ils viennent se fracasser comme des boîtes d'allumettes et leurs équipages se noient.

Au début, la flotte grecque est même moins dangereuse que ces tempêtes. Les Perses disposent d'une flotte bien plus importante et cet avantage a tendance à démoraliser les Grecs qui ne cessent de paniquer, de se décourager et de s'apprêter à fuir. Eux qui ne sont pas de nature agressive, qui n'ont pas la guerre dans le sang, dès que se présente une possibilité d'éviter l'affrontement, ils la saisissent au vol avec célérité. Il leur arrive de préférer filer au bout du monde plutôt que d'affronter un adversaire, à moins toutefois que ce dernier ne soit un Grec. Dans ce cas, les deux compatriotes s'empoignent à bras-le-corps avec acharnement.

La flotte grecque ne cesse de reculer sous la pression des Perses. Son commandant Thémistocle s'efforce de la maintenir là où c'est encore possible et dans la mesure de ses forces. « Tenez bon, encourage-t-il les équipages de ses navires, essayez de tenir vos positions ! » Parfois il est écouté, parfois non. La retraite se poursuit et finalement les navires grecs trouvent refuge dans le détroit de Salamine, à proximité d'Athènes, où les capitaines grecs se sentent en sécurité. L'entrée du détroit est si étroite que les Perses y réfléchiront à deux fois avant de s'y engager.

Maintenant Xerxès s'interroge, et Thémistocle aussi. Xerxès se demande s'il va, oui ou non, pénétrer dans le détroit. Thémistocle se dit qu'il a toutes les chances de gagner s'il attire Xerxès dans la baie dont la surface est si exiguë que le Perse ne pourra guère mettre à profit sa supériorité numérique. Sûr de sa victoire, Xerxès s'installe sur un trône au-dessus de la mer pour suivre la bataille. Voyant que leur roi les regarde, les Perses vont se battre comme des lions ! Thémistocle, qui ignore encore les intentions de Xerxès, recourt à un stratagème afin de s'assurer que les Perses entreront dans le détroit : dans une barque il envoie un homme dans le camp des Perses après l'avoir instruit des propos à leur tenir : *L'homme, qui s'appelait Sicinnos, était des gens de Thémistocle et le pédagogue de ses fils ; plus tard, Thémistocle le fit citoyen de Thespies, quand cette ville admit de nouveaux habitants, et il lui donna beaucoup d'argent. L'homme rejoignit en barque le camp des Barbares et tint à leurs chefs ce langage :* « *Le chef des Athéniens m'envoie vers vous à l'insu des autres Grecs (car il est tout dévoué au roi et souhaite votre succès plutôt que le leur), pour vous dire que les Grecs sont terrifiés et décident de prendre la fuite : il ne tient qu'à vous d'accomplir à présent un exploit sensationnel, en ne leur permettant pas de vous échapper. Ils ne s'entendent pas, ils ne vous résisteront plus, et vous verrez la bataille s'engager en mer entre vos partisans et vos ennemis.* » *L'homme leur transmit ces renseignements, et il s'éclipsa (B).*

Thémistocle fit preuve de finesse psychologique. Il savait que, comme tout souverain, Xerxès était un homme vain et que la vanité aveugle l'homme, qu'elle le prive de sa faculté de penser. Il voyait juste. Au lieu de se tenir à distance du piège constitué par un détroit minuscule pour une flotte immense, et encouragé de surcroît par les propos de Sicinnos sur les discordes entre les Grecs, il donne l'ordre de pénétrer dans le détroit de Salamine et ainsi d'empêcher les Grecs de fuir. Les Perses exécutent leur manœuvre à la faveur de la nuit.

Au même moment, alors que les Perses s'approchent en secret et en silence de la baie, une querelle éclate une fois de plus entre les Grecs complètement ignorants de la situation : *A Salamine les chefs des Grecs étaient toujours plongés dans leurs discussions. Ils ne savaient pas encore que les navires des Barbares les enveloppaient et les croyaient toujours aux places où ils les avaient vus le jour précédent (B).*

Informés de l'avancée des Perses, ils restent incrédules mais finissent par se rendre à l'évidence, et, exhortés par Thémistocle, fourbissent leurs armes.

La bataille s'engage à l'aube afin que Xerxès, assis sur un trône au pied de la colline Aigalée surplombant Salamine, puisse la suivre. *Lorsque Xerxès, de sa place au pied de la colline qu'on nomme Aigalée, en face de Salamine, voyait quelque exploit accompli par l'un des siens, il demandait le nom de son auteur, et ses secrétaires consignaient le nom du capitaine du navire, le nom de son père, sa cité (B).* Persuadé de vaincre, Xerxès est décidé à récompenser ses héros.

Les innombrables descriptions de batailles que nous trouvons dans la littérature de tous les temps ont un dénominateur commun : elles offrent le tableau d'un immense chaos, d'une confusion monstrueuse, d'une pagaille cosmique. Même la confrontation la mieux préparée se transforme, au moment du choc frontal, en un tourbillon sanglant et tonitruant dans lequel tout le monde se perd et que personne ne maîtrise. Les uns se précipitent pour tuer les autres, les autres cherchent à fuir ou à éviter les coups, le tout étant noyé dans des cris, des hurlements, des gémissements, le chaos, le tintamarre et la fumée.

C'est exactement ce qui se passe à Salamine. Autant on peut trouver de la grâce et de l'agilité dans une lutte entre deux hommes, autant la collision de deux flottilles en bois activées par des milliers de rames doit évoquer un immense panier dans lequel des centaines de crabes indolents et maladroits ont été jetés pêle-mêle. Un navire en heurte un autre, le premier se renverse, le deuxième coule à pic avec tout son équipage, un troisième tente de se retirer, ailleurs, c'est un nœud de bateaux engagés dans un combat sans merci, plus loin encore un vaisseau tente de faire demi-tour, un autre de sortir du détroit, dans la confusion générale les Grecs tombent sur les Grecs, les Perses sur les Perses et, au bout du compte, après des heures et des heures dans cet enfer naval, ces derniers se tiennent pour battus, prennent la fuite avec ce qui reste de leur flotte.

Face à la déroute, la première réaction de Xerxès est la panique. *Quand tous, hommes et femmes, lui auraient conseillé de rester, il n'en aurait, je crois, rien fait, tant il avait peur (B).* Il commence par *renvoyer en Perse quelques-uns de ses enfants naturels qui l'avaient accompagné* sous la tutelle d'Hermotine, natif de Pédasa, qui, parmi les eunuques du roi, occupe une position importante.

Jamais personne, à notre connaissance, ne s'est plus terriblement vengé de l'injure qu'il avait subie. Prisonnier de guerre, il avait été mis en vente et acheté par un citoyen de Chios, Panionios, qui pour gagner sa vie pratiquait le métier le plus odieux : il achetait de jeunes garçons de bonne mine pour en faire des eunuques qu'il allait vendre très cher sur les marchés de Sardes et d'Ephèse ; car chez les Barbares, les eunuques coûtent plus cher que les mâles, parce qu'ils font des esclaves de toute confiance. Panionios avait ainsi mutilé bien des garçons, puisqu'il vivait de ce métier, et entre autres cet Hermotine. Or Hermotine, qui n'était pas en tout infortuné, avait passé de Sardes dans la maison du roi, parmi d'autres présents ; puis avec le temps il devint, de tous les eunuques, le favori de Xerxès.

Quand le roi, de Sardes où il se trouvait, lança les forces de la Perse contre Athènes, Hermotine, qui s'était rendu pour quelque affaire dans une région de la Mysie habitée par des gens de Chios et nommée Atarnée, y rencontra Panionios ; il le reconnut et s'entretint souvent avec lui de la façon la plus amicale : pour commencer il lui énuméra tous les biens dont il lui était redevable, disait-il, puis il lui promit toutes sortes d'avantages qu'il lui ferait obtenir, en récompense, s'il venait s'établir auprès de lui avec tous les siens. Panionios l'écouta volontiers et le suivit, avec femmes et enfants. Dès qu'Hermotine le tint en son pouvoir, lui et toute sa famille, il lui dit ceci : « Scélérat, qui as choisi de vivre du métier le plus infâme qu'on ait encore vu, quel mal t'avais-je fait, quel mal t'avait fait l'un de mes ancêtres, à toi ou à l'un des tiens, puisque, de l'homme que j'étais, tu m'as réduit à n'être plus rien ? Croyais-tu donc que ta conduite criminelle d'alors échapperait toujours aux regards des dieux ? Pour le crime odieux que tu as commis, leur juste loi te frappe : ils t'ont fait tomber entre mes mains, et tu ne trouveras rien à redire au châtiment que je vais t'infliger. » Après ces reproches, on amena les enfants de Panionios qui fut contraint de mutiler lui-même ses propres fils, au nombre de quatre ; sous la contrainte il dut s'y résoudre, et quand il l'eut fait, ses fils à leur tour furent obligés de le mutiler lui aussi. C'est ainsi que Panionios ne put échapper au châtiment et à Hermotine (B).

Tôt ou tard, crime et châtiment, outrage et vengeance se rejoignent, ils vont toujours de pair. Il en est ainsi tant pour les individus que pour les peuples. Celui qui le premier engage la guerre et, selon Hérodote, commet un crime, finit par être victime d'une vengeance, par être châtié, que ce soit à court ou à long terme. Cette relation de l'arroseur arrosé illustre l'essence même du destin, son caractère inexorable.

Panionios en a fait les frais, c'est maintenant au tour de Xerxès. Dans le cas du Roi des Rois, le problème est plus complexe, car Xerxès est en même temps le symbole d'un peuple et d'un empire. A Suse, à la nouvelle de l'anéantissement de leur flotte à Salamine, les Perses ne déchirent pas leurs tuniques, ils tremblent seulement à l'idée qu'il arrive un malheur à leur roi. Aussi, quand il rentre en Perse, son arrivée est-elle solennelle et somptueuse ; les hommes se réjouissent et soupirent d'aise. Peu importe les milliers de morts, de noyés, les navires fracassés, du moment que le roi est en vie et qu'il se retrouve de nouveau parmi tous.

En quittant la Grèce, Xerxès y laisse une partie de son armée à la tête de laquelle il nomme son gendre Darius et son cousin Mardonios.

Mardonios s'y prend au début avec prudence. Sans se hâter, il passe tranquillement l'hiver en Thessalie. Puis il envoie un messager consulter divers oracles. S'appuyant sur leurs augures, *il fit partir pour Athènes un messager qui était Alexandre [...] choisi d'abord parce qu'il était allié à des Perses. [...] Il comptait particulièrement sur lui pour gagner les Athéniens, peuple nombreux et vaillant d'après ce qu'il avait entendu dire, et qui avait plus que tout autre, il le savait, contribué aux malheurs des Perses sur la mer. Ceux-ci gagnés, il espérait bien obtenir sans peine la maîtrise de la mer*

[...] *alors que par ses forces terrestres il se croyait de beaucoup le plus fort : par là, calculait-il, son triomphe sur la Grèce serait assuré (B).*

Alexandre arrive à Athènes où il tente de convaincre les habitants de cesser les hostilités contre les Perses et de s'entendre avec leur roi, car sinon ils périront, puisque *la puissance du roi dépasse l'humaine mesure, et la longueur de son bras est sans limites (B).*

Les Athéniens lui répondent alors :

> Nous savons, sans qu'on nous le dise, que le Mède [le Perse] a des forces mille fois plus importantes que les nôtres, et point n'est besoin de nous rappeler notre infériorité pour nous confondre. Cependant la liberté nous est si chère que nous nous défendrons comme nous le pourrons. Cet accord avec le Barbare, n'essaie pas de nous le faire accepter, nous n'y consentirons jamais. Va maintenant rapporter à Mardonios ce que les Athéniens lui font dire : tant que le soleil suivra la route qui est la sienne aujourd'hui, jamais nous ne traiterons avec Xerxès ; nous mettons notre confiance dans les dieux, nos alliés, et nous marcherons contre lui avec eux et les héros dont il n'a pas craint, lui, de brûler les demeures et les images (B).

Et, craignant que les Spartiates venus à Athènes ne pactisent avec les Perses, ils ajoutent :

> Vous **savez** qu'il n'y a au monde assez d'or, une terre assez extraordinaire par sa richesse et sa beauté, pour que nous consentions à ce prix à nous ranger du côté du Mède et à réduire la Grèce en esclavage. [...] Sachez donc, si par hasard vous ne le saviez pas encore, qu'aussi longtemps qu'il y aura sur terre un Athénien, nous ne pactiserons pas avec Xerxès (B).

A ces mots, Alexandre et les Spartiates quittent Athènes.

Quand le temps disparaît

Après Addis-Abeba, Dar es-Salaam. Le golfe au bord duquel se trouve la ville est sculpté en un hémicycle parfait. On a l'impression que l'une des innombrables douces baies de la côte grecque a été transportée ici, sur les rives orientales de l'Afrique. La mer est toujours calme, des vaguelettes indolentes sont englouties en cadence par le sable chaud de la plage dans un agréable clapotement.

La moitié du monde se trouve réunie et mélangée dans cette ville de moins de deux cent mille habitants. Le nom de Dar es-Salaam, qui en arabe signifie « Maison de la Paix », atteste de ses liens avec le Proche-Orient (liens, du reste, peu glorieux puisque les Arabes faisaient transiter leurs esclaves africains par cette cité). Au départ, le centre était surtout habité par des Indiens et des Pakistanais, avec toutes les variantes de langues et de confessions que cette civilisation recèle : sikhs et adeptes d'Agha Khan, musulmans et catholiques de Goa. Les immigrants des îles de l'océan Indien, les Seychelles et les Comores, Madagascar et la Mauritanie, formaient des colonies séparées ; en se mélangeant et en tissant des liens entre eux, ces peuples du Sud créèrent une race splendide. Plus tard, des milliers de Chinois venus construire la ligne de chemin de fer reliant la Tanzanie à la Zambie se sont définitivement installés à Dar es-Salaam.

Confronté pour la première fois à une telle variété de

peuples et de cultures, l'Européen est tout d'abord impressionné par le fait que ces mondes puissent exister en dehors de l'Europe (même si théoriquement il le sait depuis longtemps). Mais le fait que ces univers soient en contact, communiquent, se mélangent et cohabitent sans l'intermédiaire du vieux continent, sans son accord, à son insu, le frappe encore davantage. Pendant des siècles, l'Européen s'est pris pour le nombril du monde et maintenant il a du mal à accepter que des peuples et des civilisations vivent sans lui, en dehors de lui, qu'ils mènent une existence autonome, aient des traditions particulières et des problèmes spécifiques. Il a du mal à accepter que, désormais, c'est lui l'immigré, l'étranger, et que son univers est une réalité lointaine et abstraite.

Le premier homme à avoir pris conscience de la diversité du monde fut Hérodote. « Non, nous ne sommes pas seuls », dit-il aux Grecs dans son œuvre, et, pour le prouver, il se rend au bout de la terre. « Nous avons des voisins, qui à leur tour ont leurs propres voisins, et tous ensemble nous peuplons la planète. »

Pour un homme dont la patrie pouvait aisément être parcourue à pied, cette dimension planétaire constituait une nouveauté, une découverte, elle changeait la représentation du monde, elle lui donnait de nouvelles proportions et modifiait son échelle de valeurs.

En voyageant et en visitant divers peuples et tribus, Hérodote constate et note que tous ont leur propre histoire dont le cours est indépendant, mais en même temps parallèle à celui des autres. En un mot, pour lui, l'histoire de l'humanité rappelle un énorme chaudron en perpétuelle ébullition, dont les innombrables particules se heurtent constamment en gravitant autour de leurs centres d'attraction, en se croisant, en se coupant dans une infinité de points.

Hérodote fait une autre découverte : celle de la diversité du temps ou, plus précisément, des moyens permettant de l'évaluer. Jadis les paysans mesuraient le temps d'après les saisons, les gens dans les villes d'après les générations, les chroniqueurs des Etats antiques d'après la longueur des dynasties régnantes. Mais comment comparer toutes ces estimations, comment trouver un étalon, un dénominateur commun ? Hérodote se bagarre sans cesse avec ce problème, il cherche des solutions. Habitués au mesurage mécanique, nous ne nous rendons pas compte des difficultés que la mesure du temps a pu représenter pour l'homme, du nombre d'obstacles, d'énigmes et de mystères que cette recherche a soulevés.

Parfois, quand j'avais un après-midi ou une soirée de libre, j'allais avec ma vieille Land-Rover verte à l'hôtel Sea View et, après m'être installé dans la véranda, je commandais une bière ou un thé, j'écoutais le murmure de la mer ou les stridulations des cigales à la tombée de la nuit. La terrasse de l'hôtel était l'un de nos lieux de rencontre favoris, les journalistes de diverses agences et rédactions s'y retrouvaient souvent. Pendant la journée, nous tournions en général dans la ville à la recherche d'informations. Comme il ne se passait pas grand-chose dans cette ville perdue, nous collaborions plutôt que de nous faire concurrence. Untel avait une excellente oreille, tel autre un œil perçant, un troisième la baraka du journaliste. Régulièrement, nous procédions au partage du butin, dans la rue, à l'hôtel Sea View ou dans le seul café frais de la ville, chez l'Italien : l'un avait entendu dire que Mondlane arrivait du Mozambique, un autre affirmait pour sa part qu'il s'agissait de Nkomo qui débarquait de Rhodésie, d'après un troisième, Mobutu avait été victime d'un attentat, d'autres affirmaient que ce n'étaient que des rumeurs. Comment vérifier ? Ces bruits, ces murmures, ces conjectures et, à l'occasion, ces faits constituaient la matière première des informations que nous envoyions dans le monde.

Quand personne n'apparaissait sur la véranda, j'ouvrais au hasard mon Hérodote que j'avais toujours avec moi. Les *Histoires* sont bourrées de récits, de digressions, d'observations, de paroles rapportées. *Le peuple thrace est, après les Indiens, le plus nombreux qui soit au monde. Si les Thraces avaient un seul chef et s'entendaient entre eux, ils formeraient un peuple invincible, et certes le plus puissant de tous, à mon avis ; mais c'est là pour eux chose impossible et parfaitement irréalisable, d'où leur faiblesse. [...] Ils vendent leurs enfants à l'étranger ; ils ne surveillent pas leurs filles et leur permettent de se mêler aux hommes à leur gré, mais ils veillent étroitement sur leurs épouses ; ils achètent leurs femmes à leurs parents, fort cher. Chez eux, les tatouages sont signe de noblesse et le vulgaire seul n'en porte pas ; vivre oisif est l'existence la plus honorable, cultiver la terre est la plus vile ; guerre et pillage sont les occupations les plus nobles. Voilà leurs usages les plus remarquables (B).*

Interrompant ma lecture, j'aperçois dans le jardin éclairé de lumières colorées Anil, un serveur indien tout de blanc vêtu, en train de nourrir d'une banane un petit singe apprivoisé. Accroché à une branche de manguier, le petit animal fait des mimiques comiques, Anil est plié de rire. Ce garçon en blanc, cette soirée, la chaleur et les grillons, la banane et le thé me rappellent l'Inde, mes journées de fascination et d'égarement, la présence intense et prégnante des tropiques. Les parfums de l'Inde parviennent même jusqu'à moi. En fait, c'est Anil qui embaume le bétel, l'anis et la bergamote. L'Inde est présente partout ici, à tous les coins de rue on tombe sur des temples, des restaurants, des plantations de sisal et de coton.

Revenons à Hérodote.

Le fait de le lire régulièrement, de le côtoyer, de le pratiquer en quelque sorte, cette habitude, ce réflexe, cet instinct commencent à exercer sur moi une influence étrange que je suis incapable de définir avec précision. Sans doute cette proximité me met-elle dans un état qui me fait perdre toute notion de temps, je ne me rends plus compte que deux mille cinq cents ans me séparent des événements décrits par Hérodote, j'oublie l'abîme des siècles au fond desquels gisent Rome, le Moyen Age, la naissance et la vie des grandes religions, la découverte de l'Amérique, la Renaissance et les Lumières, la machine à vapeur et l'étincelle électrique, le télégraphe et l'avion, des centaines de guerres dont deux conflits mondiaux, la découverte de l'antibiotique, l'explosion démographique, j'oublie des milliers et des milliers d'événements, qui, à la lecture d'Hérodote, disparaissent comme s'ils n'avaient jamais existé ou s'éclipsent du premier plan, du devant de la scène, se fondent dans l'ombre, se cachent derrière les rideaux, dans les coulisses.

Hérodote, qui est né, a vécu et a écrit à l'autre bout du gouffre qui nous sépare, se sentait-il démuni ? Rien ne l'indique. Au contraire, il mord la vie à pleines dents, voyage dans le monde, rencontre quantité de gens, écoute des centaines d'histoires ; c'est un homme actif, mobile, infatigable, toujours en quête, sans cesse occupé. Il voudrait connaître et apprendre encore bien des choses, des faits, des mystères, il souhaiterait résoudre des énigmes, répondre à une longue litanie de questions, mais il manque de temps, de force et de temps, il n'y parvient pas, de même que nous n'y parvenons pas, la vie de l'homme est si courte ! Est-il desservi par l'absence de trains rapides, d'avions, voire de bicyclettes ? Je ne le crois pas. A supposer qu'il ait disposé de moyens de locomotion rapides, aurait-il collecté et nous aurait-il légué plus d'informations ? J'en doute également.

A mon avis, son problème était d'un autre ordre. A la fin de sa vie probablement, il se décide à écrire un livre, car il est conscient d'avoir rassemblé une masse énorme d'histoires et d'informations. S'il ne les perpétue pas dans un livre, toutes les données qu'il a emmagasinées dans sa mémoire disparaîtront tout bonnement. Il s'agit là de l'éternelle lutte de l'homme contre le temps, contre les faiblesses de la mémoire, sa volatilité, sa tendance permanente à s'effacer et à disparaître. Ce combat se situe précisément à l'origine de son livre, de son œuvre. D'où sa résistance, son éternité, dirais-je. L'homme sait en effet – conscience qui ne cesse de se confirmer au fil du temps – combien la mémoire est faible et fugace. Il sait que s'il ne laisse pas une trace écrite et durable des connaissances et de l'expérience qu'il porte en lui, celles-ci disparaîtront à jamais. C'est pourquoi tout le monde veut écrire un livre : les chanteurs et les footballeurs, les hommes politiques et les millionnaires. S'ils n'en sont pas capables ou qu'ils manquent temps, ils confient cette tâche à d'autres. Il en a toujours été ainsi, et il en sera toujours ainsi. Ce phénomène est d'autant plus universel que l'écriture paraît de prime abord facile et simple. Thomas Mann n'écrivait-il pas à ce propos que « l'écrivain est un homme qui a plus de mal à écrire que les autres ».

Ce désir de sauvegarder le maximum de savoir et d'expériences vécues confère à l'œuvre d'Hérodote une dimension particulière. A côté de l'inventaire des dynasties, des histoires de rois et d'intrigues de palais sur lesquelles il s'étend amplement, Hérodote nous parle de la vie de gens simples, des croyances et des cultures, des maladies et des catastrophes naturelles, des montagnes et des rivières, des plantes et des animaux. A propos des chats par exemple : *Quand un incendie éclate, un phénomène incroyable se produit chez les chats : pendant que les Egyptiens autour du brasier se préoccupent de leurs bêtes jusqu'à en oublier d'éteindre le feu, les chats leur filent entre les jambes ou leur sautent par-dessus la tête et courent se jeter dans les flammes, ce qui plonge les Egyptiens dans un grand deuil. Quand un chat meurt de mort naturelle, tous les gens*

de la maison se rasent les sourcils. *Quand il s'agit d'un chien,*
tout le corps et toute la tête (L).

Ou des crocodiles : *Venons-en maintenant au crocodile.*
Pendant les mois d'hiver, il ne mange absolument rien. C'est
un quadrupède qui vit dans les eaux calmes et sur la terre
ferme. Il pond et laisse éclore ses œufs à terre. Il reste au sec
presque tout le jour, mais passe toutes ses nuits dans les
fleuves dont l'eau est plus chaude que l'air et la rosée. De tous
les animaux connus, c'est un de ceux qui présentent la plus
grande disproportion entre le nouveau-né et l'adulte. Un bébé
crocodile, à sa naissance, n'est guère plus gros qu'un œuf d'oie,
mais, adulte, il peut atteindre jusqu'à dix-sept coudées et plus.
Il a des yeux comme ceux des porcs, des dents longues et sail-
lantes, en rapport avec sa taille. Il est le seul animal à ne pas
avoir de langue, à ne pouvoir remuer la mâchoire inférieure,
mais à pouvoir rabattre la mâchoire supérieure sur l'autre. Il
a des griffes puissantes, une peau couverte d'écailles, véritable
carapace. Il ne voit pas dans l'eau, il a l'intérieur de la gueule
rempli de sangsues. Tous les animaux et tous les oiseaux le
fuient à l'exception de l'oiseau trochile avec qui il vit en très
bons termes. Quand le crocodile sort de l'eau et ouvre la gueule
(presque toujours en direction du zéphyr), le trochile pénètre
dedans et dévore les sangsues. Ravi d'être soulagé, le crocodile
ne fait aucun mal à l'oiseau (L).

Ces chats et ces crocodiles, je ne les ai pas remarqués
tout de suite. Ils ne sont apparus qu'au bout d'un certain
nombre de lectures quand, soudain, j'ai vu avec terreur
les chats affolés bondir dans le feu, ou que, assis au bord
du Nil, j'ai cru apercevoir la gueule ouverte d'un crocodile dans laquelle un oisillon farfouillait avec sérénité.
Le livre d'Hérodote, à l'instar de tout chef-d'œuvre, doit
être lu plusieurs fois, les lectures récurrentes dévoilant
chaque fois une nouvelle strate de sens, des contenus,
des images et des sens qu'on n'avait pas remarqués
avant. Chaque grand livre en contient en effet plusieurs
autres, qu'il suffit d'aller chercher, découvrir, creuser et
comprendre.

Hérodote bouillonne de vie, il n'est gêné ni par l'absence du téléphone ni par celle de l'avion ni par celle de la bicyclette. Ces objets n'apparaîtront que des milliers d'années plus tard, mais peu importe puisqu'ils ne lui seraient guère utiles, puisqu'il s'en passe allègrement. La vie du monde et sa propre existence ont leur propre force, leur propre énergie, leur propre dynamique qu'il sent et qui lui donnent des ailes. C'est bien pour cette raison qu'il ne pouvait être qu'un homme serein, détendu, bienveillant, car l'étranger ne dévoile ses secrets qu'à des hommes de cette nature, l'étranger ne s'ouvre pas à un être lugubre, fermé, les gens sombres repoussent, rebutent, suscitent la peur même. Avec un caractère renfermé, il n'aurait pu faire ce qu'il a fait, et nous n'aurions pas hérité de son œuvre.

Ces pensées hantaient mon esprit tandis que je sentais, avec étonnement et frayeur même, que je subissais un processus émotionnel et mental d'identification au monde et aux événements évoqués par Hérodote au fur et à mesure que je me plongeais dans la lecture de ses *Histoires*. J'étais plus bouleversé par la destruction d'Athènes que par le dernier coup d'Etat au Soudan, le naufrage de la flotte perse représentait pour moi un événement bien plus tragique que la dernière insurrection militaire au Congo. Je ne partageais plus seulement la vie du continent africain que j'étais censé couvrir en tant que correspondant d'une agence de presse, mon cœur battait au rythme de ce monde disparu des centaines d'années plus tôt, loin d'ici.

Assis sur la véranda de l'hôtel Sea View à Dar es-Salaam par une étouffante nuit tropicale, je songeais aux soldats de Mardonios cantonnés en Thessalie et transis de froid, qui essayaient de réchauffer leurs doigts engourdis aux flammes des feux crépitant dans la nuit glaciale de l'hiver européen.

Le désert et la mer

Je fausse compagnie à Hérodote, à la guerre gréco-perse, à ses interminables cortèges de troupes barbares, aux incessantes chamailleries des chefs grecs, car l'ambassadeur d'Algérie, Judi, vient de me téléphoner. « Il faudrait qu'on se voie », m'a-t-il glissé, formulation qui suggère une promesse, une perspective encourageante, digne d'intérêt et d'attention, un peu comme si on vous disait : « Viens, j'ai quelque chose pour toi, tu ne le regretteras pas. »

Judi disposait d'une résidence superbe, une villa blanche et aérée, construite dans le somptueux style traditionnel mauritanien et conçue de telle sorte que l'ombre y régnait partout, même là où logiquement le soleil aurait dû sévir. Assis dans le jardin, nous entendions le murmure de l'océan derrière le mur de la propriété. C'était l'heure de la marée montante, et du fin fond de l'horizon déferlaient des vagues en escalier qui venaient se briser au pied de la villa située au bord de l'eau, sur une rive basse et rocheuse.

Nous parlions de la pluie et du beau temps, et je commençais à me demander pourquoi il m'avait fait venir chez lui quand, soudain, il me dit :

« A mon avis, cela vaut la peine d'aller en Algérie. Il risque de s'y passer des choses intéressantes. Si tu le souhaites, je te donnerai un visa. »

Ces propos m'ont étonné. Nous étions en 1965, le calme régnait en Algérie, pays indépendant depuis trois ans et dirigé par un jeune homme intelligent et populaire, Ahmed Ben Bella.

Judi ne voulut pas m'en dire davantage, et comme l'heure des prières du soir approchait et qu'il avait commencé à égrener les perles émeraude de son chapelet, je compris qu'il était temps de prendre congé. Que faire ? Si je demandais à mes supérieurs en Pologne l'autorisation de partir, ils me bombarderaient de questions : pourquoi ? A quoi bon ? Pour quelle raison ? etc. En même temps, l'objectif de ce voyage était pour moi des plus flous. Traverser la moitié de l'Afrique sans objectif constituait un motif d'insubordination, entraînant de surcroît des frais importants ; je travaillais en effet pour une agence de presse où le moindre sou était compté et où toute dépense devait faire l'objet d'une justification dûment motivée.

Toutefois, le ton encourageant et suggestif de Judi était si convaincant, voire insistant, que j'ai décidé de prendre le risque. J'ai décollé à Dar es-Salaam, et j'ai fait une escale à Bangui, Fort-Lamy et Agadez. Sur ces lignes, les avions sont petits, lents, ils volent si bas qu'on peut contempler à loisir les paysages captivants du Sahara où la gaieté bariolée alterne avec une morne tristesse, une oasis verte et populeuse tranche sur la torpeur lunaire du désert.

L'aéroport d'Alger est désert et, bien qu'il soit fermé, il accepte notre avion, car il appartient aux lignes intérieures. Des soldats en treillis gris-vert l'entourent aussitôt, puis nous escortent jusqu'à un bâtiment en verre. Le contrôle se déroule sans difficulté, les soldats sont aimables mais peu loquaces. Ils déclarent seulement que, pendant la nuit, un coup d'Etat a eu lieu, que « le tyran a été destitué », et que le pouvoir est assuré par l'état-major. « Le tyran ? Quel tyran ? », ai-je failli demander. Deux ans plus tôt, j'avais vu Ben Bella à Addis-Abeba. Il m'avait donné l'impression d'un homme agréable, gentil même.

La ville est grande, ensoleillée, déployée en large amphithéâtre au bord d'un golfe. Il faut constamment monter ou descendre. Les rues sont tantôt élégantes, à la mode française, tantôt grouillantes, à la mode arabe. Il y règne un mélange méditerranéen d'architectures, de vêtements, de coutumes. Tout bouge, embaume, enivre, tourmente. Tout intrigue, attire, fascine, mais en même temps suscite l'inquiétude. Quand on est fatigué, on peut s'asseoir à la terrasse d'un des innombrables petits cafés arabes ou français, on peut déjeuner dans l'une des centaines de bars ou restaurants qui, grâce à la proximité de la mer, proposent à leur menu divers poissons et fruits de mer : crustacés, coquillages, mollusques, calmars, huîtres.

Mais Alger, c'est avant tout le lieu de rencontre et de cohabitation de deux cultures : chrétienne et arabe. La coexistence de ces deux mondes constitue même l'histoire de la ville (qui, du reste, a aussi un long passé antique, phénicien, grec et romain). Quand on se promène à l'ombre des églises et des mosquées de la ville, on sent constamment la frontière séparant ces deux univers culturels.

C'est flagrant, par exemple, au centre de la ville dont le quartier arabe porte le nom de Casbah. On y pénètre par un large escalier en pierre. Le problème, ce n'est pas tant l'escalade des marches que la sensation croissante d'être étranger au fur et à mesure qu'on s'y aventure, qu'on s'y enfonce. Ces deux verbes conviennent-ils d'ailleurs ? Ne faudrait-il pas plutôt dire qu'on essaie de traverser ce quartier au plus vite, qu'on essaie de sortir de cette situation inconfortable et crispante, d'échapper au regard insistant de dizaines de paires d'yeux fixées sur vous ? Peut-être n'est-ce qu'une impression ? Peut-être sommes-nous trop émotifs ? Mais pourquoi serions-nous plus sensibles dans la Casbah ? Pourquoi restons-nous indifférents quand on nous observe dans une rue française ? Pourquoi ne sommes-nous alors pas du tout gênés, alors que, dans la Casbah, nous nous sentons mal à l'aise ? Les yeux sont les mêmes partout, les badauds aussi. Il n'empêche que nous réagissons tout à fait différemment dans les deux cas.

Et quand enfin nous aurons traversé la Casbah et que nous arriverons dans un quartier français, sans forcément soupirer d'aise, nous nous sentirons mieux, nous serons plus détendus, nous aurons l'impression de nous retrouver dans notre élément. Ne peut-on vraiment rien faire pour lutter contre ces états d'âme mystérieux et inconscients ? Pendant des milliers d'années, dans le monde entier, n'a-t-on rien pu faire ? Rien ?

Un étranger qui aurait atterri en même temps que moi à Alger ne se serait sans doute guère rendu compte de la gravité de la situation : la nuit précédente un coup d'Etat a eu lieu, Ben Bella, populaire dans le monde entier, a été destitué et remplacé par un illustre inconnu, Houari Boumédiène, officier renfermé et taciturne, le chef de l'armée. Toute l'opération a été menée de nuit, loin du centre de la ville, dans le quartier résidentiel d'Hydra, inaccessible aux simples citoyens et en partie occupé par le gouvernement et les généraux.

Dans la ville, on n'a entendu ni coups de feu ni explosions, les chars n'ont pas envahi les rues, l'armée n'a pas défilé. Le matin, les gens se sont rendus au travail à pied ou en bus comme d'habitude, les commerçants ont ouvert leurs boutiques, les marchands ont installé leurs étalages, les garçons de café ont servi le café du matin. Les gardiens ont arrosé les rues d'eau fraîche afin de donner à la ville un petit brin d'humidité avant la chaleur torride de midi. Les autobus ont gravi les rues pentues en vrombissant.

J'arpente la ville, abattu et furieux contre Judi. Pourquoi m'a-t-il incité à faire ce voyage ? Pourquoi suis-je venu ici ? Que vais-je écrire sur le pays ? Comment justifier ce voyage ? Déprimé, je remarque soudain un attroupement, avenue Mohammed-V. J'y fonce tout droit. Malheureusement, il s'agit d'un groupe de badauds qui assistent à une dispute entre deux conducteurs dont les voitures sont entrées en collision à un carrefour. A l'autre bout de la rue, je remarque un autre petit groupe. Je m'y précipite. Hélas, ce sont des gens qui attendent patiemment l'ouverture d'un bureau de poste. Mon carnet de notes est vide, pas le moindre événement n'y est griffonné.

Il a fallu que je vienne à Alger pour comprendre que, après plusieurs années d'expérience journalistique, je faisais fausse route. En cherchant à tout prix des images spectaculaires, en m'imaginant que, à elles seules, elles permettent de faire l'économie d'une analyse profonde, je m'égarais. Interpréter le monde au travers de ce qu'il veut bien nous montrer à ses heures de convulsions spasmodiques, tandis qu'il est ébranlé par les coups et les explosions, qu'il est la proie des flammes et de la fumée, de la poussière et de l'odeur de brûlé, qu'il s'effondre et que, dans ses ruines, les survivants en larmes se penchent sur les dépouilles de leurs proches, en procédant de la sorte, était une grave erreur.

La bonne méthode consiste à se poser la question : comment en est-on arrivé à ce drame ? Qu'expriment ces scènes d'extermination pleines de cris et de sang ? Quelles forces souterraines invisibles, mais néanmoins puissantes et irrépressibles, ont pu engendrer ce carnage ? Sont-elles la manifestation de la fin d'un processus ou de son début ? Sont-elles le prélude à des développements ultérieurs, pleins de tensions et de conflits ? Et qui sera là pour les suivre ? Nous, les correspondants et les reporters ? Certainement pas, car à peine les morts sont-ils inhumés sur le lieu des événements, à peine les épaves des voitures brûlées ont-elles été déblayées et les débris de verre balayés que nous faisons nos bagages et nous envolons ailleurs, là où flambent d'autres voitures, où sont brisées d'autres vitrines et où sont creusées les tombes d'autres victimes.

N'est-il pas possible de dépasser ces clichés, de se libérer de cette chaîne d'images, de creuser en profondeur ?

Ne pouvant écrire sur les tanks, les voitures calcinées
et les devantures fracassées, puisque rien de tel ne se
présentait à mon regard, et souhaitant par ailleurs justifier mon expédition indisciplinée, je me mis à réfléchir
aux origines et aux causes du coup d'Etat, à chercher ce
qui se cachait derrière et ce qu'il signifiait, autrement dit
je me mis à discuter, à examiner les hommes et le lieu,
et aussi à lire – en un mot, j'essayai de comprendre.

Alger m'est alors apparue comme l'un des lieux de la
planète les plus fascinants et dramatiques. L'espace
réduit de cette ville splendide mais bondée était le
théâtre de deux grands conflits du monde moderne :
l'un qui opposait le christianisme à l'islam (illustré par
la collision de la France colonisatrice avec l'Algérie déco-
lonisée), l'autre qui se jouait au sein même de l'islam,
exacerbé dès le départ des Français et l'acquisition de
l'indépendance, et qui opposait son courant ouvert,
communicatif, méditerranéen dirais-je, à sa tendance
fermée, issue d'un sentiment d'incertitude et d'égarement face au monde contemporain, à ses techniques
et à son organisation moderne, en un mot le courant
fondamentaliste pour lequel la défense de la foi et de la
tradition est considérée comme le seul moyen d'exister
et de préserver son identité.

Alger, qui, à l'origine, au temps d'Hérodote, était un
village de pêcheurs, puis un port où des navires bat-
taient pavillon phénicien et grec, est tournée d'un côté
vers la mer, de l'autre vers une immense province
déserte qu'on appelle ici le « bled ». Cet espace est justement le fief de ce courant traditionnel, fermé. A Alger,
on parle de deux types d'islam : l'un nommé l'« islam
du désert », et l'autre défini comme l'« islam de la rivière » (ou « de la mer »). Le premier est pratiqué par les
tribus nomades guerrières qui, dans le Sahara, environnement le plus hostile qui soit, luttent pour survivre,

pour se maintenir en vie. Le second, celui « de la rivière » (ou « de la mer »), concerne plutôt les commerçants, les marchands ambulants, les hommes de la route et du bazar, pour lesquels l'ouverture, la négociation, l'échange représentent non seulement des bénéfices commerciaux, mais un moyen d'existence.

Tant que le colonialisme domine, ces deux courants sont unis contre un adversaire commun, mais dès lors que l'Algérie devient indépendante, ils entrent en collision.

Ben Bella est un homme de la Méditerranée, élevé dans la culture française. Esprit ouvert, il jouit d'un tempérament conciliant. Dans leurs conversations, les Français d'Algérie l'appellent le musulman de la rivière et de la mer. Boumédiène, au contraire, a été le chef d'une armée qui, pendant des années, s'est battue dans le désert où elle cantonnait ses bases et ses camps, d'où elle recrutait ses forces, sollicitant à l'occasion l'aide et l'appui des nomades, des habitants des oasis et des montagnes désertiques.

Même leur apparence est complètement différente. Ben Bella est toujours tiré à quatre épingles, élégant, soigné, agréable, souriant. Quand Boumédiène fait sa première apparition publique quelques jours après le coup d'Etat, il ressemble à un tankiste émergeant de son char enlisé dans les sables du Sahara. Il a beau sourire, cela ne lui va pas, ce n'est pas son style.

C'est à Alger que j'ai vu pour la première fois la Méditerranée. Je l'ai vue de près, j'ai pu y plonger la main, la toucher. Inutile de demander ma route : je savais que, en descendant, je finirais par arriver à la mer. Visible de loin, elle semblait omniprésente, étincelant derrière les immeubles de la ville, surgissant au bout de rues escarpées.

Tout en bas s'étendait le quartier du port où de petits bars en bois embaumant le poisson, le vin et le café s'alignaient face à la mer. Mais le souffle du vent refoulait surtout l'odeur âcre de la mer ainsi qu'un air frais, doux et apaisant.

Jamais je n'ai vu de lieu plus favorable à l'homme. Tout s'y trouve réuni en même temps : soleil, vent rafraîchissant, air limpide, mer argentée. Est-ce parce que j'avais tant lu au sujet de cette ville que j'avais l'impression de la connaître ? Ses vagues lisses, sereines, calmes, invitaient au voyage et à la découverte. Je brûlais d'envie de m'embarquer avec les deux pêcheurs qui s'éloignaient de la rive avec leurs filets.

De retour à Dar es-Salaam, je n'y ai pas retrouvé Judi qui, paraît-il, avait été rappelé en Algérie. A mon avis, il avait bénéficié d'une promotion pour avoir participé au coup d'Etat vainqueur. Il n'est jamais revenu ici. Je ne l'ai plus jamais rencontré, et n'ai donc pu le remercier de m'avoir incité à faire ce voyage. Les événements en Algérie ont donné le signal du départ à toute une série, toute une chaîne de coups d'Etat, qui, pendant un quart de siècle, ont décimé les jeunes Etats post-coloniaux du continent africain. Dès le départ, ces Etats étaient faibles, beaucoup d'entre eux le restent encore aujourd'hui.

Grâce à ce voyage, j'ai vu, pour la première fois, les rives de la Méditerranée. Et, depuis, j'ai l'impression de comprendre un peu mieux Hérodote, sa pensée, sa curiosité, sa vision du monde.

L'ancre

Toujours la Méditerranée, la mer d'Hérodote, mais dans sa partie orientale, là où l'Europe et l'Asie se touchent et où les deux continents se joignent dans un chapelet d'îles ensoleillées et harmonieuses dont les baies calmes et paisibles invitent le navigateur à une visite ou une halte.

Le chef des Perses, Mardonios, quitte ses quartiers d'hiver en Thessalie et, mettant le cap vers le sud, *mène promptement ses troupes contre Athènes (B)*. Mais, arrivé aux portes de la ville, il n'y trouve aucun habitant. Athènes est vide et déserte. La population a émigré, elle s'est réfugiée à Salamine. Il y envoie donc son émissaire, un certain Mourychidès, afin de proposer à la cité de capituler sans combat et de reconnaître le roi Xerxès comme son souverain.

Mourychidès transmet la proposition aux plus hautes autorités d'Athènes, le conseil des Cinq Cents, tandis qu'une foule d'Athéniens assiste aux débats de l'assemblée. L'auditoire est tout ouïe lorsqu'un des élus, Lycidas, prend la parole et déclare que, selon lui, il vaudrait mieux accepter l'offre conciliante de Mardonios et négocier avec les Perses. Pris de fureur, les Athéniens l'encerclent et le lapident séance tenante.

Arrêtons-nous un instant sur cette scène !

Nous sommes en Grèce, démocratie fière de sa liberté de parole et de sa liberté de pensée. Or, voilà qu'un de

ses citoyens exprime publiquement son opinion, susci-
tant aussitôt un cri d'indignation ! Lycidas a oublié que
son pays était en guerre, et que, par conséquent, toutes
les libertés démocratiques, la liberté de parole y compris,
étaient désormais reléguées au second plan. La guerre
est en effet régie par ses propres lois qui réduisent la loi
fondamentale à un principe unique et exclusif : vaincre
à tout prix !

Ainsi, à peine Lycidas a-t-il terminé son intervention
qu'il est mis à mort. On peut s'imaginer l'état de fureur
et d'exaspération de la foule qui l'écoute. Ces hommes
ont en effet été talonnés par les troupes perses, ils ont
perdu la moitié de leur pays, ils ont perdu leur ville. Le
lieu où se tient le conseil et où s'attroupent les badauds
ne manque pas de cailloux. La Grèce est un pays de
pierres, elle en regorge littéralement, il n'y a qu'à tendre
la main. C'est justement ce qu'ils font ! Chacun s'empare
du caillou le plus proche, le plus maniable, et le lance
sur Lycidas. Probablement qu'au début celui-ci crie,
effrayé, puis, ensanglanté, il gémit de douleur, se recro-
queville, râle, implore la pitié. En vain ! La foule déchaî-
née, en proie au délire et à la folie, ne l'entend plus, ne
réfléchit plus, incapable de s'arrêter. Elle s'apaise seulement quand Lycidas, pétrifié, transformé en pulpe
sanglante, se tait pour toujours.

Mais l'histoire ne s'achève pas là !

*Les femmes des Athéniens, en apprenant la chose, s'exci-
tèrent et s'entraînèrent mutuellement, pour enfin courir
d'elles-mêmes au logis de Lycidas où elles lapidèrent et sa
femme et ses enfants (B),* écrit Hérodote.

La femme et les enfants ! Mais qu'avaient-ils à voir
avec la décision de Lycidas ? En quoi ses gosses étaient-
ils responsables du compromis avec les Perses souhaité
par leur père ? Que connaissaient-ils de l'ennemi ?
Comment pouvaient-ils savoir que l'entente avec les
Perses était blâmable, voire passible de mort ? Et les plus
jeunes avaient-ils une idée de la mort ? De son horreur ?

A quel moment se rendirent-ils compte que les grand-mères et les tantes qu'ils aperçurent sur le seuil de leur maison ne venaient pas leur apporter des sucreries ni des raisins, mais des pierres pour leur fracasser le crâne ?

Le sort de Lycidas montre à quel point le problème de l'entente avec l'ennemi était aigu, douloureux et sensible chez les Grecs. Que faire ? Comment se comporter ? Que choisir ? Collaborer ou résister ? Négocier ou boycotter ? S'entendre et essayer de survivre ou choisir un geste héroïque et périr au champ d'honneur ? Autant de questions cruelles, de dilemmes déchirants.

Les Grecs se retrouvent constamment face à cette alternative, et cette division ne se limite pas à des discussions ou à des escarmouches verbales. Souvent, ils en viennent aux armes, sur les champs de bataille même, Athéniens contre Thébains, Phocéens contre Thessaliens, ils se prennent à la gorge, s'arrachent les yeux, se tranchent la tête. Aucun Perse ne suscite chez le Grec autant de haine qu'un Grec d'un camp adverse ou d'une tribu ennemie. Est-ce là l'expression de complexes, de fautes, de forfaitures, de trahisons ? De peurs secrètes, de la crainte de malédictions divines ?

La confrontation ne se fait pas attendre. Platées puis Mycale seront le théâtre des deux ultimes batailles de cette guerre.

Tout d'abord Platées. Quand Mardonios comprit que les Athéniens et les Spartiates n'étaient pas prêts à céder ni à faire la moindre concession, il rasa Athènes et se retira au nord, chez ses alliés, les Thébains, dont les terres plates et régulières étaient plus propices à la cavalerie lourde de son armée. Les Athéniens et les Spartiates le talonnèrent sur cette plaine, dans la région de Platées. Les deux armées se rangèrent face à face, en posture d'attente. Toutes les deux étaient conscientes qu'un moment important, décisif allait se jouer. Les jours passaient, et les deux parties restaient figées dans une immobilité angoissante, chacune interrogeant ses dieux respectifs sur l'opportunité de lancer l'offensive, mais la réponse demeurait négative.

Mais, un beau jour, un Thébain, un collaborateur grec du nom d'Attajinos, organisa un festin en l'honneur de Mardonios, auquel il convia cinquante Perses illustres et autant de Thébains prestigieux, en prenant soin de placer sur chaque divan un Perse et un Thébain. Sur l'un de ces sofas était assis le Grec Thersandre et, à côté de lui, un Perse dont Hérodote ne donne pas le nom. Tous deux mangèrent et burent ensemble jusqu'au moment où le Perse, d'humeur songeuse, demanda à Thersandre : « *Tu vois ces Perses qui festoient, et l'armée que nous avons laissée campée au bord de la rivière (B) ?* » Le Perse devait être tourmenté par de mauvais pressentiments, car il ajouta : « *De tous ces hommes, dans peu de temps, tu en verras bien peu qui soient encore en vie.* » *En prononçant ces mots, le Perse pleurait à chaudes larmes (B).* Essayant de consoler son voisin qui avait manifestement le vin triste, Thersandre, encore sobre, répondit non sans bon sens : « *Mais c'est Mardonios qu'il faut alors prévenir, et les Perses qui sont après lui les principaux chefs (B) !* » Le Perse lui répondit par une phrase tragique mais sage : « *Etranger, ce que le ciel a résolu, il n'est pas au pouvoir de l'homme de l'éviter ; on a beau proclamer l'évidence, personne ne consent à vous croire. Ce que je vous dis, nous sommes nombreux à le savoir parmi les Perses, et nous marchons quand même, prisonniers de la nécessité. La pire douleur qui soit en ce monde, c'est bien d'y voir clair, et d'être sans pouvoir (B).* »

La grande bataille de Platées, qui se terminera par la défaite des Perses et décidera pour une longue période de la domination de l'Europe sur l'Asie, est précédée d'escarmouches pendant lesquelles la cavalerie des Perses houspille les Grecs. Au cours de l'une d'elles,

celui qui remplace en quelque sorte le chef de l'armée
perse, Masistios, perd la vie. *Ils combattirent longuement,
et voici comment finit la bataille : la cavalerie chargeait par
escadrons, et Masistios sur son cheval venait en tête lorsqu'une flèche atteignit au flanc sa monture qui, de douleur, se
cabra et le désarçonna ; Masistios tomba et les Athéniens se
jetèrent aussitôt sur lui : ils s'emparèrent de son cheval et
réussirent à le tuer lui-même en dépit de sa défense ; mais ils
n'y parvinrent pas tout de suite, car l'homme était ainsi
équipé : il avait sur le corps une cuirasse d'écailles d'or et
portait une tunique de pourpre par-dessus ; le métal arrêta les
coups des Athéniens jusqu'au moment où l'un d'eux s'aperçut
de la chose et atteignit à l'œil Masistios qui s'effondra et mourut (B).*

Eclate alors une lutte acharnée autour de la dépouille
du chef de l'armée ennemie. Or, la dépouille d'un chef
est sacrée. Les Perses se battent pour l'emporter avec
eux dans leur fuite. En vain. Vaincus, ils regagnent leur
campement : *Au retour de la cavalerie, l'armée entière et
Mardonios lui-même menèrent le deuil le plus grand de la
mort de Masistios, coupant leurs cheveux, tondant leurs chevaux et les bêtes de somme et poussant des lamentations sans
fin. L'écho de leur douleur emplissait la Béotie tout entière :
un homme était mort, le premier après Mardonios dans l'estime des Perses et du roi (B).*

Cependant, les Grecs, qui ont réussi à garder le corps
de Masistios, *placèrent son corps sur un char qu'ils firent
passer dans les rangs de l'armée. Le mort, certes, méritait
qu'on le regardât, pour sa taille et sa beauté ; c'est d'ailleurs
la raison pour laquelle ils le produisaient ainsi, car les soldats
quittaient leurs rangs pour aller le contempler (B).*

Tout cela se déroule quelques jours avant la bataille
décisive qu'aucun des deux camps n'ose entreprendre,
car les augures sont défavorables. Du côté perse, le
devin est un certain Hégésistrate, Grec du Péloponnèse,
mais ennemi des Spartiates et des Athéniens, *un homme*

que les Spartiates avaient capturé quelque temps auparavant et jeté dans les fers en attendant de le mettre à mort parce qu'ils avaient eu souvent à souffrir de sa malveillance. Dans cette extrémité, en homme qui se savait condamné et qui était prêt à supporter les pires souffrances pour éviter la mort, il accomplit une action que les mots ne peuvent égaler. Il avait au pied une entrave tenue par des liens de fer, mais il put disposer d'une lame de métal qu'on lui fit parvenir d'une manière ou d'une autre, et combina tout aussitôt l'action la plus héroïque que nous connaissions : il mesura la partie de son pied qui pourrait se dégager de l'entrave, et trancha le reste ; après quoi, comme des sentinelles le gardaient, il fit un trou dans le mur de sa prison et s'enfuit vers Tégée, marchant la nuit, se réfugiant le jour au fond des bois. Malgré les efforts des Lacédémoniens lancés en masse à sa poursuite, il atteignit Tégée la troisième nuit, tandis qu'à Sparte tous demeuraient stupéfaits de son courage en voyant par terre le morceau de pied, alors qu'ils ne pouvaient plus retrouver l'homme (B).

Comment a-t-il pu accomplir un acte pareil ?

C'est du reste un travail énorme !

Car il ne suffit pas de couper les muscles, il faut encore séparer les tendons des os. Certes, l'automutilation existe aussi à notre époque, des témoins disent que, au goulag, les prisonniers se coupaient parfois les mains ou se crevaient le ventre avec un couteau. On raconte même l'histoire d'un zek qui s'était cloué le membre viril à une planche. Mais ces actes visaient à se libérer des travaux forcés, à se faire hospitaliser pour jouir d'un bref répit. Mais se couper le pied et fuir aussitôt ?

Courir ?

Avec des hommes à ses trousses ?

Comment est-ce possible ? Sans doute rampait-il en s'aidant de ses bras et de sa jambe valide ? L'autre jambe devait le faire horriblement souffrir, elle devait saigner abondamment. Comment a-t-il arrêté l'hémorragie ? Pendant la fuite, ne s'évanouissait-il pas d'épuisement, de soif, de douleur ? Ne se sentait-il pas devenir fou ?

Ne voyait-il pas des spectres ? N'était-il pas hanté par des fantômes, des visions, des vampires ? Et sa blessure n'était-elle pas infectée ? Car il était obligé de traîner ce moignon dans la terre, la poussière, la boue. Comment pouvait-il faire autrement ? Sa jambe ne se mettait-elle pas à enfler, à suppurer, à bleuir ?

Hégésistrate réussit néanmoins à échapper aux Spartiates, il guérit, se fabrique une prothèse en bois et, par la suite, devient même le devin de Mardonios, chef des Perses.

En attendant, la tension ne cesse de croître à Platées. Au bout de plusieurs jours d'offrandes infructueuses aux dieux, les augures deviennent tellement favorables que Mardonios décide, par faiblesse humaine, d'engager la bataille. Il est, en effet, impatient d'écraser l'ennemi pour devenir au plus vite le satrape d'Athènes et de la Grèce entière. *Ses cavaliers s'approchèrent des lignes grecques et leur firent beaucoup de mal avec leurs javelots et leurs flèches [...] (B). Puis toute la cavalerie barbare passa à l'attaque.* Lorsque les carquois sont vides, les deux armées en viennent aux mains. Des milliers d'hommes qui s'empoignent, s'agrippent dans des joutes fatales, s'étranglent dans une étreinte mortelle. Avec ce qui lui tombe sous la main, chacun cogne la tête de son adversaire, lui enfonce un couteau entre les côtes, lui donne des coups dans les tibias. Les halètements et les gémissements, les râles et les lamentations, les imprécations et les cris doivent être terribles !

Selon Hérodote, le guerrier qui manifesta le plus de bravoure dans ce tumulte sanglant fut le Spartiate Aristodèmos. Sa destinée fut néanmoins tragique : unique rescapé parmi les trois cents soldats du détachement de Léonidas, tombés en défendant les Thermopyles, seul à avoir par miracle survécu à la bataille, il vivait désormais dans l'opprobre et le mépris de ses concitoyens. Selon le code de Sparte, il était impossible de survivre aux Thermopyles, tous ceux qui s'y étaient battus pour défendre leur patrie avaient immanquablement dû y périr, ils n'avaient pu en réchapper. L'inscription sur la tombe commune du détachement de Léonidas atteste cet état d'esprit : « Voyageur, dis à Sparte que nous qui gisons ici avons été fidèles à ses lois. »

Manifestement, le règlement sévère de Sparte ne prévoyait guère le statut de combattant pour les vaincus. On allait à la guerre pour survivre comme vainqueur ou pour mourir comme vaincu. Or Aristodèmos était le seul, parmi les soldats de Léonidas, à être resté en vie. Cette circonstance exceptionnelle le plongeait dans la honte et l'ignominie. Personne ne voulait lui parler, tous se détournaient de lui avec dédain. Sa vie, miraculeusement épargnée, commença alors à le tourmenter. Elle devint pour lui un poids de plus en plus difficile à supporter. Aussi se mit-il à chercher une issue, essayant de se soulager. Or voici que se présenta l'occasion de laver la tache de l'humiliation, ou plutôt d'en finir héroïquement avec sa vie désormais marquée du stigmate de l'infamie. La bataille de Platées battait son plein. Aristodèmos fit montre d'une vaillance démesurée, *il voulait mourir sous les yeux de ses concitoyens à cause des reproches qu'on lui faisait et transporté de fureur, il avait quitté les rangs pour accomplir des prouesses remarquables (B).*

En vain, car les lois de Sparte demeurent impitoyables. Elles ne connaissent ni pitié ni humanité. Une faute accomplie reste une faute pour toujours, celui qui s'est déshonoré ne pourra jamais en être lavé. C'est pourquoi le nom d'Aristodèmos ne figure pas parmi les héros distingués par les Grecs. Tous furent honorés, *sauf Aristodèmos qui, parce qu'il voulait mourir pour la raison que j'ai dite, ne le fut pas (B).*

Le destin de la bataille fut scellé par la mort du chef des Perses, Mardonios. En ce temps-là, les chefs ne se planquaient pas à l'arrière, dans des bunkers camouflés, ils marchaient au contraire à la tête de leurs troupes qui se lançaient au combat. Et quand le chef tombait au champ d'honneur, son armée se dispersait et fuyait. Le chef devait être visible de loin, à cheval le plus souvent, car le comportement de ses soldats dépendait de ses faits et gestes. C'est ce qui se produisit à Platées : *Mardonios lui-même combattait monté sur un cheval blanc, entouré d'un corps d'élite – les mille Perses les plus braves. [...] Quand il eut péri, quand les hommes qui l'entouraient, les éléments les plus solides de son armée, furent tombés, le reste alors faiblit et lâcha pied devant les Lacédémoniens (B).*

Hérodote note que, du côté grec, un soldat athénien du nom de Sophanès manifesta une fermeté exemplaire. *Il portait une ancre de fer accrochée par une chaîne de bronze à la ceinture de sa cuirasse et, quand il arrivait à proximité des ennemis, il ne manquait pas de la ficher en terre afin que l'ennemi ne pût le faire reculer par des assauts ; si son adversaire prenait la fuite, il avait pour tactique de relever son ancre et de le poursuivre en la portant (B).*
Superbe métaphore ! Ce dont l'homme a besoin, ce n'est pas d'une bouée de sauvetage pour se maintenir à la surface, mais d'une ancre solide à laquelle il peut s'accrocher pour accomplir son œuvre.

La beauté du noir

Le bac met moins d'une demi-heure à voguer des berges de Dakar à l'île de Gorée. En se tenant à la poupe du bateau, on voit la ville tanguer sur la crête des vagues agitées par l'hélice, puis elle devient de plus en plus petite pour se transformer en une bande de pierre claire s'étirant sur la ligne de l'horizon. Le bac oriente alors sa poupe vers l'île, puis, dans le vrombissement de son moteur et un vacarme trépidant de ferraille, il frotte son flanc contre le béton du débarcadère.

Pour arriver à la « pension de famille », il faut que je remonte la jetée en bois, la plage de sable et enfin une ruelle étroite. Abdou et Mariem m'y attendent. Lui est gardien, elle est la patronne du petit hôtel. C'est une femme silencieuse, constamment affairée, aux gestes toujours calmes. Le couple va bientôt avoir un enfant, à en juger d'après la silhouette de Mariem. Malgré leur très jeune âge, ce sera leur quatrième petit. Abdou regarde avec satisfaction le ventre proéminent de son épouse, signe que tout va pour le mieux dans leur maison. « Si une femme a le ventre plat, dit Abdou tandis que Mariem acquiesce en silence, c'est mauvais signe, c'est contraire à l'ordre de la nature. » Inquiets, la famille et les amis commencent dans ce cas à s'interroger, à poser des questions indiscrètes, à tramer des suppositions pleines de crainte et parfois même de méchanceté. Mais, pour eux, tout se passe conformément au rythme de l'univers selon lequel, une fois par an, une femme donne la preuve tangible de sa généreuse et infatigable fécondité.

Tous deux sont peuls, groupe ethnique le plus important au Sénégal. Les Peuls parlent en wolof et ont la peau plus claire que les autres Africains de l'Ouest. D'où une théorie selon laquelle ils seraient venus dans cette partie du continent depuis les rives du Nil, d'Egypte, il y a fort longtemps, à une époque où le Sahara était encore couvert de verdure et où on pouvait le traverser sans danger.

D'où une théorie plus large encore, développée dans les années 1950 par l'historien et linguiste sénégalais Cheikh Anta Diop, au sujet des racines égypto-africaines de la civilisation grecque, et donc européenne et occidentale. L'homme étant physiquement né en Afrique, la culture européenne y est enracinée. Hérodote, selon lequel de nombreux éléments de la culture grecque et européenne, surtout dans sa partie méditerranéenne, proviennent d'Egypte et de Libye, est la référence de Cheikh Anta Diop, auteur d'un énorme dictionnaire comparatif des langues égyptienne et wolof.

La thèse d'Anta Diop rejoint la célèbre théorie de la négritude développée à Paris à la fin des années 1930 par deux jeunes poètes de l'époque, le Sénégalais Léopold Sédar Senghor et Aimé Césaire, descendant d'esclaves africains de la Martinique. Dans leurs poèmes et leurs manifestes, tous deux proclament la fierté de leur race humiliée des siècles durant par l'homme blanc, leur fierté d'être noirs. Tous deux exaltent la contribution des hommes de race noire au patrimoine culturel mondial.

Tout cela se déroule au cœur du xxᵉ siècle, à une époque où s'éveille une conscience « extra-européenne », où les hommes du continent africain et en général de ce qu'on appelle le tiers-monde cherchent leur identité, en s'efforçant de se débarrasser de leur complexe d'esclave. La thèse d'Anta Diop ainsi que la théorie de

Senghor et de Césaire font prendre conscience aux Européens que notre planète, dominée à ce jour par l'Europe, est en train de devenir un monde nouveau et multiculturel au sein duquel d'autres sociétés et cultures non-européennes aspirent à occuper une place digne et respectable (on retrouve un écho de cette prise de conscience, ne serait-ce que dans la littérature de Sartre, de Camus et de Davidson).

C'est dans ce contexte que naît la notion de l'altérité de l'Autre. Jusqu'à présent, ce rapport concernait toujours deux êtres issus de la même culture. Maintenant, en revanche, l'Autre est une personne émanant d'une autre culture, une personne formée par cette culture, revendiquant ses propres coutumes et valeurs.

En 1960, le Sénégal obtient l'indépendance. Léopold Sédar Senghor, familier des clubs et des cafés du Quartier latin de Paris, devient le président de son pays. Ce qui pendant des années a été sa théorie et celle de ses camarades d'Afrique, des Caraïbes et des deux Amériques, leur rêve de retourner à des racines symboliques, à des sources perdues, aux origines de leur monde dont ils ont été brutalement arrachés par des hordes de marchands d'esclaves pour être jetés pendant des générations dans une réalité étrangère, avilissante et hostile, leur programme en quelque sorte peut pour la première fois prendre la forme d'actes concrets, de projets ambitieux, de réalisations audacieuses et de grande envergure.

Dès le début de son mandat présidentiel, Senghor prépare le premier Festival mondial des Arts nègres, autrement dit de tous les Noirs, pas seulement des Africains. Son but est de montrer l'immensité, la grandeur, l'universalité, la vitalité et la variété de cet univers dont les sources sont africaines mais qui s'ouvre maintenant au monde entier.

En 1963, Senghor inaugure à Dakar le festival qui doit durer plusieurs mois. Comme j'ai manqué l'inauguration et que tous les hôtels de la capitale sont déjà réservés, je déniche une chambre dans l'île, à la « Pension de famille » dirigée par Mariem et Abdou, Peuls sénégalais et peut-être descendants de fellahs ou, qui sait, de pharaons égyptiens.

Le matin, Mariem pose dans mon assiette un morceau de papaye juteuse, un bol de café très sucré, la moitié d'une baguette et un pot de confiture. Bien qu'elle ne soit guère bavarde, elle me pose la traditionnelle ritournelle de questions matinales : comment ai-je passé la nuit ? Ai-je suffisamment dormi ? N'ai-je pas eu trop chaud ? Les moustiques m'ont-ils piqué ? Ai-je fait de beaux rêves ? « Et si je n'ai pas rêvé ?, demandé-je. « Impossible », réplique Mariem. Elle rêve toujours, de ses enfants, d'un divertissement, d'une visite chez ses parents. Des rêves fort bons et agréables.

Après l'avoir remerciée pour le petit déjeuner, je rejoins l'embarcadère où le bac m'emmène vers Dakar. La ville vit au rythme du festival : expositions, conférences, concerts, pièces de théâtre. L'Afrique de l'Est et de l'Ouest, du Sud et du Centre, le Brésil et la Colombie, les Caraïbes au grand complet, la Jamaïque et Porto Rico en tête, l'Alabama et la Géorgie, les îles de l'Atlantique et de l'océan Indien s'y trouvent réunis.

Dans les rues et sur les places les représentations théâtrales foisonnent. Le théâtre africain n'est pas aussi strict que le théâtre européen. N'importe où, à tout moment, des gens qui ne se connaissent pas peuvent se regrouper et improviser une pièce de leur invention. Il n'y a pas de texte, tout est le fruit de l'humeur du moment, de l'imagination spontanée. Tout peut servir de thème à la pièce jouée : la police attrapant une bande de voleurs, des commerçants se battant pour défendre leur place au marché, des épouses rivalisant entre elles pour un mari amoureux d'une autre femme. Le contenu doit être simple, la langue compréhensible pour tous.

Celui qui a une idée se déclare metteur en scène. Il distribue les rôles, et le jeu commence. Si la scène se passe dans la rue, sur une place ou dans une cour, une foule de badauds se forme aussitôt. Pendant la représentation, les gens rient, font des commentaires, applaudissent. Si l'action prend une tournure intéressante, les spectateurs restent en dépit de l'ardeur du soleil, suivant attentivement l'évolution de l'intrigue ; mais si la pièce ne prend pas forme, si la troupe réunie *ad hoc* ne parvient pas à s'entendre, les acteurs et le public se séparent, cédant la place à d'autres à qui la chance sourira peut-être.

Il arrive que les acteurs interrompent leur dialogue et se mettent à exécuter une danse rituelle, tandis que le public se joint à eux. Parfois le spectacle est serein et joyeux, parfois, au contraire, les danseurs deviennent sérieux et concentrés. On sent que cette communion à un rythme est pour eux un acte important et grave. Quand la danse se termine, les acteurs reprennent leur dialogue, et les spectateurs, plongés il y a un instant encore dans une transe mystérieuse, rient de nouveau, gais et joyeux.

Le théâtre n'est pas seulement lié à la danse. Le masque constitue également un élément capital et même indissociable de l'art théâtral africain. Les acteurs jouent parfois masqués, mais il leur arrive de garder leur masque à la main, sous le bras, ou même accroché dans le dos, car, avec cette chaleur, il est difficile de le supporter longtemps sur le visage. Le masque est un symbole, une créature pleine d'émotions et de significations, qui évoque l'existence d'un autre monde dont il est le signe, l'emblème, le présage. Il communique à l'homme un message, le met en garde contre un danger. Apparemment mort et immobile, il essaie par son seul aspect d'éveiller ses sentiments, de susciter des émotions, de le subjuguer.

Senghor a fait venir au festival de Dakar des milliers

et des milliers de masques empruntés à divers musées du monde. Cette accumulation, cet amoncellement crée un univers particulier et mystérieux, et y pénétrer suscite une émotion exceptionnelle. On commence à comprendre l'impact que le masque est susceptible d'exercer sur l'homme, son pouvoir hypnotique, sa capacité de le tétaniser ou de le mettre en transe. On commence aussi à comprendre pourquoi le besoin de créer des masques et la croyance en leur force magique ont pu unir des sociétés entières, leur permettant de communiquer à travers les continents et les océans, leur donnant le sentiment d'appartenir à une communauté et leur conférant une identité. On comprend que le masque est devenu une forme de tradition et de mémoire collectives.

Allant d'un spectacle à l'autre, d'une exposition de masques et de sculptures à l'autre, j'ai le sentiment d'assister à la renaissance d'une grande culture, à l'émergence d'une prise de conscience de sa singularité, de son importance, de sa fierté, ainsi que de sa portée globale et universelle : masques du Mozambique et du Congo, lampes rituelles macumba de Rio de Janeiro, blasons de divinités protectrices vaudou de Haïti, copies de sarcophages égyptiens.

Le bonheur d'assister à la renaissance d'une communauté va toutefois de pair avec un sentiment de déception et de désenchantement. C'est par exemple à Dakar que je lis *Black Power*, l'émouvant livre de l'écrivain américain Richard Wright, qui vient de paraître. Au début des années 1950, Wright, Afro-Américain de Harlem, part en voyage au Ghana, guidé par le désir de revenir sur la terre de ses ancêtres, l'Afrique (on parle alors du retour au sein de la mère Afrique). A l'époque, les Ghanéens se battent pour leur indépendance, tiennent des meetings, se révoltent, protestent. Wright prend part à ces réunions, se familiarise avec la vie quotidienne des villes, visite les marchés d'Accra et de Takoradi, discute avec des marchands et des planteurs. Il constate toutefois que, malgré la similitude de leur couleur de peau, eux, les Africains, et lui, l'Américain, sont totalement étrangers, ils n'ont pas de langage commun. Ce qui leur importe l'indiffère totalement, et vice versa. Plus il voyage, plus le sentiment d'être un étranger lui devient insupportable. L'écrivain américain le vit comme une malédiction et un cauchemar.

La philosophie de la négritude tente d'éliminer ces barrières culturelles morcelant le monde des Noirs auquel elle s'efforce de rendre une langue et une unité communes.

Dans la « Pension de famille » d'Abdou et de Mariem, je dispose d'une chambre à l'étage. Et quelle chambre ! Spacieuse, tout en pierre, avec, en guise de fenêtres, deux ouvertures, et, en guise de porte, un trou aussi grand qu'une porte cochère. J'ai aussi une large terrasse d'où je peux contempler la mer à perte de vue. L'Atlantique. Ma chambre est sans cesse traversée par une brise fraîche, si bien que j'ai l'impression de me trouver sur le pont d'un navire. L'île est immobile et la mer est calme. En revanche, les couleurs changent sans cesse, celle de la mer, du ciel, du jour et de la nuit. Toutes les couleurs changent d'ailleurs constamment, celle des murs et des toits du village voisin, celle des voiles des barques de pêcheurs, celle du sable des plages, celle des palmiers et des manguiers, celle des ailes des mouettes et des hirondelles de mer qui tournoient dans le ciel. Si on est sensible aux couleurs, ce lieu ensommeillé et presque mort donne le vertige, fascine, étourdit, mais il finit toujours par vous engourdir et vous tourmenter.

Non loin de ma pension, entre les énormes rochers de la côte et des bancs d'algues, j'aperçois les débris calcinés de murs détruits par le temps et le sel. Ces ruines, comme l'île tout entière, portent les stigmates d'une gloire sinistre et criminelle. Pendant deux cents ans et peut-être plus, l'île de Gorée a été une prison, un camp de concentration et un port par où transitaient des foules d'esclaves africains expédiés vers l'autre hémisphère, notamment les deux Amériques et les Caraïbes. On estime que, pendant cette période, dix à vingt millions de jeunes femmes et d'hommes sont partis de Gorée. Pour l'époque, c'est un chiffre hallucinant ! On peut considérer que l'Afrique a été dépeuplée par cette déportation de masse.

Le continent est devenu désert, le bush et les herbes sauvages l'ont envahi.

Sans interruption, pendant des années, des colonnes d'hommes ont été chassées de l'intérieur de l'Afrique vers l'endroit où se trouve aujourd'hui la ville de Dakar, et, de là, ils ont été dirigés en barque sur l'île. Une partie d'entre eux ont péri sur place, de faim, de soif et de maladies, en attendant les navires affrétés pour leur faire traverser l'Atlantique. Les morts étaient aussitôt jetés à la mer où les requins les dévoraient. Les environs de Gorée constituaient la pâture de ces rapaces qui tournaient constamment en nuées autour de l'île. Tenter de fuir n'avait aucun sens puisque la vigilance des mangeurs d'hommes ne le cédait en rien à celle des gardiens blancs. Selon les historiens, la moitié des esclaves transportés en navires périrent en chemin. Plus de six mille kilomètres de route maritime séparent l'île de Gorée de New York. Une telle distance, ajoutée aux rudes conditions de voyage, ne pouvait être supportée que par les plus robustes.

Nous rendons-nous vraiment compte que, depuis des temps immémoriaux, la richesse du monde a été bâtie par des esclaves ? Des systèmes d'irrigation en Mésopotamie aux murailles de Chine, des pyramides égyptiennes à l'Acropole d'Athènes, des plantations de sucre

à Cuba aux exploitations de coton en Louisiane et dans
l'Arkansas, des mines de charbon dans la Kolyma aux
autoroutes du IIe Reich ? Et les guerres ? Depuis la nuit
des temps, l'homme fait la guerre dans le but de gagner
des esclaves, de se les approprier, de les mettre aux fers,
de les chasser à coups de bâton, de les violer, pour
éprouver la satisfaction de disposer d'un autre homme.
Cela a souvent constitué le principal et unique motif de
la guerre, son nerf le plus puissant et déclaré.

Ceux qui ont réussi à survivre au voyage transatlan-
tique (on parlait de *black cargo*) ont emporté avec eux
leur culture africano-égyptienne qui fascinait tant Hérodote et qu'il décrivit dans son livre, bien avant qu'elle
atteigne l'autre hémisphère, bien avant tous ces événements.

Et Hérodote lui-même, de quels esclaves disposait-il ?
Combien en avait-il ? Comment les traitait-il ? C'était, à
mon avis, un homme de bon cœur et ses esclaves
n'avaient sans doute pas à se plaindre de lui. En compagnie d'Hérodote, ils visitèrent une partie du monde, et
peut-être plus tard, quand leur maître s'installa à Thourioi pour y écrire ses *Histoires*, lui servirent-ils de
mémoire vivante, d'encyclopédie ambulante, lui rappelant des noms, des appellations et des détails qu'il avait
oubliés, portant ainsi leur modeste contribution à la
richesse étonnante de son livre.

Et que devinrent-ils quand Hérodote mourut ?
Furent-ils exposés sur la place du marché pour y être
vendus ? Ou alors, aussi vieux que leur maître, le sui-
virent-ils dans l'autre monde peu de temps après sa
mort ?

Scènes de folie et de méditation

Il serait tellement agréable de s'asseoir, le soir, sur la terrasse, devant une petite table éclairée d'une lampe et, tout en écoutant le murmure omniprésent de la mer, de lire Hérodote. Malheureusement, dès qu'on allume une lampe, les ténèbres s'animent et se mettent à grouiller de vie, des nuées d'insectes tourbillonnants se ruent vers la lumière. Voyant devant eux une tache claire, les spécimens les plus excités et indiscrets foncent à l'aveuglette dans sa direction, se cognent la tête sur l'ampoule incandescente et tombent raides par terre. D'autres, à peine réveillés, tournicotent autour de la lumière avec plus de prudence mais sans fin, inlassablement, comme si la lumière les rechargeait d'une énergie inépuisable. La pire calamité est une espèce de mouches minuscules qui se fichent complètement de se faire chasser ou même aplatir : un nuage de remplaçantes attend impatiemment leur départ ou leur trépas pour passer à l'attaque. D'autres vermines encore, des coléoptères, et toutes sortes de bestioles dont j'ignore le nom, agaçantes et méchantes à souhait, manifestent la même ardeur. Mais le plus gênant pour le lecteur, c'est une variété de papillons de nuit que manifestement la pupille de l'homme inquiète et irrite, car ils essaient sans cesse de se poser sur les yeux, de les voiler, d'y coller leurs ailes gris foncé et charnues.

De temps en temps, Abdou vole à mon secours.

Il apporte avec lui un sac et un petit poêle tout abîmé

au fond duquel se consument des braises et sur lesquelles il verse un mélange de morceaux de résine,
racines, pelures et baies, puis il souffle sur l'âtre grésillant de toute la puissance de ses poumons. L'atmosphère s'emplit d'un parfum fort, lourd, suffoquant.
Comme si elle avait reçu un ordre, toute la confrérie ou
presque déguerpit dans la panique, tandis que quelques
retardataires et badauds, étourdis, rampent un certain
temps sur la petite table, puis s'arrêtent brutalement,
paralysés, et s'écroulent à terre.

Abdou sort l'air satisfait, quant à moi j'ai un moment
de répit pour lire. Hérodote s'achemine peu à peu vers
la fin de son ouvrage. Quatre scènes viennent conclure
son livre :
     I. Scène de bataille (la dernière, celle de Mycale) :
     Le même jour, alors que les Grecs ont écrasé l'armée
perse à Platées et que les troupes défaites entreprennent
leur retraite en direction de leur pays, la flotte grecque
anéantit une autre partie de l'armée perse à Mycale, sur
la rive orientale de la mer Egée, clôturant ainsi la guerre
par une victoire en faveur de la Grèce (l'Europe) contre
la Perse (l'Asie). La bataille de Mycale ne fait pas long
feu. Les deux armées se tiennent face à face. *Leurs dispositions prises, les Grecs se lancèrent à l'attaque des Barbares
(B)*. En passant à l'assaut, ils apprennent soudain que, à
Platées, leurs alliés ont vaincu les Perses !
     Comment ont-ils appris cette nouvelle ? Hérodote
n'écrit rien à ce sujet. Mais cela m'intrigue, car Platées et
Mycale sont distantes de plusieurs jours de navigation.
Certains estiment aujourd'hui que les vainqueurs trans-
mirent peut-être l'information à l'aide d'une chaîne de
feux allumés d'île en île – celui qui voyait au loin un
brasier en allumait un à son tour et ainsi de suite. En
tout cas, *quand cette rumeur eut parcouru leurs rangs, ils
passèrent à l'attaque avec un élan, une vigueur accrus (B)*. La
bataille est acharnée, la résistance des Perses est rude,

mais les Grecs finissent par l'emporter. *Après avoir massacré la majorité des Barbares ou dans la bataille, ou pendant leur fuite, les Grecs brûlèrent leurs navires et leurs fortifications, non sans en avoir retiré le butin qu'ils déposèrent sur le rivage, avec quelques trésors qu'ils y avaient découverts (B).*

II. Scène d'amour (*Love Story* et enfer de la jalousie) :
Tandis que les troupes perses saignent et meurent à Platées et Mycale, que les survivants, *pourchassés et massacrés par les Grecs (B)*, tentent de regagner la ville perse de Sardes, le roi Xerxès qui s'y est réfugié pour oublier la guerre, sa fuite ignominieuse d'Athènes et la débâcle de l'empire, se livre corps et âme aux jeux dangereux et pervers de l'amour. Nul n'ignore en psychologie la notion de refoulement : l'homme qui a traversé des épreuves pénibles tente de les refouler, de les effacer de sa mémoire afin de recouvrer la paix et son équilibre intérieur. Vraisemblablement, ce processus a dû se déclencher dans le psychisme de Xerxès. Arrogant et autoritaire quand il mène la plus grande armée du monde contre les Grecs, il oublie tout après la défaite, et désormais tout ce qui l'intéresse et l'attire, ce sont les femmes.

Ainsi, après sa fuite de Grèce et sa retraite à Sardes, *Xerxès s'était épris de la femme de Masistès, qui s'y trouvait aussi ; mais ses messages étaient demeurés vains et il ne voulait pas user de violence... Xerxès alors change de tactique et arrange le mariage de son propre fils Darius avec la fille de cette femme et de Masistès : il pensait la gagner plus facilement par ce moyen (B).* Au début, le roi poursuit de ses assiduités non pas la fille (elle s'appelait Artaynté), mais la mère, qui est également sa belle-sœur et qui, à Sardes, lui semblait plus attirante.

Le goût de Xerxès va toutefois changer quand il quitte Sardes pour se rendre dans la capitale de son empire, Suse, et plus exactement dans son palais royal. *Quand il fut de retour, quand il eut conduit à Darius, dans son palais, l'épouse qu'il lui avait donnée, il ne pensa plus à la femme de Masistès et, passant d'un amour à l'autre, il s'éprit de sa bru, la fille de Masistès, qui lui céda ; elle s'appelait Artaynté.*

Au bout de quelque temps l'intrigue fut découverte, et voici comment : la femme de Xerxès, Amestris, avait tissé un grand manteau de plusieurs couleurs, un vêtement vraiment admirable, qu'elle lui donna. Fort satisfait, Xerxès le revêtit pour aller voir Artaynté ; fort satisfait aussi de la jeune femme, il la pressa de lui demander ce qu'elle voulait en échange de ses faveurs : sa requête, quelle qu'elle fût, lui serait accordée (B).

Sans réfléchir, sa belle-fille répond : le manteau. Effrayé, Xerxès tente de la dissuader de ce caprice, car il craint qu'un tel cadeau ne confirme les soupçons d'Amestris. Il offre alors à la jeune fille *des villes, de l'or en abondance, une armée qui n'aurait pas d'autre chef qu'elle (B).* Mais, capricieuse et entêtée, la jeune femme refuse catégoriquement. Ce qu'elle veut, c'est le manteau, rien d'autre.

Le roi de l'empire du monde, maître de la vie et de la mort de millions de sujets, est contraint de céder. *Il ne put la convaincre – et il lui donna son manteau. Artaynté, ravie, l'arbora fièrement.*

Amestris apprend qu'elle a le manteau : elle comprend ce qui se passe, mais au lieu d'en vouloir à la jeune femme, elle imagina que la responsable de toute l'affaire était sa mère, la femme de Masistès, et décida de la perdre. Elle attendit le jour où son mari, Xerxès, offrait un Banquet Royal (il y en a un par an, pour l'anniversaire du roi [...] : ce jour-là le roi, par exception, se parfume la tête, et il distribue des cadeaux aux Perses) ; Amestris, dis-je, attendit cette occasion et pria Xerxès de lui livrer la femme de Masistès. Xerxès s'indigna d'abord et jugea monstrueux de livrer une femme qui était l'épouse de son frère, et cela quand elle n'avait aucune responsabilité dans cette histoire – car il comprenait bien ce qui faisait agir Amestris.

Enfin, devant l'insistance d'Amestris, Xerxès, contraint d'obéir à l'usage selon lequel nulle prière ne peut être repoussée pendant le Banquet Royal, acquiesça d'un signe à sa

requête, bien malgré lui ; quand il eut cédé, voici ce qu'il fit :
il dit à sa femme d'agir à sa guise ; à son frère qu'il fit appeler,
il dit ceci : « Masistès, tu es fils de Darius, tu es mon frère, et
tu es aussi un homme digne d'estime. Renonce à la femme que
tu as aujourd'hui dans ta maison ; à sa place je te donne ma
propre fille : prends-la pour épouse. Celle que tu as aujour-
d'hui, ne la garde pas, car ce mariage me déplaît (B). »

Stupéfait, Masistès répond : « *Maître, que me dis-tu là ?*
Je n'en crois pas mes oreilles ! Tu me demandes de renvoyer
une femme qui m'a donné des enfants, de grands fils, et des
filles parmi lesquelles tu as choisi toi-même une épouse pour
ton fils, une femme avec qui je m'entends parfaitement ? Tu
me demandes de la renvoyer pour épouser ta fille ? C'est un
grand honneur pour moi, seigneur, que tu me juges digne de
ta fille, mais je ne ferai rien de ce que tu me proposes. Ne me
force pas à t'obéir sur ce point. Un autre parti se présentera
pour ta fille, d'un mérite au moins égal au mien ; laisse-moi
vivre auprès de mon épouse (B). »

Furieux, Xerxès répond : « *Soit, Masistès ! Pour rien au*
monde maintenant je ne te donnerai ma fille en mariage, et ta
femme, tu ne la conserveras pas longtemps, ceci pour t'ap-
prendre à recevoir les cadeaux que l'on te fait. » En entendant
ces mots, Masistès se contenta de répliquer en quittant la
pièce : « *Maître, tu ne m'as pas encore fait périr ! »*

Or, pendant tout le temps que Xerxès discutait avec son
frère, Amestris, qui avait fait venir les gardes de Xerxès, s'oc-
cupait à torturer la femme de Masistès : elle lui fait trancher
les seins qui furent jetés aux chiens, couper le nez, les oreilles,
les lèvres et la langue, et la renvoie chez elle ainsi mutilée (B).

En tenant entre ses mains sa belle-sœur, Amestris lui
parle-t-elle ? En lui tranchant lentement les seins (les
lames aiguisées n'existaient pas encore à l'époque),
l'abreuve-t-elle d'injures ? La menace-t-elle de la main
dans laquelle elle brandit le couteau ensanglanté ?
Halète-t-elle et siffle-t-elle de haine ? Comment se
comportent les hommes de la garde qui doivent maintenir de force la victime ? Elle doit en effet hurler de douleur, se débattre, tenter de s'arracher. Fixent-ils ses

seins ? Se taisent-ils, terrorisés ? Ricanent-ils en douce ? Peut-être la belle-sœur d'Amestris s'évanouit-elle, le visage lacéré ? Peut-être faut-il sans cesse l'arroser d'eau ? Et ses yeux ? L'épouse du roi lui arrache-t-elle les yeux ? Hérodote n'en dit mot. A-t-il oublié ? Ou alors est-ce Amestris qui a oublié ?

Masistès, qui ne savait encore rien mais s'attendait à quelque malheur, se met à courir et rejoint sa demeure en toute hâte : quand il vit sa femme ainsi traitée (elle n'avait plus de langue, ne pouvait plus parler, nous ne savons d'ailleurs même pas si elle était encore consciente), *il s'entendit immédiatement avec ses enfants et partit pour Bactres* [grande province perse sur les rives de l'Amou-Daria] *avec ses fils et, je pense, quelques partisans, pour soulever la Bactriane et faire tout le mal possible au roi. C'est bien, à mon avis, ce qui serait arrivé s'il avait pu passer sans être rejoint chez les Bactriens et les Saces, car il était aimé dans ces pays et il était gouverneur de la Bactriane. Mais Xerxès, informé de son dessein, avait lancé une armée à sa poursuite et le fit massacrer en chemin avec ses enfants et la troupe de ses partisans. Voilà l'histoire des amours de Xerxès et de la mort de Masistès (B).*

Toute l'action se déroule au sommet de l'empire, c'est-à-dire dans l'endroit le plus dangereux, le plus sanglant. Le roi vit avec sa belle-fille, la reine en furie massacre sa belle-sœur innocente. La victime, dont la langue a été coupée, ne peut même pas se plaindre après. Le bien est châtié, défait, puisque Masistès, homme d'une grande bonté, est tué sur l'ordre de son frère, ses fils abattus, sa femme défigurée de la manière la plus cruelle. Finalement, Xerxès mourra des années plus tard, poignardé. Qu'est-il advenu de la reine ? Succomba-t-elle à la vengeance de la fille de Masistès ? Les actes suivants tournent en effet autour du crime et du châtiment. Shakespeare avait-il lu Hérodote ? L'univers des passions et des crimes royaux les plus sauvages fut en effet décrit par l'historien grec deux mille ans avant l'auteur de *Hamlet* et de *Henri VIII*.

III. Scène de vengeance (crucifixion) :

Sestos et les environs sont à l'époque gouvernés par un satrape nommé par Xerxès, Artayctès, *un homme méchant et présomptueux qui avait osé tromper le roi en personne lorsqu'il marchait sur Athènes (B).* Hérodote lui reproche d'avoir volé de l'or, de l'argent, des objets de valeur et aussi *d'amener des femmes dans le sanctuaire (B).*

Or voici que les Grecs, lancés à la poursuite des débris de l'armée perse et désireux de détruire les ponts sur l'Hellespont par lesquels les troupes de Xerxès sont passées en Grèce, arrivent à la ville perse la mieux fortifiée du côté européen, Sestos, dont ils entreprennent le siège. Au début toutefois ils ne parviennent pas à conquérir la ville. Les soldats grecs sont même prêts à rebrousser chemin, mais leurs chefs le leur interdisent. Entre-temps, les réserves s'épuisent dans Sestos et les assiégés sont peu à peu décimés par la faim. *La population de la ville se trouvait déjà dans la pire détresse, au point qu'on faisait bouillir les sangles de cuir des lits pour les manger. Lorsqu'ils n'eurent même plus cette ressource, les Perses, avec Artayctès et Oiobaze, s'enfuirent sous le couvert de la nuit, en se laissant glisser du rempart à l'arrière de la ville, à l'endroit le moins surveillé par l'ennemi (B).*

Les Grecs se lancent à leur poursuite. *Artayctès et sa suite, qui avaient été les derniers à fuir, furent rejoints un peu après [...] et se défendirent longtemps, mais les uns périrent, les autres furent faits prisonniers. Les Grecs les ramenèrent à Sestos chargés de chaînes, et parmi eux Artayctès et son fils, également enchaînés. [...] On emmena le Perse au bord de la mer, à l'endroit où Xerxès avait fait aboutir le pont de bateaux (d'autres disent que ce fut sur la colline qui est au-dessus de la ville de Madytos), et là il fut cloué sur des ais que l'on planta en terre ; et son fils fut lapidé devant ses yeux (B).*

Hérodote ne précise pas si le père crucifié put voir les pierres éclater la tête du fils. L'expression « devant ses yeux » doit-elle être prise au sens propre, ou est-ce une métaphore ? Peut-être Hérodote n'a-t-il pas interrogé de témoins sur ce détail choquant et macabre ? A moins que les témoins n'aient pas été capables de lui raconter convenablement l'histoire puisqu'ils ne la connaissaient que par ouï-dire ?

IV. Scène rétrospective (faut-il choisir une terre meilleure ?) :

Hérodote indique que l'ancêtre d'Artayctès, le crucifié, un certain Artembarès, avait jadis fait à Cyrus le Grand, roi des Perses de l'époque, une proposition que ses compatriotes avaient acceptée :

> « Puisque Zeus donne la première place aux Perses, et à toi, Cyrus, entre tous les hommes, maintenant que tu t'es débarrassé d'Astyage, n'hésite plus ! Le pays que nous possédons est de médiocre étendue, le sol en est rocailleux : quittons-le et donnons-nous une terre plus riche. Il y en a beaucoup autour de nous, beaucoup aussi qui sont plus éloignées ; prenons-en une, nous serons plus considérés, et par plus de gens : d'ailleurs c'est un acte tout naturel pour un peuple qui commande au reste du monde. Et quand trouverons-nous une meilleure occasion qu'à présent, au moment où nous commandons à tant de sujets et à l'Asie entière ? » Cyrus, en entendant ce projet, ne manifesta pas de surprise et engagea les Perses à l'exécuter, mais en même temps il les avertit de se préparer à obéir désormais, au lieu de commander : un pays mou, leur dit-il, fait toujours des hommes mous, car une même terre ne saurait donner à la fois des moissons splendides et des hommes capables de se battre. Les Perses l'écoutèrent et, renonçant à leur projet, ils se retirèrent, convaincus par Cyrus ; et ils préférèrent vivre sur un sol ingrat et commander plutôt qu'ensemencer des plaines fertiles et subir le joug d'autrui (B).

Je lus la dernière phrase du livre que je reposai sur la table. L'encens magique d'Abdou ne faisait plus d'effet depuis longtemps, de nouvelles nuées de mouches, de moustiques et de papillons de nuit tournoyaient dans tous les sens. Ils étaient même plus agités et agressifs. Je capitulai et m'enfuis de la terrasse.

Le lendemain matin, j'allai à la poste porter mon courrier pour la Pologne. Une dépêche m'attendait au guichet. Michał Hofman, mon chef et cher protecteur, me priait de rentrer s'il ne se passait rien d'extraordinaire en Afrique, car il souhaitait s'entretenir avec moi. Je m'attardai quelques jours encore à Dakar, puis je pris congé de Mariem et d'Abdou, fis un dernier petit tour dans les ruelles étroites et escarpées de Gorée et m'envolai pour la Pologne.

La découverte d'Hérodote

La veille de mon départ de Gorée, dans la soirée, j'ai reçu la visite de Jarda, mon collègue tchèque que j'avais connu au Caire et qui, lui aussi, était venu à Dakar au Festival de l'Art nègre. Ensemble, nous avons passé des heures à visiter les expositions, essayant de deviner le sens et la vocation des masques et des sculptures bambara, makondé ou ife. Pour nous, ils avaient tous un aspect terrible. De nuit, à la lumière vacillante des torches et des flambeaux, ils nous angoissaient, nous terrifiaient.

Nous discutions de la difficulté d'écrire de manière concise sur l'art africain, de rédiger un article bref sur le sujet. Plongés dans un monde différent et inconnu, nous étions incapables de traduire ce que nous avions sous les yeux avec les notions et le vocabulaire dont nous disposions. Conscients de ces difficultés, nous nous sentions totalement désemparés.

Si nous avions vécu au temps d'Hérodote, Jarda et moi, nous aurions été tous deux des Scythes, puisque ces derniers occupaient la partie de l'Europe où nous vivons. Sur nos chevaux rapides qui enthousiasmaient tant les Grecs, nous aurions caracolé dans les bois et les champs, tirant à l'arc et buvant du koumys. A tous les coups, Hérodote se serait intéressé à nous, il nous aurait interrogés sur nos coutumes et nos croyances, notre nourriture et notre habillement. Puis, il aurait décrit dans les moindres détails comment nous vainquîmes l'armée perse en l'attirant dans le piège d'un hiver neigeux et d'un froid redoutable, comment le grand roi Darius, pourchassé par nos cavaliers, échappa de justesse à la mort.

Au cours de cette conversation, Jarda a remarqué, sur la table, le livre d'Hérodote. Il m'a demandé comment je me l'étais procuré. Je lui ai raconté l'histoire de ce cadeau reçu à l'occasion de ma première mission de journaliste. Je lui ai aussi raconté l'aventure dans laquelle le livre d'Hérodote m'avait entraîné : au fur et à mesure que je le lisais, j'accomplissais simultanément deux voyages : le premier en faisant mon travail de reporter, le second en suivant les pérégrinations de l'auteur des *Histoires*. A ce propos, je précisai que le titre du livre d'Hérodote passait, selon moi, à côté de la réalité : en grec ancien, le mot *historia* signifiait plutôt « recherches » ou « enquêtes », mots qui correspondent mieux aux intentions et aux ambitions de l'auteur. En effet, Hérodote ne passait pas son temps assis au milieu d'archives, ni n'écrivait une œuvre académique comme l'ont pratiqué par la suite des savants pendant des siècles. Hérodote, lui, voulait s'informer, savoir et décrire comment naît l'histoire quotidienne, comment les hommes la créent, comment expliquer que sa direction est souvent contraire à ses aspirations et à ses attentes. Est-ce parce que les dieux en ont décidé ainsi ? Ou alors est-ce parce que l'homme est incapable de modeler son destin avec sagesse et raison à cause de ses vices et de ses limites ?

« Quand j'ai commencé à lire ce livre, ai-je dit à Jarda, je me suis interrogé sur la manière dont son auteur collectait ses informations. A l'époque, il n'y avait en effet ni bibliothèques, ni archives, ni dossiers bourrés de coupures de presse, ni bases de données. Mais, dès les premières pages, Hérodote a répondu à mon interrogation en écrivant par exemple : *Telle est la version perse (L)* ou bien *Les Phéniciens affirment que... (L)* et il ajoute : *Telle est la version perse, et telle est la version phénicienne. Pour ma part, je me garderai bien d'affirmer que cette histoire s'est déroulée de telle ou telle façon.*

Passons donc sans tarder à l'homme que je tiens pour le principal auteur des injustices commises à l'égard des Grecs. Je poursuivrai ces « Enquêtes » en mentionnant toutes les villes des hommes, petites ou grandes. Tant de villes autrefois puissantes sont aujourd'hui réduites à rien, et tant d'autres, autrefois simples hameaux, sont aujourd'hui des cités florissantes ! Ainsi, puisque la fortune des hommes est changeante, les citerai-je toutes, indistinctement (L).

Comment Hérodote, qui était grec, pouvait-il rapporter les propos des Perses qui habitaient loin de chez lui ou ceux des Phéniciens, des habitants d'Egypte ou de Libye ? Il les connaissait tout bonnement parce qu'il se rendait chez eux, il les interrogeait, les observait et, grâce aux informations qu'il leur soutirait et aux analyses qu'il faisait, il accumula sa matière de travail. Autrement dit, la première chose qu'il fit fut de voyager. N'est-ce pas là le lot de tous les reporters ? Notre première idée n'est-elle pas de prendre la route ? Le voyage constitue en effet notre source, notre trésor, notre richesse. Nous ne nous sentons nous-mêmes, chez nous, que sur la route.

En lisant Hérodote, j'ai progressivement découvert en lui une âme sœur. Qu'est-ce qui l'incitait à voyager, à agir ? A endurer de pénibles voyages, à risquer expédition sur expédition ? A mon avis, la curiosité du monde, le désir de le fréquenter, de le voir à tout prix, de le pratiquer.

Au fond, cette passion est assez rare. De nature plutôt sédentaire, l'homme a préféré se lancer dans l'agriculture, abandonnant sans regret la misérable existence que lui procuraient la cueillette et la chasse, tout heureux de se consacrer à son lopin de terre, de délimiter son territoire par un mur ou une ligne de démarcation et prêt à verser son sang ou à donner sa vie pour défendre son petit coin. S'il le quittait, c'était sous la contrainte, chassé par la faim, l'épidémie, la guerre, sinon pour chercher un travail plus lucratif, ou alors pour des raisons liées à son métier s'il était navigateur, marchand ambulant ou guide de caravane. Mais parcourir le monde de sa propre initiative, des années durant, afin de le connaître, de le comprendre, d'approfondir son savoir et, pour finir, coucher sur le papier les connaissances accumulées, a toujours été le fait d'une petite poignée d'hommes.

D'où Hérodote tenait-il cette passion ? D'une question qui surgit dans la tête d'un enfant : d'où viennent les navires ? S'amusant sur la plage, les enfants voient soudain apparaître, sur la ligne de l'horizon, un navire qui vogue dans leur direction et devient de plus en plus grand. D'où est-il sorti ? En général, les enfants ne se posent pas de telles questions. Mais soudain, tout en construisant des châteaux de sable, l'un d'eux se demande : d'où ce navire a-t-il bien pu venir ? La ligne de l'horizon lui semblait pourtant être le bout du monde ! Y aurait-il une vie au-delà de cette ligne ? Et, au-delà, encore une autre vie ? L'enfant s'interroge. En grandissant, il cherche une réponse à sa question avec une curiosité plus grande, insatiable.

La route lui fournit une partie de la réponse. Le mouvement. Le voyage. Le livre d'Hérodote est en effet le fruit du voyage, c'est le premier grand reportage dans la littérature mondiale. Son auteur a une intuition de reporter, un œil de reporter, une oreille de reporter. Infatigable, il doit voguer à travers les mers, parcourir la steppe, s'enfoncer dans le désert, tout en nous faisant part de ses épreuves. Il nous étonne par son endurance, il ne se plaint jamais de sa fatigue, rien ne le décourage, pas une seule fois il ne dit qu'il a peur.

Quelle est sa motivation quand, intrépide et inlassable, il se lance dans sa grande aventure ? A mon avis, une foi pleine d'optimisme, que nous, hommes modernes, avons perdue depuis longtemps, la conviction que le monde peut être décrit.

Hérodote m'a passionné d'emblée. Je l'ai consulté maintes fois, j'y suis revenu, je suis retourné à ses personnages, ses scènes, ses dizaines de récits, ses innombrables digressions. Jamais je n'ai cessé d'essayer de pénétrer son univers, de m'y retrouver, de l'assimiler.

Je l'ai lu avec aisance. Sa manière de voir et de décrire les hommes et le monde montre clairement qu'il est un être compréhensif et bienveillant, serein et chaleureux bon et sans manières. Il n'y a en lui ni méchanceté ni haine. Il essaie de tout comprendre, cherche toujours à savoir pourquoi Untel agit de telle façon et pas autrement. Il n'accuse pas l'homme en tant qu'individu, il accuse le système. Ce n'est pas l'être humain qui, de nature, est mauvais, dépravé, mesquin, mais le système dans lequel il est amené à vivre. C'est pourquoi Hérodote est un défenseur acharné de la liberté, un adversaire du despotisme, de l'autocratie et de la tyrannie, car il considère que seule la démocratie permet à l'individu de se comporter avec dignité, d'être lui-même, d'être humain. « Regardez, semble nous dire Hérodote, un minuscule groupe d'Etats grecs a réussi à vaincre une immense puissance orientale ! Pourquoi ? Parce que les Grecs se sentaient libres et, pour cette liberté, ils étaient prêts à tout donner. »

Mais, tout en reconnaissant la supériorité de ses compatriotes, Hérodote ne ménage pas ses critiques à leur égard. Il sait parfaitement que la liberté de parole peut dégénérer en querelles stériles et destructrices. Il montre que les Grecs sont capables de se disputer même sur un champ de bataille, alors que, devant eux, les rangs ennemis s'apprêtent à passer à l'assaut. Voyant les soldats de Xerxès foncer sur eux, décocher leurs premières flèches et dégainer leurs épées, les Grecs se mettent à se chamailler pour savoir quel Perse attaquer en premier : celui qui vient à gauche ou celui qui frappe à droite ? Cette humeur querelleuse n'explique-t-elle pas en partie que les Grecs n'aient jamais été capables de former un Etat uni, commun ?

Dès que Jarda m'a rejoint, les hordes d'insectes qui jusque-là s'acharnaient exclusivement sur ma personne se sont divisées en deux grandes nuées bourdonnantes et agressives. Ne pouvant en venir à bout, épuisés par leur harcèlement intraitable, nous appelons au secours Abdou qui, tel un prêtre de l'Antiquité, chasse de son encens odorant les forces du mal déguisées en moustiques belliqueux et en mouches piquantes.

Remettant toujours au lendemain notre débat sur la situation en Afrique (thème qui devrait constituer notre sujet de préoccupation quotidien), nous préférons rester en compagnie d'Hérodote. Jarda, qui a lu l'historien grec il y a fort longtemps, affirme qu'il a presque tout oublié de cette lecture et me demande ce qui m'a le plus frappé dans son texte.

Je lui réponds que c'est le caractère tragique et émouvant de son livre. Hérodote est le contemporain des plus grands auteurs tragiques grecs : Eschyle, Sophocle (dont il a probablement été l'ami) et Euripide. La période où il vit est l'âge d'or du théâtre, une période où l'art scénique pénètre l'esprit des mystères religieux, des rites, des festivals populaires, des offices divins et des dionysies. Cette atmosphère influence directement l'écriture des Grecs, notamment celle d'Hérodote. Sa représentation de l'histoire passe à travers la destinée d'individus, les pages de son livre, dont l'objectif est de perpétuer l'histoire de l'humanité, évoquent toujours des hommes concrets, magnanimes ou misérables, cléments ou cruels, triomphants ou malheureux. Sous des noms différents et dans des situations et des contextes divers, défilent des Antigone et des Médée, des Cassandre et les servantes de Clitemnestre. On y retrouve l'Esprit de Darius et les lanciers d'Egisthe. Le mythe se mêle à la réalité, les légendes aux faits. Hérodote essaie de faire la part des choses, il ne dédaigne pas les uns au profit des autres, il n'établit aucune hiérarchie. Il sait à quel point le mode de penser et les décisions de l'homme sont tributaires du monde des esprits, des rêves, des craintes et des présages dans lequel il vit. Il sait que la vision qui apparaît en rêve au roi peut décider de la destinée d'un Etat et de ses millions de sujets. Il connaît la faiblesse humaine, sa vulnérabilité face à la peur que peut susciter sa propre imagination.

En même temps, l'objectif que se fixe Hérodote est on ne peut plus ambitieux : perpétuer l'histoire du monde. Personne avant lui ne s'est jamais lancé dans une telle entreprise. Il est le premier à avoir eu cette idée. En collectant sans répit de la matière pour son œuvre et en interrogeant des témoins, des bardes, des prêtres, il se trouve confronté au problème de la mémoire : les souvenirs varient en fonction des hommes, chacun se souvient à sa manière. De plus, des siècles avant nous, il découvre un aspect pervers et traître de la mémoire : les hommes se rappellent ce qu'ils veulent bien se rappeler, et non pas ce qui s'est réellement passé. Chacun colore ses souvenirs à sa façon, chacun concocte sa propre mixture dans son creuset. La restitution du passé tel qu'il a vraiment existé est impossible. Nous n'avons accès qu'à des variantes du passé, plus ou moins crédibles, plus ou moins satisfaisantes. Le passé n'existe pas. Seules existent des versions inachevées.

Conscient de cette complexité, Hérodote ne capitule pas pour autant, il poursuit ses investigations, analyse divers points de vue sur un événement ou bien les rejette tous, car il les trouve absurdes, contraires au bon sens. Il refuse d'être un locuteur docile, un chroniqueur passif, il veut participer activement à la création de cette œuvre merveilleuse qu'est l'histoire, d'aujourd'hui, d'hier et de jadis.

D'ailleurs, pour créer l'image du monde qu'il nous transmet, il n'utilise pas seulement les témoins qui lui racontent des histoires du temps passé. Il se sert aussi de ses contemporains. A cette époque, les auteurs vivaient en contact direct et proche avec leurs auditeurs. Comme le livre n'existait pas, l'auteur présentait oralement le fruit de son travail à son public qui l'écoutait en réagissant et en commentant sur le vif ses propos. Le comportement des auditeurs lui permettait de savoir si la direction qu'il avait choisie et son style étaient appréciés et reconnus.

Les voyages d'Hérodote n'auraient guère pu être possibles sans l'existence de l'institution du proxène. Pour être bref, le proxène était un ami de l'hôte, une sorte de consul. Bénévolement ou contre espèces sonnantes, il prenait en charge toute personne arrivant d'une ville dont lui-même était originaire. Intégré à sa ville d'adoption, il prenait en charge son compatriote qui venait de débarquer, l'aidait à régler ses affaires, à se procurer des informations et à nouer des contacts. Le proxène jouait un rôle particulier dans ce monde extraordinaire où les dieux vivaient parmi les hommes, souvent sans se distinguer d'eux. Mieux valait offrir au nouvel arrivant une hospitalité cordiale, car on ne savait jamais vraiment si le voyageur qui demandait le toit et le couvert était un homme ou un dieu ayant pris une apparence humaine.

Autre source précieuse et inépuisable pour Hérodote : la flopée de gardiens de la mémoire que constituaient les conteurs d'histoires, les joueurs de guzla, très répandus à l'époque. Aujourd'hui, en Afrique, on peut encore rencontrer et écouter un griot. Le griot est un conteur ambulant de légendes, mythes et histoires de son peuple, de sa tribu, de son clan. Pour trois sous ou contre un plat frugal et un gobelet d'eau fraîche, le vieux griot, homme d'une grande sagesse et d'une imagination exubérante, vous narrera l'histoire de la contrée où vous vous trouvez, ce qui jadis s'y est passé : les événements, les aventures et les miracles. Raconte-t-il ou non la vérité ? Nul ne le sait et mieux vaut ne pas approfondir.

Hérodote voyage dans le but de répondre à l'enfant qui se demande d'où viennent les navires à l'horizon. D'où surgissent-ils ? D'où voguent-ils ? Ainsi, ce qu'il voit de ses propres yeux n'est pas la frontière du monde ? Il existe encore d'autres univers ? Lesquels ? Quand il sera grand, il voudra les connaître. Mais il vaut mieux ne pas devenir complètement grand, il vaut mieux rester un peu enfant. Car les enfants sont les seuls à poser les bonnes questions et à vraiment vouloir apprendre.

Et, avec l'ardeur et l'enthousiasme de l'enfant, Hérodote se lance à la découverte de ces mondes. Il voit alors – et c'est là sa plus grande révélation – qu'ils sont nombreux, différents les uns des autres, et surtout qu'ils sont tous importants.

Chacun mérite d'être connu, car ces mondes, ces cultures sont des miroirs dans lesquels nous nous regardons, dans lesquels notre culture se reflète. Grâce à eux, nous nous comprenons mieux nous-mêmes, parce que notre identité passe par une confrontation à autrui.

C'est pourquoi, fort de sa découverte selon laquelle la culture d'autrui est un miroir permettant de se contempler afin de mieux se comprendre, chaque matin, inlassablement, toujours et encore, Hérodote reprend son bâton de pèlerin.

Debout dans les ténèbres,
entouré de lumière

Hérodote, hélas, n'a pas toujours pu m'accompagner dans mes voyages. Mon départ était parfois si précipité que, la tête ailleurs, j'en oubliais mon ami grec. Et même quand j'emportais son livre avec moi, il m'arrivait d'être à ce point débordé de travail ou exténué par la chaleur tropicale que je manquais de force ou de volonté pour rejoindre une fois de plus Otanès, Mégabyze et Darius en train de débattre de la question capitale du pouvoir, ou pour contempler les Ethiopiens avec lesquels Xerxès se lance à l'assaut des Grecs. *Les Ethiopiens, revêtus de peaux de panthères et de lions, portaient des arcs de grande taille faits d'une tige de feuille de palmier, longs de quatre coudées au moins ; avec cet arc ils employaient des flèches de roseau, courtes, et garnies à leur extrémité, au lieu d'une pointe de fer, d'une pierre aiguisée, celle dont ils se servent aussi pour graver leurs sceaux. Ils portaient également des lances avec, pour pointe, une corne de gazelle bien aiguisée, et encore des massues hérissées de clous. Pour aller à la bataille, ils s'enduisaient de plâtre une moitié du corps, et l'autre moitié de vermillon (B).*

Je n'avais toutefois pas besoin de reprendre en main le livre d'Hérodote pour me remémorer l'épilogue de la guerre entre les Grecs et les Amazones que j'avais maintes fois lu et relu :

Quand les Grecs vainquirent à la bataille de Thermodon, ils repartirent en emmenant sur trois de leurs vaisseaux toutes les Amazones qu'ils avaient pu capturer vivantes. En cours de route elles se mutinèrent et massacrèrent les équipages. Ne sachant pas naviguer, ni se servir d'une voile ou d'un gouvernail, elles dérivèrent et allèrent s'échouer à Cremni, près du lac Maiotis, sur le territoire des Scythes nomades. Elles débarquèrent, progressèrent vers l'intérieur du pays où elles aperçurent une bande de chevaux sauvages dont elles s'emparèrent et avec lesquels elles se mirent à piller la contrée. Les Scythes, qui n'avaient jamais entendu parler des Amazones, et ne connaissaient ni leur langage ni leur costume, restèrent stupéfaits. « D'où peuvent bien venir ces créatures ? » se demandèrent-ils. Ils les prirent d'ailleurs pour des hommes, ou plutôt des adolescents, et engagèrent la bataille. Ce n'est qu'à la fin du combat, en examinant les cadavres, qu'ils s'aperçurent que c'étaient des femmes (L).

Au lieu de les tuer, ils décident de leur envoyer de jeunes Scythes, en nombre égal à celui des Amazones, afin qu'ils installent leur camp tout près d'elles.

Ces Scythes devaient s'installer à proximité des femmes. [...] Tout cela à seule fin de les « apprivoiser » et d'en avoir des enfants.

Les Scythes partirent et suivirent les instructions reçues. Voyant qu'ils ne marquaient pas d'intentions hostiles, les Amazones les laissèrent tranquilles et, de jour en jour, les deux camps se rapprochèrent insensiblement. Pour la circonstance, les Scythes avaient adopté le genre de vie des Amazones : ils n'avaient avec eux que des armes et des chevaux, et vivaient de chasse et de pillage.

Chaque jour, vers midi, les Amazones s'isolaient dans la nature pour faire leurs besoins. Les Scythes, comme il se doit, en firent autant. Un des Scythes tomba par hasard sur une Amazone, la jeta aussitôt par terre et fit l'amour avec elle sans qu'elle opposât la moindre résistance. Mieux même, elle lui proposa de revenir le lendemain avec un autre, au même endroit ; tout cela par gestes, puisqu'ils ne pouvaient se comprendre autrement. Le Scythe raconta au camp son aventure et retourna le lendemain au « rendez-vous » avec un camarade. Son Amazone l'y attendait effectivement avec une amie. Dès lors, tous les autres Scythes eurent tôt fait d'« apprivoiser » le reste des Amazones. Les deux camps n'en firent plus qu'un, chaque Scythe s'installant avec l'Amazone qu'il avait connue en premier (L).

S'il m'arrivait de ne pas toucher aux *Histoires* pendant des années, je gardais toujours présent à l'esprit leur auteur. Hérodote, qui avait jadis été un homme en chair et en os et qu'on avait oublié pendant plus de deux millénaires, était redevenu, pour moi du moins, des siècles et des siècles après, un personnage vivant. Il prenait l'apparence et les traits que mon imagination leur attribuait. Il était devenu mon Hérodote à moi, et comme je me l'étais approprié, il m'était particulièrement proche, nous avions un langage commun et nous étions capables de nous comprendre à demi-mot.

Je l'imaginais s'approchant de moi alors que j'étais assis au bord de la mer, puis, après avoir posé de côté sa canne et secoué le sable de ses sandales, il engageait la conversation. Il était sûrement comme ces gens qui aiment parler et font la chasse au public, qui ne peuvent se passer d'auditeurs, qui, incapables de vivre sans eux, se dessèchent. Médiateurs infatigables, en état d'excitation permanente, ils ne peuvent s'empêcher de transmettre aux autres ce qu'ils ont vu ou entendu, ils sont incapables de le garder pour eux, même pour un moment. Toute leur énergie, toute leur passion, ils l'investissent dans cette mission. Partir à pied, à cheval, en bateau, s'informer et aussitôt le partager !

Ces passionnés se comptent toutefois sur les doigts de la main. Le commun des mortels n'est pas particulièrement curieux du monde. Le simple fait de vivre lui pèse déjà beaucoup, et moins cela lui coûte, mieux cela vaut. La connaissance du monde exige en effet un effort immense qui absorbe l'homme tout entier. Les gens, dans leur majorité, développent plutôt des compétences inverses, notamment celle qui consiste à regarder sans voir, à écouter sans entendre. Et quand surgit un phénomène comme Hérodote, un énergumène possédé par la soif, la manie, la folie du savoir et, de surcroît, doué de raison et de talent littéraire, cet événement prend aussitôt une envergure mondiale !

Les individus de ce type se caractérisent par une faculté d'assimilation incroyable, ils ont en quelque sorte la structure de l'éponge qui peut tout absorber, puis tout rejeter sans problème. Ils ne stockent rien pour longtemps et, la nature ayant horreur du vide, ils éprouvent constamment le besoin de renouveler, d'engranger, de compléter, de multiplier, d'agrandir leur savoir. L'esprit d'Hérodote est incapable de se borner à un événement ou à un pays. Angoissé, il est toujours attiré, poussé plus loin. La découverte qu'il vient de faire et qu'il a décrite ne l'intéresse déjà plus le lendemain, il faut toujours qu'il se rende ailleurs, qu'il aille de l'avant.

Utiles aux autres, les gens comme lui sont au fond malheureux, car très seuls. Certes, ils recherchent l'autre et ont même l'impression d'avoir trouvé là ou ailleurs des êtres proches, de les avoir connus et d'avoir tout compris à leur sujet, mais, en se réveillant un beau matin, ils sentent soudain que plus rien ne les lie à eux, qu'ils peuvent les quitter sur-le-champ, car un autre pays, d'autres gens désormais les attirent et les éblouissent, tandis que l'événement pour lequel ils se passionnaient hier encore a pâli et perdu pour eux toute sa signification et son importance.

Ils ne s'attachent à rien pour de bon, ils ne s'enracinent vraiment nulle part. Leur empathie est sincère, mais superficielle. Quand on leur demande quel pays ils préfèrent, ils sont embarrassés, ils ne savent que répondre. Quel pays ? D'une certaine manière, tous les pays leur plaisent, ils trouvent un intérêt dans chacun d'eux. Dans quel pays souhaiteraient-ils retourner ? Les revoilà dans l'embarras. Jamais ils ne se sont posé pareilles questions. La seule chose irréfutable, c'est qu'ils désireraient revenir sur une piste, sur un chemin. Reprendre la route, telle est leur seule et unique quête.

Nous ignorons vraiment ce qui pousse l'homme à connaître le monde. Est-ce la curiosité ? La soif d'émotions ? Le besoin d'être constamment surpris ? L'homme qui cesse de s'étonner est un être creux, son cœur est calciné. L'homme qui considère qu'il est arrivé au bout du chemin, que plus rien ne peut le surprendre, a perdu le joyau de la vie, sa beauté. Hérodote est l'antithèse de cet homme-là. Nomade actif, passionné, inlassable, bourré de projets, d'idées, d'hypothèses, il arpente sans cesse les chemins. Même quand il est chez lui (à propos, où se trouve sa maison ?), c'est pour se reposer d'une expédition ou s'apprêter à se lancer dans une autre. Pour lui, voyage est synonyme d'effort, de recherche, de quête de savoir. La connaissance de la vie, du monde, de soi-même, voilà ce qui le motive.

Il porte en lui la carte du monde, qu'il crée d'ailleurs lui-même, modifie, complète. Image vivante, kaléidoscope mobile, écran chatoyant, il s'y passe des milliers d'événements. Les Egyptiens construisent une pyramide, les Scythes chassent un gros gibier, les Phéniciens enlèvent des jeunes filles, et la reine de Cyrène, Phérétimé, meurt d'une horrible mort : *Elle fut dévorée vivante par les vers qui grouillaient dans son corps (L) !*

Sur la carte d'Hérodote figurent la Grèce et la Crète, la Perse et le Caucase, l'Arabie et la mer Noire. Ni la Chine ni les deux Amériques ni le Pacifique ne s'y trouvent pourtant. Sceptique quant à la forme de l'Europe, il réfléchit à l'origine du nom même de notre continent. *Quant à l'Europe, personne ne sait exactement si elle est limitée par la mer au nord et à l'est. On sait seulement*

*qu'elle est à peu près égale en longueur aux deux autres conti-
nents réunis...*

*Qui sont les auteurs de ces délimitations ? Et où ont-ils été
chercher ces noms de Libye, d'Europe et d'Asie (L) ?*

Il ne se préoccupe pas de l'avenir qui n'est pour lui
que le prolongement du présent. Ce qui l'intéresse, c'est
hier, le passé qui disparaît et dont il craint qu'il ne s'ef-
face de notre mémoire, que nous ne le perdions. Ne
sommes-nous pas en effet des hommes parce que nous
racontons des histoires et des mythes ? En cela, nous
nous distinguons des animaux. Notre histoire et nos
légendes collectives renforcent notre communauté sans
laquelle nous ne pouvons exister. A l'époque d'Hérodote, l'individualisme, l'égocentrisme, le freudisme
n'ont pas encore été inventés, ils ne le seront que deux
mille ans plus tard. En attendant, les hommes se réunissent, le soir, autour d'une longue table commune,
autour d'un feu, sous un vieil arbre, de préférence au
bord de la mer, ils mangent, boivent du vin, bavardent.
Dans ces discussions, s'entremêlent des récits, des histoires interminables et variées. Si un voyageur vient à
passer, il est convié à se joindre au groupe et, assis,
écoutera ses hôtes. Le lendemain, il reprendra la route
pour être invité de nouveau, ailleurs, et ainsi de suite.
Si le voyageur a une bonne mémoire – c'est le cas d'Hérodote dont la mémoire devait être phénoménale –, il
finit par y emmagasiner une foule d'histoires. C'est là la
première source à laquelle puise Hérodote. La deuxième
est ce qu'il voit. La troisième naît de ses réflexions.

J'ai connu des périodes où les voyages dans le temps
m'attiraient plus que mes missions de correspondant ou
de reporter. Cela m'arrivait quand l'actualité me lassait,
car tout s'y répétait : la politique avec ses jeux et ses
mensonges pervers, sales ; la vie des petites gens avec sa
misère et son désespoir ; le fastidieux partage du monde
entre l'Est et l'Ouest.

Et de même que, jadis, j'aspirais à franchir les frontières dans l'espace, j'éprouvais alors une véritable fascination pour les frontières dressées dans le temps.

Je craignais de tomber dans le piège du provincialisme. La notion de provincialisme est souvent associée à l'espace, le provincial étant une personne dont la pensée se réduit à un espace marginal auquel il attribue une importance excessive, universelle. Mais T.S. Eliot nous met en garde contre un autre type de provincialisme, celui du temps. « A notre époque, écrit-il dans son essai sur Virgile en 1944, où les hommes sont plus que jamais enclins à confondre sagesse avec savoir, savoir avec information, où ils tentent de régler leurs problèmes par la technique, on voit apparaître une nouvelle sorte de provincialisme qui mériterait sans doute un autre nom. Il s'agit d'un provincialisme non pas de l'espace, mais du temps ; l'histoire n'est plus qu'une chronique d'inventions humaines qui ont fait leur temps et ont été mises au panier ; le monde est devenu la propriété exclusive des vivants, de laquelle les morts sont rejetés. Le danger de ce type de provincialisme est que nous tous, hommes de la planète, risquons de devenir des provinciaux, quant aux récalcitrants, il ne leur reste plus qu'à devenir des ermites. »

Il y a donc les provinciaux de l'espace et les provinciaux du temps. Chaque globe, chaque mappemonde montre aux premiers leur égarement et leur aveuglement, à l'instar de chaque histoire et de chaque page d'Hérodote qui, elles, montrent aux seconds la pérennité du présent, l'histoire étant une chaîne ininterrompue de l'actualité, et les histoires les plus anciennes représentant pour les hommes qui vivaient à cette époque leur présent le plus cher.

Si je me suis évadé dans l'univers d'Hérodote, c'était pour me mettre à l'abri de ce provincialisme. Grâce à son expérience et à sa sagesse, Hérodote m'a servi de guide. Nous avons voyagé ensemble pendant des années. Et bien qu'on voyage mieux quand on est seul, nous ne nous sommes, semble-t-il, jamais gênés, grâce à une double barrière : tout d'abord celle des deux mille cinq cents ans qui nous séparaient, ensuite celle du sentiment de respect que j'éprouve à son égard. En effet, si généralement Hérodote est perçu comme un être simple, bienveillant et doux, personnellement j'ai toujours eu le sentiment de fréquenter un géant.

Mes voyages ont ainsi toujours eu une double dimension : ils se déroulaient simultanément dans le temps (la Grèce antique, la Perse, la Scythie) et dans l'espace (reportages en Afrique, en Asie, en Amérique latine). Le passé existait dans le présent, mais ces deux temps restaient unis, formant un courant ininterrompu de l'histoire.

Ma fuite dans l'histoire est-elle toutefois justifiée ? A-t-elle un sens, puisque, en fin de compte, j'y ai retrouvé ce que j'ai cru fuir.

Hérodote est empêtré dans un dilemme insoluble : d'un côté, il consacre sa vie à la préservation de la vérité historique : *Pour que les œuvres des hommes et leurs faits les plus mémorables ne sombrent pas dans l'oubli (L)* ; d'un autre côté, les sources de ses enquêtes ne sont pas une histoire vraie au sens où elle est racontée par les autres, elle est donc transmise par la sensibilité des autres, elle a été mémorisée de manière sélective, puis racontée intentionnellement. En un mot, il ne s'agit pas d'une histoire objective, mais d'une histoire telle que l'a voulue son narrateur. Il est impossible de remédier à ces divergences de point de vue. On peut essayer de les diminuer ou de les atténuer, mais on n'atteindra jamais la perfection. La subjectivité et la déformation font partie l'histoire. S'en rendant parfaitement compte, Hérodote s'entoure constamment de précautions rhétoriques : « comme on me dit », « comme le prétendent »,

« les points de vue divergent », etc. Aussi n'avons-nous jamais affaire à une histoire réelle au sens idéal. L'histoire est toujours racontée, arrangée, prétendue, crue.

Cette vérité est peut-être la plus grande découverte d'Hérodote.

De l'île de Cos, un petit bateau m'a emmené à Halicarnasse, ville natale d'Hérodote. En pleine mer, le marin silencieux a échangé le pavillon grec du mât contre un pavillon turc. Tous deux étaient fripés, décolorés et effilochés.

La petite ville se trouvait au fond d'une baie turquoise, pleine de yachts encore immobilisés au printemps. Le policier à qui j'ai demandé le chemin pour me rendre à Halicarnasse m'a corrigé : à Bodrum, puisque tel est le nom turc de la ville aujourd'hui. Il était compréhensif et aimable. Je suis descendu dans un petit hôtel bon marché, en bord de mer. A la réception était assis un petit garçon souffrant d'une périostite, son visage était tellement enflé que j'ai cru que sa joue allait éclater en lambeaux. Prudent, j'ai préféré me tenir à distance. Dans ma petite chambre misérable à l'étage, rien ne fermait, ni la porte, ni la fenêtre, ni l'armoire, je me suis donc senti aussitôt chez moi, dans un environnement familier. Au petit déjeuner, on m'a servi un délicieux café turc à la cardamome, une pita, un morceau de fromage de chèvre, un oignon et des olives.

J'ai remonté la rue principale de la petite ville, plantée de palmiers, de ficus et d'azalées. Au bord de la mer, des pêcheurs vendaient le produit de leur pêche matinale. Sur une longue table dégoulinante, ils saisissaient les poissons qui frétillaient sur le carreau, leur fracassaient la tête avec un poids, les vidaient en un tour de main et, d'un large geste, jetaient leurs tripes dans la baie où tournoyaient des bancs de poissons se régalant des restes de leurs congénères. A l'aube, les pêcheurs les attrapaient dans leurs filets et les jetaient sur la table gluante du sacrifice. Ainsi, la nature, tel un serpent se mordant la queue, se nourrissait elle-même tout en nourrissant les hommes.

A mi-chemin, sur un promontoire, se dresse le château Saint-Pierre construit à l'époque des croisés. Il abrite le musée de l'archéologie sous-marine. On peut y contempler diverses trouvailles que les plongeurs ont remontées de la mer Egée. Une grande collection d'amphores attire le regard. Les amphores sont connues depuis cinq mille ans. D'une grâce raffinée, sveltes, avec des cous de cygne, elles associent l'élégance de la forme à la résistance du matériau : pierre et argile cuite. Servant à transporter l'huile d'olive et le vin, le fromage et le miel, les céréales et les fruits, elles faisaient le tour du monde antique, des Colonnes d'Hercule à la Colchide en passant par les Indes. Le fond de la mer Egée est jonché de tessons d'amphores, mais on y trouve aussi des tas de vases intacts, peut-être encore pleins d'huile ou de miel, coincés sous des rochers sous-marins ou ensevelis dans le sable, semblables aux étranges créatures qui viennent s'y tapir.

Les découvertes des plongeurs ne représentent toutefois qu'une infime partie de ce monde englouti. Semblable sans doute au monde dans lequel nous vivons aujourd'hui, cet univers enfoui dans les profondeurs de la mer est riche et varié. Il regorge d'îles immergées avec leurs villes et leurs villages, des ports et des débarcadères, des temples et des sanctuaires, des autels et des statues. Des navires et des milliers de barques de pêcheurs, des voiliers de marchands et des bateaux de pirates. Au fond de la mer gisent aussi les galères des Phéniciens, et, à Salamine, l'immense flotte des Perses, la fierté de Xerxès. Des hordes de chevaux, des troupeaux de chèvres et de brebis. Des bois et des champs cultivés. Des vignobles et des bois d'oliviers.

Le monde que connaissait Hérodote.

Ce qui m'a le plus ému dans le musée d'archéologie

sous-marine, c'est une salle sombre et mystérieuse, semblable à une grotte obscure où, sur des tables, dans des vitrines, sur des étagères, sont exposés des objets en verre remontés du fond de la mer : des coupelles, des petits plats, des petites cruches, des petits flacons, des petits verres. Cette foule d'objets ne se voit pas d'emblée, quand la salle est ouverte et que la lumière du jour y pénètre. Mais une fois que la porte est fermée et que le conservateur du musée a éteint la lumière, dans tous les récipients s'allument des petites ampoules ; le verre fragile et mat s'anime alors, se met à chatoyer, à éclaircir, à vibrer. Debout dans des ténèbres profondes et obscures, on a l'impression de se trouver au fond de la mer, d'assister à un festin de Poséidon dont la statue est éclairée par des déesses qui l'entourent en tenant au-dessus de leurs têtes de petites lampes à huile.

Debout dans les ténèbres, entouré de lumière.

Je rentre à l'hôtel. A la réception, une jeune fille turque aux yeux noirs a remplacé le petit garçon malade. Quand elle m'aperçoit, le sourire professionnel censé attirer le touriste cède la place à une expression plus conforme à la tradition : en présence d'un homme étranger, sérieux et indifférence sont de mise.

Table

Dans la même collection

Albert Drach, *Voyage non sentimental*. Traduit de l'allemand par Colette Kowalski.

Stanley Elkin, *Le Royaume enchanté*. Traduit de l'anglais (Etats-Unis) par Claire Maniez et Marc Chénetier.

Nathan Englander, *Pour soulager d'irrésistibles appétits*. Traduit de l'anglais (Etats-Unis) par Elisabeth Peellaert.

Jeffrey Eugenides, *Les Vierges suicidées*. Traduit de l'anglais (Etats-Unis) par Marc Cholodenko.

Susan Fletcher, *La Fille de l'Irlandais*. Traduit de l'anglais par Marie-Claire Pasquier.

Dario Fo, *Le Pays des Mezaràt*. Traduit de l'italien par Nathalie Bauer.

Erik Fosnes Hansen, *Cantique pour la fin du voyage*. Traduit du norvégien par Alain Gnaedig.

Erik Fosnes Hansen, *La Tour des faucons*. Traduit du norvégien par Johannes Kreisler.

Erik Fosnes Hansen, *Les Anges protecteurs*. Traduit du norvégien par Lena Grumbach et Hélène Hervieu.

William Gaddis, *JR*. Traduit de l'anglais (Etats-Unis) par Marc Cholodenko.

William Gaddis, *Le Dernier Acte*. Traduit de l'anglais (Etats-Unis) par Marc Cholodenko.

William Gaddis, *Agonie d'agapè*. Traduit de l'anglais par Claro.

Eduardo Galeano, *Mémoire du feu*, tome I, *Les Naissances*. Traduit de l'espagnol par Claude Couffon.

Eduardo Galeano, *Mémoire du feu*, tome II, *Les Visages et les Masques*. Traduit de l'espagnol par Véra Binard.

Eduardo Galeano, *Mémoire du feu*, tome III, *Le Siècle du vent*. Traduit de l'espagnol par Véra Binard.

Natalia Ginzburg, *Nos années d'hier*. Traduit de l'italien par Adrienne Verdière Le Peletier. Nouvelle édition établie par Nathalie Bauer.

Paul Golding, *L'Abomination*. Traduit de l'anglais par Robert Davreu.

Nadine Gordimer, *Le Safari de votre vie*. Nouvelles traduites de l'anglais par Pierre Boyer, Julie Damour, Gabrielle Rolin, Antoinette Roubichou-Stretz et Claude Wauthier.

Nadine Gordimer, *Feu le monde bourgeois*. Traduit de l'anglais par Pierre Boyer.

Nadine Gordimer, *Personne pour m'accompagner*. Traduit de l'anglais par Pierre Boyer.

Nadine Gordimer, *L'Ecriture et l'existence*. Traduit de l'anglais par Claude Wauthier.

Nadine Gordimer, *L'Arme domestique*. Traduit de l'anglais par Claude Wauthier et Fabienne Teisseire.

Nadine Gordimer, *Vivre dans l'espoir et dans l'Histoire*. Traduit de l'anglais par Claude Wauthier et Fabienne Teisseire.

Nadine Gordimer, *La Voix douce du serpent*. Traduit de l'anglais par Pierre Boyer, Julie Damour, Dominique Dussidour, Claude Wauthier.

Nadine Gordimer, *Le Magicien africain*. Traduit de l'anglais par Pierre Boyer, Julie Damour, Fabienne Teisseire et Claude Wauthier.

Arnon Grunberg, *Douleur fantôme*. Traduit du néerlandais par Olivier Van Wersch-Cot.

Arnon Grunberg, *Lundis bleus*. Traduit du néerlandais par Tina Hegeman.

Allan Gurganus, *Bénie soit l'assurance*. Traduit de l'anglais (Etats-Unis) par Simone Manceau.

Allan Gurganus, *Et nous sommes à Lui*. Traduit de l'anglais (Etats-Unis) par Elisabeth Peellaert.

Allan Gurganus, *Lucy Marsden raconte tout*. Traduit de l'anglais (Etats-Unis) par Elisabeth Peellaert.

Allan Gurganus, *Les Blancs*. Traduit de l'anglais (Etats-Unis) par Simone Manceau et Elisabeth Peellaert.

Oscar Hijuelos, *Les Mambo Kings*. Traduit de l'anglais (Etats-Unis) par Pierre Alien et Jean Clem.

Nick Hornby, *A propos d'un gamin*. Traduit de l'anglais par Christophe Mercier.

Nick Hornby, *Carton jaune*. Traduit de l'anglais par Gabrielle Rolin.

Nick Hornby, *Conversations avec l'ange*. Traduit de l'anglais par Marie-Claire Pasquier.

Nick Hornby, *Haute Fidélité*. Traduit de l'anglais par Gilles Lergen.

Nick Hornby, *La bonté : mode d'emploi*. Traduit de l'anglais par Isabelle Chapman.

Nick Hornby, *Vous descendez ?* Traduit de l'anglais par Nicolas Richard.

Neil Jordan, *Lignes de fond*. Traduit de l'anglais (Irlande) par Gabrielle Rolin.

Nicholas Jose, *Pour l'amour d'une rose noire*. Traduit de l'anglais par Anne Rabinovitch.

Ryszard Kapúsciński, *Ebène*. Traduit du polonais par Véronique Patte.

Ryszard Kapúsciński, *Imperium*. Traduit du polonais par Véronique Patte.

Ryszard Kapúsciński, *La Guerre du foot*. Traduit du polonais par Véronique Patte.

Wolfgang Koeppen, *Pages du journal de Jacob Littner écrites dans un souterrain*. Traduit de l'allemand par André Maugé.

Jerzy Kosinski, *L'Ermite de la 69ᵉ Rue*. Traduit de l'anglais (Etats-Unis) par Fortunato Israël.

Barry Lopez, *Les Dunes de Sonora*. Traduit de l'anglais (Etats-Unis) par Suzanne V. Mayoux.

James Lord, *Cinq femmes exceptionnelles*. Traduit de l'anglais (Etats-Unis) par Pierre Leyris et Edmonde Blanc.

Patrick McCabe, *Le Garçon boucher*. Traduit de l'anglais (Irlande) par Edith Soonckindt.

Norman Mailer, *L'Amérique*. Traduit de l'anglais (Etats-Unis) par Anne Rabinovitch.

Norman Mailer, *L'Evangile selon le fils*. Traduit de l'anglais (Etats-Unis) par Rémy Lambrechts.

Norman Mailer, *Oswald. Un mystère américain*. Traduit de l'anglais (Etats-Unis) par Pierre Grandjouan.

Salvatore Mannuzzu, *La Procédure*. Traduit de l'italien par André Maugé.

Salvatore Mannuzzu, *La Fille perdue*. Traduit de l'italien par Nathalie Bauer.

Valerie Martin, *Mary Reilly*. Traduit de l'anglais (Etats-Unis) par Annie Saumont.

Paolo Maurensig, *Le Violoniste*. Traduit de l'italien par Nathalie Bauer.

Piero Meldini, *L'Antidote de la mélancolie*. Traduit de l'italien par François Maspero.

Jess Mowry, *Hypercool*. Traduit de l'anglais (Etats-Unis) par Pierre Alien.

Péter Nádas, *Amour*. Traduit du hongrois par Georges Kassai et Gilles Bellamy.

Péter Nádas, *La Fin d'un roman de famille*. Traduit du hongrois par Georges Kassai.

Péter Nádas, *Le Livre des mémoires*. Traduit du hongrois par Georges Kassai. Prix du Meilleur Livre Etranger 1999.

Péter Nádas, *Minotaure*. Traduit du hongrois par Georges Kassai et Gilles Bellamy.

V. S. Naipaul, *L'Inde. Un million de révoltes*. Traduit de l'anglais par Béatrice Vierne.

V. S. Naipaul, *La Traversée du milieu*. Traduit de l'anglais par Marc Cholodenko.

V. S. Naipaul, *Un chemin dans le monde*. Traduit de l'anglais par Suzanne V. Mayoux.

V. S. Naipaul, *La Perte de l'Eldorado*. Traduit de l'anglais par Philippe Delamare.

V. S. Naipaul, *Jusqu'au bout de la foi. Excursions islamiques chez les peuples convertis*. Traduit de l'anglais par Philippe Delamare.

V. S. Naipaul, *La Moitié d'une vie*. Traduit de l'anglais par Suzanne V. Mayoux.

V. S. Naipaul, *Semences magiques*. Traduit de l'anglais par Suzanne V. Mayoux.

Tim O'Brien, *A la poursuite de Cacciato*. Traduit de l'anglais (Etats-Unis) par Yvon Bouin.

Tim O'Brien, *A propos de courage*. Traduit de l'anglais (Etats-Unis) par Jean-Yves Prate. Prix du Meilleur Livre Etranger 1993.

Tim O'Brien, *Au lac des Bois*. Traduit de l'anglais (Etats-Unis) par Rémy Lambrechts.

Tim O'Brien, *Matou amoureux*. Traduit de l'anglais (Etats-Unis) par Rémy Lambrechts.

Jayne Anne Phillips, *Camp d'été*. Traduit de l'anglais (Etats-Unis) par André Zavriew.

Salman Rushdie, *Est, Ouest*. Traduit de l'anglais par François et Danielle Marais.

Salman Rushdie, *Franchissez la ligne...* Traduit de l'anglais par Philippe Delamare.

Salman Rushdie, *Furie*. Traduit de l'anglais par Claro.

Salman Rushdie, *Haroun et la mer des histoires*. Traduit de l'anglais par Jean-Michel Desbuis.

Salman Rushdie, *La Honte*. Traduit de l'anglais par Jean Guiloineau.

Salman Rushdie, *La Terre sous ses pieds*. Traduit de l'anglais par Danielle Marais.

Salman Rushdie, *Le Dernier Soupir du Maure*. Traduit de l'anglais par Danielle Marais.

Salman Rushdie, *Le Sourire du jaguar*. Traduit de l'anglais par Anne Rabinovitch.

Salman Rushdie, *Les Enfants de minuit*. Traduit de l'anglais par Jean Guiloineau.

Salman Rushdie, *Les Versets sataniques*. Traduit de l'anglais par A. Nasier.

Salman Rushdie, *Shalimar le clown*. Traduit de l'anglais par Claro.

Paul Sayer, *Le Confort de la folie*. Traduit de l'anglais par Bernard Hoepffner.

Donna Tartt, *Le Maître des illusions*. Traduit de l'anglais (Etats-Unis) par Pierre Alien.

Donna Tartt, *Le Petit Copain*. Traduit de l'anglais (Etats-Unis) par Anne Rabinovitch.

Pramoedya Ananta Toer, *Le Fugitif*. Traduit de l'indonésien par François-René Daillie.

Dubravka Ugrešić, *L'Offensive du roman-fleuve*. Traduit du serbo-croate par Mireille Robin.

Dubravka Ugrešić, *Dans la gueule de la vie*. Traduit du serbo-croate par Mireille Robin.

Sandro Veronesi, *La Force du passé*. Traduit de l'italien par Nathalie Bauer.

Serena Vitale, *Le Bouton de Pouchkine*. Traduit de l'italien par Jacques Michaut-Paternò. Prix du Meilleur Livre Etranger 1998.

Edith Wharton, *Les Boucanières*. Traduit de l'anglais (Etats-Unis) par Gabrielle Rolin.

Edmund White, *Ecorché vif*. Traduit de l'anglais (Etats-Unis) par Elisabeth Peellaert et Marc Cholodenko.

Edmund White, *Fanny*. Traduit de l'anglais (Etats-Unis) par Anne Rabinovitch.

Edmund White, *La Bibliothèque qui brûle*. Traduit de l'anglais (Etats-Unis) par Philippe Delamare.

Edmund White, *La Symphonie des adieux*. Traduit de l'anglais (Etats-Unis) par Marc Cholodenko.

Edmund White, *L'Homme marié*. Traduit de l'anglais (Etats-Unis) par Anne Rabinovitch.

Jeanette Winterson, *Ecrit sur le corps*. Traduit de l'anglais par Suzanne Mayoux.

Jeanette Winterson, *Le Sexe des cerises*. Traduit de l'anglais par Isabelle Delors-Philippe.

Jeanette Winterson, *Art et mensonges*. Traduit de l'anglais par Isabelle Delors-Philippe.

Tobias Wolff, *Un mauvais sujet*. Traduit de l'anglais (Etats-Unis) par Anouk Neuhoff.

Tobias Wolff, *Dans l'armée de Pharaon*. Traduit de l'anglais (Etats-Unis) par Rémy Lambrechts.

Tobias Wolff, *Portrait de classe*. Traduit de l'anglais (Etats-Unis) par Elisabeth Peellaert.

Tobias Wolff, *Retour au monde*. Traduit de l'anglais (Etats-Unis) par Rémy Lambrechts.

Composition et mise en page

NORD COMPO
m u l t i m é d i a

Cet ouvrage a été imprimé par **Bussière**
à Saint-Amand-Montrond (Cher)
pour le compte des Éditions Plon
76, rue Bonaparte
Paris 6ᵉ

Achevé d'imprimer en mars 2006.

N° d'édition : 14019. — N° d'impression : 061180/1.
Dépôt légal : mars 2006.

Imprimé en France